# le château du clown

**GUY DES CARS**

# le château
# du clown

*Éditions J'ai Lu*

# LE FANTÔME

Sans doute est-ce l'une des plus étranges aventures romanesques qu'il m'ait été donné de vivre. Le plus extraordinaire de cette histoire est qu'elle me soit arrivée personnellement alors que mon métier est de créer des récits dont le fond est presque toujours réel, mais où les héros sont le plus souvent fictifs. Dans celui-ci, les personnages sont authentiques : ils ont existé et quelques-uns d'entre eux vivent encore.

Tout a commencé parce que le démon de l'écriture me poussait à donner vie à un nouveau roman dont le titre galopait déjà depuis quelques années dans ma tête et dont j'étais enfin parvenu à bâtir le plan définitif. Mais avant de me mettre sérieusement au travail sur *la Joueuse* — titre indiquant à lui seul qu'il s'agissait d'analyser le comportement d'une femme dévorée par l'une des passions les plus effrénées qui soient — il était indispensable de me plonger dans ce bain de documentation très spécial qu'est une maison de jeux. N'étant pas joueur moi-même, il n'existait qu'un moyen radical de me documenter : fréquenter pendant des semaines, peut-être même des mois, un établissement où tous les jeux seraient autorisés. L'endroit idéal était le casino de Monte-Carlo. Ce fut la raison pour laquelle je m'installai dans l'un des hôtels de la principauté.

Le soir même de mon arrivée, je pénétrai dans l'illustre temple du hasard bien organisé. Le lendemain et les jours suivants je fis de même. Très vite je me sentis intoxiqué, non pas tellement par le mécanisme imprévisible du jeu mais plutôt par l'atmosphère assez morbide qui s'exhale de salles dont les lambris dorés restent imprégnés de l'odeur de cigare éteint mêlée à celle de parfums qui n'ont pas dû être tous de qualité. Si je ne me sentais pas très à l'aise dans ce lieu où chaque seconde de vie est régie par l'émotion forte qu'apporte la joie du gain ou la déception de la perte, je l'étais encore beaucoup moins quand je rejoignais ma chambre d'hôtel pour jeter sur le papier les notations que je venais de récolter en observant des femmes qui ne semblaient trouver une raison de vivre qu'autour de tables recouvertes du monotone tapis vert.

Et comme le moment approchait où il me faudrait utiliser cette documentation prise sur le vif pour l'insérer dans mon récit, j'étais quelque peu angoissé. N'ayant encore jamais réussi à écrire dans une chambre d'hôtel, dont l'impersonnalité a un côté déprimant, ce ne serait certainement pas une pareille ambiance qui favoriserait mon inspiration ! Je devais donc dénicher sans tarder un domicile provisoire — appartement, villa, vieille bâtisse, bungalow ou même grenier — où je pourrais, chaque fois que je sortirais de l'enfer du jeu, réfléchir et surtout écrire. Après le va-et-vient des salles du casino et les invites sans cesse répétées des croupiers, j'avais besoin de silence dans un décor qui ne serait peut-être pas luxueux mais qui aurait au moins le mérite de ne pas m'être hostile.

Je me précipitai vers la première agence de « Ventes et locations immobilières en tout genre » que je repérai sur le chemin suivi chaque jour pour me rendre de l'hôtel au casino. Une aimable personne, entre deux âges, m'y accueillit. Quand je lui eus expliqué ce que je recherchais de toute urgence, Mme Giraud répondit en souriant :

— Il n'est pas nécessaire de me dire votre nom : je sais qui vous êtes.

— Vraiment ?

Je jouais l'étonné, mais, comme la plupart de mes confrères-auteurs, je ne trouvais pas tellement désagréable d'être reconnu! Je ne sais d'ailleurs toujours pas, encore aujourd'hui, si Mme Giraud m'a lu mais j'ai appris, dès les premières minutes de notre entretien, qu'elle m'avait vu à la télévision, cette invention démoniaque qui permet à n'importe quel inconnu de vous dire qu'il vous connaît très bien. Elle continua :

— J'ai compris ce qu'il vous faut. Sans doute êtes-vous en train d'écrire un nouveau roman? Puis-je en connaître le titre?

— Soyez gentille de me le laisser encore à moi pendant quelque temps : c'est là l'un de mes petits plaisirs secrets.

— Je n'insiste pas!

Mais sa bouche me parut être un peu pincée pendant qu'elle marmonnait et que ses doigts agiles compulsaient les unes après les autres des fiches placées dans un classeur :

— Non, ça ne va pas... Ce n'est pas pour vous... Ni ça... Puis-je vous poser une question?

— Je vous en prie.

— Cette location serait pour vous seul?

— Pour moi tout seul.

— Avez-vous déjà une idée sur le prix que vous voudriez mettre?

— Selon un vieux principe, j'aimerais trouver ce qu'il y a de mieux pour le moins cher possible.

— Vous loueriez pour combien de temps?

— Deux mois... Peut-être quatre, ou six! La durée de mon séjour dépendra de mon travail : il y a des romans que l'on écrit plus vite que d'autres... Le mieux serait de prévoir la location pour une durée minimale avec possibilité de prolongation moyennant préavis.

— C'est là une bonne solution.

Elle consultait toujours ses fiches.

— Si nous trouvions quelque chose qui convienne, vous vous installeriez tout de suite?

— Immédiatement, puisque je veux fuir l'hôtel! Mais il faudrait que ce soit tout au plus dans un rayon d'une dizaine de kilomètres. Je ne tiens pas à habiter sur le territoire même de la principauté mais je ne souhaite pas non plus être trop éloigné du casino où je recueille ma documentation.

— Vous êtes joueur?

— Pas le moins du monde! J'essaie seulement d'étudier, pour le livre que j'ai l'intention d'écrire, le comportement de certaines personnes qui jouent.

— J'ose espérer que vous ne direz pas trop de mal de notre casino?

— Rassurez-vous : je ne manquerai pas de glorifier une institution aussi princière!

Brusquement, l'aimable dame me donna l'impression de tomber en extase devant l'une des fiches. Et ce fut, le visage irradié par la joie de la découverte rare, qu'elle m'annonça triomphalement :

— J'ai exactement ce qu'il vous faut! Le rêve pour un artiste : un peintre, un compositeur, un écrivain... Car vous aussi, qui maniez la plume, n'êtes-vous pas également un peu artiste à votre manière?

— Ne vous méprenez pas trop : les écrivains ne sont pas obligatoirement des artistes! Ce qui n'empêche que beaucoup d'entre eux possèdent un réel penchant pour ce qui est beau.

— Alors, vous allez être servi!

— Vous m'intriguez...

— Je vous préviens tout de suite : il ne s'agit ni d'un appartement, ni d'une villa, ni d'une maison de campagne, mais d'un château.

— Quoi?

— Un vrai château perché sur le sommet d'une colline et ayant une vue imprenable sur toute la baie de Menton... Une demeure admirable possédant quatre pièces de réception : un vestibule d'entrée digne d'un palais, un salon immense, une salle à manger et un fumoir avec billard. Il y a dix chambres à coucher dotées chacune d'une salle de bains et de w.-c. privés... Confort ultra-moderne, chauffage au mazout, air conditionné, télévision partout... Ameublement pouvant rivaliser avec n'importe quel gothique flamboyant, tableaux modernes des plus curieux... Le corps de bâtiment central est flanqué de quatre tours moyenâgeuses qui font beaucoup d'effet et le tout est entouré d'un parc de dix hectares ! Une piscine olympique, où l'eau peut être chauffée à volonté, a été aménagée sur la terrasse... Ajoutez un potager entretenu, une serre, une orangerie, des écuries et une grande remise. Tout cela à l'état de neuf ! La vaisselle et l'argenterie prévues pour vingt-quatre couverts sont complètes, la lingerie est fine et les draps brodés. Le parc enfin est entretenu par un jardinier qui est là en permanence : homme sérieux dont la femme peut également faire la cuisine. Donc, aucun problème de serviteurs à vous poser ! Le couple pourrait très bien remplir cet office. C'est bien simple : c'est le rêve ! Vous n'avez plus qu'à vous installer.

Mme Giraud, qui avait lu d'une traite — et sans prendre même le temps de respirer — l'énumération des splendeurs et des avantages mentionnés sur la fiche, trouva encore la force de demander :

— Ça vous convient ?

Ce fut moi qui eus le souffle coupé. Devant mon silence, elle s'empressa d'ajouter :

— C'est bien dommage que je n'aie pas ici de photographies des lieux, sinon vous auriez été tout de suite enthousiasmé !

Je pus enfin articuler :

— Mais qu'est-ce que vous voulez qu'un homme seul comme moi fasse dans ce bazar !

— Comment pouvez-vous dénommer ainsi le plus extraordinaire château de toute la Côte d'Azur ? Vous auriez dû dire : ce palais... Ce que vous y ferez, cher auteur ? Vous y rêverez et, comme chacun sait que de la réflexion jaillit la lumière, ça vous permettra peut-être d'écrire un chef-d'œuvre !

— Vous vous moquez ?

— Nullement. J'ai pour vous et pour votre talent beaucoup trop de respect... C'est même la vraie raison pour laquelle je n'ai pas hésité à parler d'une affaire aussi exceptionnelle que je n'aurais même pas pris la peine de proposer à un client ordinaire. Pour moi, un romancier c'est autre chose.

— Je crains que vous ne vous fassiez une trop haute

opinion de mes possibilités... Un romancier, ce n'est qu'un bonhomme comme les autres !

— C'est vous qui le dites, mais je n'en crois rien ! Seul un homme ayant beaucoup d'imagination peut habiter une pareille demeure ! Et sans doute est-ce pourquoi elle n'a pas encore trouvé preneur depuis la mort de son propriétaire, il y a dix ans... J'ai omis de vous dire qu'en réalité ce château n'est pas à louer mais à vendre. Seulement, aucun acquéreur sérieux ne s'étant présenté, les héritiers du défunt commencent à désespérer.

— Qui sont ces héritiers ?

— Des neveux de l'épouse du propriétaire qui est morte elle-même trois ans avant lui.

— Mais pourquoi diable ne se sont-ils pas installés dans cet éden ?

— Ils n'en ont ni les moyens ni surtout la classe ! Leur oncle ayant connu d'importants revers financiers vers la fin de sa vie, cette propriété est pratiquement le seul actif de la succession. Mais un actif qui vaut à lui seul une fortune !

— Ou rien du tout s'il n'y a pas d'amateur !

— Un jour ou l'autre il s'en présentera obligatoirement un, ne serait-ce que pour le terrain : dix hectares sur une colline dominant la baie de Menton ! Et qui sait ? Peut-être qu'un jour ce sera vous l'acquéreur !

— Je ne suis venu vous trouver que pour une location d'une durée très limitée et à condition, je vous le répète, qu'elle soit d'un prix raisonnable.

— Elle le sera ! Je vous en réponds... Mais cela n'entame pas ma conviction que lorsque vous aurez séjourné pendant quelques semaines dans ce paradis, vous ne pourrez plus vous passer de lui !

— Vous n'auriez pas quelque chose de plus modeste à me proposer ?

— J'ai de tout, même d'infâmes bicoques... Mais cela ne m'empêche pas de mettre mon point d'honneur à vous faire visiter ce château ! Ma voiture est là, devant la porte. Nous serons là-bas dans vingt-cinq minutes tout au plus. Je téléphone à la gardienne pour la préve-

10

nir de notre arrivée et, si ce château ne vous convient pas, nous serons de retour dans deux heures. Il faut bien en compter au moins une pour la visite : c'est tellement vaste !

— On ne peut pas dire que vous manquiez de suite dans les idées ! Quel est le nom de ce château ?

— *La Forteresse.*

— Ce n'est pas très gai !

— Mais ça lui convient ! N'oubliez pas qu'il y a quatre tours crénelées... de construction relativement récente, c'est vrai, mais ce sont quand même des tours ! Je dois d'ailleurs vous confier que, dans la région, on ne donne jamais son nom à cette demeure : on l'appelle *Le Château du Clown.*

— Pourquoi ?

— Simplement parce que son dernier propriétaire était un clown.

— Le défunt ?

— Oui... Même un très grand clown dont vous avez peut-être entendu parler : PLOUF.

— Plouf ! Mais je l'ai applaudi ! C'était l'un des plus célèbres comiques du monde ! Il n'était pas qu'archiconnu, il était aussi merveilleusement drôle... Maintenant je me souviens, en effet, avoir appris sa mort par les journaux il y a quelques années et cela m'avait fait de la peine... Comment ne pas regretter un personnage qui a su vous faire rire ? Malheureusement le rire passe plus vite que le chagrin... Alors c'était lui le propriétaire de la bâtisse que vous voulez me louer ?

— Il l'avait achetée, voici vingt ans, à un Russe blanc émigré, le prince Skirnof, qui l'avait fait construire peu de temps avant la guerre de 1914.

— Et les seuls héritiers du clown sont ses neveux ? Quelle était sa véritable nationalité ?

— Contrairement à beaucoup de gens de la piste qui sont de partout et de nulle part, il était un authentique Wallon né à Liège. C'est pourquoi on le disait français. Par contre, les neveux et uniques héritiers sont, comme sa femme, italiens. Ils habitent dans la banlieue de Gênes où ils mènent une existence des plus modestes en espérant que la vente du château leur apportera une sensible amélioration de leur situation. Mais comme cette vente se fait attendre, je suis convaincue de pouvoir obtenir sans trop de peine qu'ils consentent à une location provisoire. Ça leur apportera tout de même un peu d'argent. Je n'attends que votre accord pour leur téléphoner.

— *Le Château du Clown*... J'avoue que ce nom m'enchante ! Et rien que pour lui, j'ai envie de découvrir les lieux. Allons-y !

Après avoir roulé sur une route qui n'était qu'une longue côte faite de virages, nous arrivâmes devant l'entrée de la propriété qui me sembla être d'un goût aussi étrange que discutable. Rappelant ces façades moyenâgeuses, crénelées et cartonnées, que l'on trouve encore sur les champs de foire pour appâter le public vers « le train-fantôme », elle offrait tout ce qui pouvait attirer le regard. Mais, au lieu d'être en carton-pâte, l'ensemble était construit en solides pierres taillées dans le granit. C'était massif et mal venu sous le ciel méditerranéen. Pour accéder à la porte, dont le front était en forme d'ogive et qui était en réalité une herse baissée au moment de notre arrivée, il fallait franchir un pont-levis enjambant un fossé où stagnait une eau croupissante. Pont-levis qui pouvait être relevé, isolant ainsi la propriété dont tout le parc était entouré de murs de pierre crénelés d'une hauteur de quatre mètres. Enfin, encadrant la grille à travers laquelle on apercevait le parc, deux tours carrées portaient, gravé de chaque côté dans la pierre en lettres gothiques, le nom lugubre *La Forteresse*. C'était à se demander si l'ensemble n'avait pas été édifié par un nouveau Viollet-le-Duc ?

— Il vaut mieux laisser ma voiture là, confia Mme Giraud. Mais si vous devenez le locataire vous aurez toutes facilités pour franchir cette enceinte en auto et rouler jusqu'au perron du château.

Dès que nous nous engageâmes à pied sur le tablier du pont-levis, la herse, mue par quelque mécanisme secret, commença à se lever lentement et une silhouette anguleuse se dressa sous l'ogive. C'était celle d'une femme, n'ayant plus d'âge et d'une extrême maigreur, dont le visage raviné semblait avoir été taillé dans une pomme de pin oblongue.

— C'est la gardienne à qui j'ai téléphoné tout à l'heure, me souffla Mme Giraud, avant de s'adresser à voix haute à la femme : « Bonjour, madame... Voici le monsieur qui est intéressé par la propriété... Pouvez-vous avoir l'amabilité de nous la faire visiter ? »

Contrairement à ce qu'aurait pu faire croire l'apparence rébarbative du cerbère, ce fut une voix plutôt douce qui répondit :

— Avec plaisir ! Ceci d'autant plus qu'il y a au moins trois mois que je n'ai pas vu se présenter un seul amateur ! Entre nous, madame et monsieur, vous ne croyez pas que c'est bien triste et même honteux qu'il en ait été ainsi quand il s'agit d'une pareille splendeur ?

Le parc était bien entretenu et la large allée, permettant d'accéder à la demeure, ratissée avec le plus grand soin.

— Je reconnais là la main de votre époux, dit Mme Giraud pendant que nous avancions.

— Il ne fait que continuer à exécuter les ordres du patron qui n'admettait pas, les jours où il recevait une visite, que des traces de pneumatiques de voiture restent dans cette allée. Dès que la voiture était passée, mon mari se précipitait pour ratisser.

— Vous avez bien dit « le patron », questionnai-je. Quel patron ?

— M. Plouf.

— Il donnait beaucoup de réceptions ?

— Le moins possible ! Il détestait ce qu'il appelait « le grand monde ». C'étaient seulement quelques vieux amis du métier qui venaient le voir de temps en temps.

— Votre mari et vous aimiez beaucoup M. Plouf ?

— Si nous l'aimions ? Mais il a été tout pour nous ! Sans lui nous ne serions pas ici, finissant paisiblement nos jours sous ce climat et dans ce paradis ! Il a prévu que — quels que soient les futurs habitants du château

— nous continuerions à en rester les gardiens appointés jusqu'à notre mort. N'est-ce pas gentil ? Mon mari et moi avons d'ailleurs toujours pensé que lorsqu'il a fait mettre cette clause dans son testament, c'était parce qu'il avait la conviction que les neveux de sa femme viendraient vivre ici. Ce qui n'a jamais été le cas puisque, dès le lendemain de l'enterrement du patron, ils ont décidé de tout vendre !

— Il semble que jusqu'à présent un aussi triste projet n'ait pas été tellement bénéfique pour eux ?

— A qui le dites-vous ! Et c'est bien fait ! Comme si on avait le droit de refuser ce que le Ciel vous apporte ! Parce que, enfin, ce ne sont pas eux, ces petits-bourgeois d'héritiers italiens, qui ont fait la carrière d'un Plouf ! Leur chance a été qu'il s'amourache de leur tante Carla... Faut dire qu'elle a été rudement belle dans sa jeunesse, Mme Plouf ! On l'appelait « la saltimbanque » dans sa famille... Seulement, « sa » famille, c'étaient tous des ratés ! Des épiciers de second ordre dans la banlieue de Gênes... Carla, qui était mieux que jolie, avait compris : elle s'est enfuie. C'est grâce à cela qu'elle est devenue l'épouse du clown le plus génial du monde.

— Elle et lui devaient s'adorer ?

— Ils s'idolâtraient ! Pour lui, « sa » Carla c'était tout et pour elle, « son » Ernest, c'était un dieu !

— Ernest ?

— Ernest Bedaine, ses vrais prénom et nom. C'est sans doute pourquoi il a préféré devenir Plouf... « Monsieur Plouf », ça sonne quand même mieux !

— Mme Giraud, ne trouvez-vous pas que c'est merveilleux d'entendre d'anciens serviteurs parler ainsi de leurs patrons défunts après dix années ?

Mais, avant que la directrice de l'agence immobilière n'ait eu le temps de répondre, la gardienne s'était hérissée, brusquement agressive :

— Ni mon mari ni moi, monsieur, ne sommes d'anciens « serviteurs » comme vous semblez le croire. Et pourquoi pas des « domestiques » pendant que vous y êtes ? Après avoir été longtemps des artistes, Marcello et moi avons abandonné la profession, à la demande de M. Plouf, pour nous occuper de cette propriété qu'il venait d'acheter et où il lui fallait des gens de confiance. Mais il s'en est fallu de peu, quand le patron a lancé son propre cirque quelques années avant sa mort, que mon mari et moi nous ne remettions cela en partant avec lui en tournée. Vous savez : quand on a le métier dans le sang, on ne peut pas résister à l'attrait du voyage...

— Quelle était votre spécialité en piste ?

— Marcello faisait partie d'une célèbre troupe italienne de jeux icariens et d'acrobaties à la bascule : les Fatini... Voltigeur, il se faisait rattraper en équilibre tête contre tête en cinquième hauteur ! On n'a plus jamais revu cela : c'était unique au monde ! Et puis un jour, il y a eu l'accident bête : la chute avec une jambe brisée en deux endroits ! C'est pour cela qu'il boite aujourd'hui... Ne pouvant plus faire le numéro, il est devenu régisseur de piste. Vous savez ce que c'est ?

— Une sorte de *ringmaster*, comme disent les Anglo-Saxons, ou de *Monsieur Loyal* selon les Français... C'est celui qui a la responsabilité du spectacle ?

— Exactement ! Il doit aussi participer aux entrées comiques des clowns pour les mettre en valeur. Aujourd'hui il n'y a presque plus de bons régisseurs de piste. C'est pourquoi M. Plouf ne fut pas long à remarquer Marcello lorsqu'il passa en super-vedette chez *Kröne*, le grand cirque allemand où mon mari travaillait déjà depuis deux années. C'est là qu'il lui a offert de devenir le régisseur du château... Marcello m'en a parlé : je n'étais pas très enthousiaste mais c'était très difficile de résister à un homme comme M. Plouf ! Nous avons fini par dire « oui » et nous sommes là depuis vingt années ! Dix du temps du patron, dix après sa mort.

— Pour moi vous êtes un peu ses ambassadeurs à titre posthume... Vous devez avoir beaucoup de travail dans une pareille demeure ?

— Marcello et moi nous répartissons les tâches et nous y arrivons à condition de ne pas nous arrêter ! Mon domaine, c'est le château : j'arrive à faire à fond deux pièces par jour. Marcello, lui, surveille les remises — il y reste encore du matériel depuis le jour où le patron a décidé de ne plus « tourner »...

— Tourner ?

— C'est une expression du métier qui s'applique à un cirque qui cesse définitivement de faire sa ronde de ville en ville. Le plus gros travail de mon mari, c'est l'entretien du parc qui est grand ! Et tous ces massifs de fleurs, qu'aimait tant le patron, on ne peut pas les laisser mourir !

— Et vous, madame, que faisiez-vous en piste ?

— J'ai été volante... Trapéziste si vous préférez. Moi aussi, j'ai connu la mauvaise chute qui m'a fait rebondir du filet dans la salle où je suis restée puisque je suis devenue ouvreuse... Mais il m'arrivait parfois de reparaître sur la piste lorsqu'on y donnait des pantomimes où il fallait beaucoup de figuration et même dans la parade finale pour laquelle j'endossais, comme toutes les autres ouvreuses, un costume de grenadier... Vous savez, au cirque on fait tout ! Ce fut la deuxième année où j'étais ouvreuse que j'ai rencontré Marcello qui débutait comme valet de piste. Nous nous sommes compris tout de suite parce que nous avions réalisé l'un et l'autre que, même si l'on n'est plus une vedette de la piste, on peut encore trouver une certaine joie à vivoter autour d'elle.

— Sans doute allez-vous me trouver assez indiscret, mais j'aimerais vous poser une dernière question.

— Vous n'êtes pas du tout indiscret et vous me faites au contraire un très grand plaisir en bavardant avec moi : les visiteurs sont tellement rares ! Mme Giraud peut vous le dire ! C'est à croire qu'ils ont peur de monter jusqu'ici !

— N'est-ce pas un peu normal ? Dès qu'on leur parle d'un château à vendre, ils hésitent...

— Alors, cette question ?

— Grâce à vous, je connais maintenant le prénom de votre époux, mais pas le vôtre ?

— Esther.

— Française ?

— Née dans le Jura.

— Une région de gens solides.

Notre conversation eut l'avantage de faire paraître courte la marche jusqu'au château dont la façade se dressait maintenant devant nous, colossale et hideuse.

Un château qui présentait la curieuse particularité de n'avoir aucun style propre puisqu'il les possédait tous ! Construit en pierre, la teinte générale en était ocre. Le corps de bâtiment central aurait pu être Renaissance avec, cependant, un perron de cinq marches permettant d'accéder à l'entrée principale et qui avait des grâces du XVIII<sup>e</sup> siècle. Les fenêtres à l'italienne étaient partagées en trois compartiments par des colonnettes supportant les retombées du cintre. Au-dessus du rez-de-chaussée, il y avait trois étages — ce qui en faisait un de trop et donnait à l'ensemble une hauteur disgracieuse. Les fenêtres mansardées du dernier étage se découpaient dans une toiture dont les tuiles colorées rappelaient celles qui font la gaieté des vieilles demeures bourguignonnes. Malheureusement l'élégance des toits en pente était écrasée par la présence accablante de deux tours crénelées voulues aussi « moyenâgeuses » que celles qui flanquaient le pont-levis de l'entrée et deux fois plus grandes ! Il y avait en réalité quatre tours, mais deux seulement étaient visibles sur la face nord. Les autres regardaient la face sud donnant sur l'arrière du parc. En contemplant un pareil ensemble, on éprouvait, malgré la diversité et l'enchevêtrement prétentieux des styles, une secrète impression de tristesse. Peut-être était-ce l'invraisemblable assemblage qui contribuait à aggraver ainsi la gêne ?

Une forteresse ? Même pas... le château ne semblait pas être vrai et n'inspirait guère plus de confiance que ceux qui foisonnent dans les épopées hollywoodiennes. Et il n'avait ni le mystère ni l'irréalité de ces demeures de jolies fées ou de méchants rois imaginées par Walt Disney. C'était lourd, bête et surtout inutile sous le ciel d'azur.

Le château d'un clown? Comment un homme, qui avait réussi à amuser le monde entier, avait-il pu choisir de finir ses jours ici? Quelle idée saugrenue, ou folle, avait pu pousser Plouf, le joyeux clown dont la bouche démesurément peinturlurée s'agrandissait jusqu'aux oreilles dans un rire extravagant, à savourer le souvenir de ses triomphes passés dans un pareil décor?

La seule explication aurait été que Plouf n'avait fait que se défouler en piste et que, dans le secret de son âme, il n'était en réalité qu'un pauvre homme triste. Mais cela faisait remonter à la surface tous les poncifs des larmes de clown... Ce n'était pas possible, je ne pouvais pas croire — moi qui l'avais applaudi — que le bon Plouf eût été un tel personnage préfabriqué! Il devait exister une autre raison, plus profonde et plus mystérieuse, pour laquelle il avait fait l'acquisition d'une telle demeure.

A moins que je ne sois devant une nouvelle résidence du Diable? Ce Diable dont tant de domaines de par le monde s'enorgueillissent de porter le nom? Un « Château du Diable » de plus? Après tout, Plouf, génie du rire, était peut-être un diable et le rire, poussé à l'extrême, n'a-t-il pas quelque chose de démoniaque? Pourtant les pierres du château n'étaient pas assez rouges et le ciel trop bleu... Je devais être plutôt devant une bâtisse édifiée par un demi-fou — ce prince russe émigré qui l'avait fait construire — et dont Plouf avait dû s'enticher : un clown qui a passé la plus grande partie de sa vie dans le cercle lumineux et irréel de la piste peut avoir la conviction qu'un château n'en est un que s'il possède des tours hostiles et s'il fait peur. Un clown, n'est-ce pas un enfant qui a trop grandi en conservant, ancrés pour toujours dans sa mémoire, les fantasmes les plus saugrenus de sa jeunesse?

— Nous entrons? dit la gardienne en introduisant une grosse clef dans la serrure de la porte à double battant qui dominait le perron.

Comme je marquais une hésitation, elle ajouta vite :

— Vous verrez : c'est encore plus beau à l'intérieur!

Ce fut le sourire discret de Mme Giraud qui m'encouragea. Sourire qui voulait dire : « Elle a raison, cette brave femme... Maintenant que vous êtes là, il faut aller jusqu'au bout de la visite ! Ne serait-ce que pour lui faire plaisir à elle ! Un romancier ne se doit-il pas de tout voir ? »

L'intérieur, aussi ahurissant que l'extérieur, était peut-être encore plus insensé : le clown avait éprouvé le besoin d'ajouter ses idées personnelles aux extravagances du prince russe. Le vestibule avait des dimensions impressionnantes : une sorte de hall de gare où tous les styles avaient été accumulés avec la même générosité que sur la façade. L'ensemble était criard et doré à profusion avec un plafond voûté peinturluré d'un bleu agressif rappelant celui d'une nef de chapelle de très mauvais goût et reposant sur des colonnes de marbre rose qui provenaient peut-être de Carrare mais dont la lourdeur était aussi écrasante que celle des tours crénelées. Esther appuya sur un commutateur pour que l'ensemble puisse apparaître dans tout son éclat : la richesse, vraie ou fausse, ruissela grâce à de surprenantes appliques accrochées à intervalles réguliers au flanc des murs. Luminaires qui étaient des clairons renversés, cuivrés et astiqués, dont chaque pavillon dissimulait une forte ampoule projetant vers le plafond un faisceau de lumière crue.

— Quelle surprenante idée d'éclairage !

— C'est M. Plouf qui l'a eue, répondit Esther avec une certaine fierté. Vous ne trouvez pas que c'est original ?

— Ça, pour l'originalité...

— À chaque fois qu'il traversait ce vestibule ça lui rappelait l'un des meilleurs moments de son numéro : il sortait toujours de piste en jouant du clairon. Ce qui faisait beaucoup d'effet.

— ... et de bruit ! Ces armures en pied ?

Il y en avait six alignées de chaque côté.

— Vous n'allez tout de même pas me dire qu'elles ont appartenu à des ancêtres de ce cher Plouf ?

— Elles étaient déjà là quand le patron a acheté le

château. Il les a conservées, disant qu'elles lui faisaient penser à ces valets de piste qui restent « à la barrière » pendant le spectacle. A un moment il avait même songé à les remplacer par des mannequins qui auraient porté les uniformes rouges avec brandebourgs d'or des *bareiters*(1) de son cirque. Uniformes qu'il a fait conserver dans la naphtaline.

— Vous les avez toujours ?

— Ils sont pendus dans une pièce basse qui est située au rez-de-chaussée de l'une des tours. Je les inspecte régulièrement : ils sont comme neufs.

— Des mannequins auraient été en effet plus à leur place ici. Ce vestibule pourrait très bien constituer, comme vous le dites, « la barrière » permettant d'accéder des coulisses à la piste... Et la piste, où est-elle ?

— Dans le salon.

Esther ouvrit avec respect l'un des battants d'une large porte. Ce qui me fit découvrir une pièce ronde encore plus vaste que le vestibule. J'éprouvai la sensation immédiate de ne pas me trouver dans un salon mais réellement dans un cirque ! La paroi du fond était faite d'une immense baie grande ouverte sur une terrasse qui dominait le parc... Un parc descendant en plan incliné : ce qui permettait de contempler au-dessus des frondaisons et en fond de décor le panorama de la baie de Menton. C'était vraiment ce que les prospectus des agences immobilières appellent « une vue imprenable sur la mer ». La nuit, quand toutes les petites lumières s'allumaient autour de la rade, ce devait être féerique.

La teinte uniformément grège du tapis rond, placé au centre et cachant la plus grande partie du dallage marbré noir, rappelait celle de ces tapis de coco ou de la sciure qui recouvrent les pistes. Et les sièges bas, répartis en cercle tout autour et recouverts de velours rouge, évoquaient les banquettes qui les ceinturent. Au centre, il n'y avait rien, comme si l'emplacement était réservé pour les numéros d'acrobates ou même pour celui du

(1) De l'allemand *Bereiter*, écuyer.

grand Plouf. Le plafond n'était qu'une vaste fresque peinte en trompe l'œil et représentant un extraordinaire carrousel de chevaux empanachés où les robes noires des frisons se mêlaient à la blancheur de celles des lippizans et aux crinières blondes des palaminos. Chevauchée fantastique qui était éclairée par les feux d'une rampe circulaire dont les lampes restaient dissimulées derrière une moulure dorée. Fresque dont les couleurs flamboyantes n'auraient peut-être pas enthousiasmé Chéret mais n'auraient sans doute pas déplu à un Chagall.

Sur les murs enfin, on pouvait contempler, enchâssées dans des cadres dorés aux moulures torsadées, une surprenante série d'affiches représentant Plouf dans chacune des entrées clownesques qu'il avait faites au cours de sa longue carrière. Le Plouf des débuts, le visage recouvert de blanc gras et presque famélique, voisinait avec celui qui lui avait succédé et qui portait une opulente tignasse de cheveux rouges : tignasse qui avait dû se hérisser aux moments de terreur voulus sur la piste grâce à une petite poire en caoutchouc maniée en cachette par l'une des mains de l'artiste... Puis apparaissait un troisième Plouf dont le grimage plus accentué donnait vie à un séduisant « clown blanc » qui portait un merveilleux costume de paillettes argentées... Clown beau parleur que l'on retrouvait sur l'affiche suivante mais sous un autre costume dont les paillettes noires étaient saupoudrées d'étoiles d'or. Et brusquement, le personnage changeait. La quatrième affiche révélait un tout autre Plouf : celui qui avait abandonné le rôle de meneur de jeu pour devenir le souffre-douleur, l'auguste qui reçoit les claques, les jets de farine et les jets d'eau parce qu'il est trop maladroit, celui qui parvient à faire rire de ses malheurs. Un personnage pitoyable.

C'était sans doute à l'époque où avait été placardée un peu partout cette affiche que Plouf avait compris qu'il se sentirait plus à l'aise sur la piste s'il jouait les grotesques. La modification du maquillage, reflétant une autre âme — celle qui jusqu'à ce moment-là s'était volontairement cachée — était stupéfiante : au blanc du Pierrot enfariné et lunaire succédaient le faux crâne dénudé et bordé de petites bouclettes vertes, le gros nez rouge, la bouche caricaturale avec des dents peintes au-dessus de la lèvre supérieure pour donner l'illusion de démesure et des pommettes tellement saillantes que c'était à se demander si elles n'étaient pas renforcées par des boules de coton placées à l'intérieur de la bouche. C'était le Plouf qui devait devenir célèbre et que j'avais applaudi. Comme des millions de spectateurs je n'avais pas connu le clown blanc et jamais, si je ne venais pas de le découvrir sur les premières affiches, je n'aurais pu imaginer qu'il ait même pu exister ! Les autres lithographies, répandues sur le mur circulaire du salon, représentaient ce Plouf misérable dans différentes attitudes : debout, courbé sous le poids d'une lourde valise où ne devait être enfoui qu'un tout petit violon; assis sur le dossier d'une chaise pendant qu'il jouait du saxophone; en haut-de-forme et en habit étriqué, installé devant le clavier d'un piano; écroulé par terre et contemplant avec ahurissement ses immenses godillots. C'était toujours le personnage à catastrophes : le seul que le monde ait acclamé.

Le texte et les caractères des lettres placées en bas des lithos s'étaient également modifiés. Sur la première — la vision du débutant — on lisait : *Le célèbre clown Plouf*. L'épithète *célèbre* était en corps aussi gros que le nom *Plouf*. Sur les suivantes, celles où brillaient les paillettes, le mot *célèbre* avait disparu. N'est-ce pas une épithète inutilement flatteuse que l'on n'imprime sur une affiche que lorsque l'on n'est pas encore très connu ? Le texte devenait : *Le clown international Plouf*.

L'épithète *international* fait plus sérieux : ne signifie-t-elle pas que l'artiste est capable de se faire applaudir dans différents pays ? Elle étoffe la personnalité tout en la grandissant un peu... Et puis, brusquement, à partir de l'affiche où on ne voyait que le loqueteux et sa misère, on ne trouvait plus le moindre texte vantant ses mérites. Seul le nom PLOUF restait, en lettres énormes. Ça suffisait : tout était dit.

Au-dessus de la porte donnant sur le vestibule était aménagée une loggia dont la balustrade en bois doré surplombait le salon.

— Qu'est-ce que c'est ?

— L'emplacement de l'orchestre prévu pour le cas où le patron aurait donné ici des représentations privées.

— Il y en a eu ?

— Jamais !

— C'est presque dommage... Cette loggia est juchée au-dessus de ce que l'on pourrait appeler « l'entrée des artistes » ?

— Monsieur ne croit pas si bien dire ! Quand on ouvre cette porte à deux battants et si l'on ferme les deux pans du rideau de velours rouge placés de chaque côté, l'illusion devient complète : c'est un rideau de piste.

— Tout cela est surprenant. Pouvons-nous continuer la visite ?

— A droite vous avez la salle à manger et à gauche le fumoir.

— Commençons par la droite.

La pièce, aux proportions démentielles elle aussi, était lugubre : une salle à manger à vous couper l'appétit. Les murs, recouverts d'un papier épais imitant le cuir de Cordoue, rivalisaient de tristesse avec les vitraux colorés des fenêtres tamisant la lumière du soleil et dont les allégories, rappelant le pire 1900, allaient de la cigogne, cherchant sa nourriture dans une amphore, à la naïade aux formes rebondies, émergeant de l'onde d'un lac où évoluaient des cygnes.

Ce qu'il y avait de plus curieux dans cette salle à manger était la forme de la table en fer à cheval avec les sièges des éventuels convives — il y en avait douze ! — tous placés devant la courbe extérieure du fer. Il n'y avait pas un seul siège de vis-à-vis du côté de la courbe intérieure : ils étaient remplacés par douze postes de télévision placés, eux aussi, en demi-cercle « pour permettre, m'expliqua Esther, à tout le monde de profiter agréablement de la télévision pendant les repas et même, précisa-t-elle, de choisir des programmes qui différaient de ceux des voisins de table. »

— Comment se fait-il qu'il y ait autant de sièges derrière cette table alors que vous venez de me dire que Plouf ne recevait pratiquement personne ?

— Le patron était prévoyant : il avait fait placer ces sièges et ces postes de télévision pour le cas où...

— Il y aurait eu du monde ?

— C'est cela. Mais dans la réalité, il prenait ses repas uniquement avec sa femme qui était toujours assise à sa droite.

— Ce qui prouve qu'il était galant homme. Et jamais de tête-à-tête ?

— Ils avaient la télévision... Il leur arrivait souvent de s'éloigner l'un de l'autre pour regarder plus attentivement un programme différent. J'ai vu le patron changer trois ou quatre fois de siège au cours du même repas et déplacer lui-même ses couverts selon la variété des émissions.

— Il avait la bougeotte ?

— Il faut reconnaître qu'il ne restait pas longtemps à la même place ! Cela provenait sans doute de sa longue pratique de la piste où il faut sans cesse se mouvoir si l'on veut être vu et compris par tous... C'est très dur, et difficile, le travail de piste ! On a des spectateurs tout autour de soi.

— Vous faisiez la cuisine ?

— C'était Mme Plouf qui était très experte... Elle préparait d'admirables spaghettis et le patron raffolait des spaghettis. Mon rôle se réduisait à assurer le service... Oh ! vous savez : ça se passait à la bonne franquette ! Ils n'étaient pas fiers, les patrons... Souvent, avant le repas, M. Plouf me disait : « Dites à Marcello qu'il apporte ici sa pitance : il y a ce soir un excellent film qui lui plaira... » Pour mon mari, qui avait l'habitude de manger avec moi dans la cuisine, c'était un grand honneur ! Parfois même le soir, après le dîner et s'il n'y avait pas de bon film à la télé, le patron offrait un cigare à Marcello et ils allaient faire un billard dans le fumoir.

— Et Mme Plouf ?

— Elle restait devant la télévision en faisant de la tapisserie : c'était sa passion.

— Et vous ?

— J'attendais à l'office.

— Vous ne vous asseyiez pas derrière cette table pour regarder, vous aussi, la télévision ?

— J'en voyais des petits bouts quand j'entrais ici pour le service, mais toujours en restant debout.

Et comme je la regardais, étonné :

— Chez les gens du voyage, il n'est pas correct que la femme prenne place à table dans la caravane.

— La caravane ?

— La roulotte d'habitation, si vous préférez.

— Pourtant Mme Plouf s'asseyait ?

— Elle, c'était différent : elle était Mme Plouf...

— Ce qui changeait tout ! Si nous allions maintenant faire, comme ce bon Plouf et Marcello, un petit tour au fumoir où se trouve le billard ?

En retraversant le salon, je demandai :

— Vos patrons venaient souvent dans cette pièce ?

— Rarement. Comme nous en ce moment, ils ne faisaient que la traverser mais en prenant toujours soin de contourner les sièges circulaires formant la banquette.

— Pourquoi cela ?

— Une piste, monsieur, c'est un lieu sacré : le patron, la patronne, Marcello et moi, et tous ceux du métier l'ont respectée. On n'a le droit de la fouler que lorsqu'on y travaille.

— Alors faisons comme eux : contournons-la...

Le fumoir était plus sympathique — et surtout de meilleur goût que la salle à manger. D'abord on n'y trouvait aucun poste de télévision : ce qui indiquait que l'on pouvait séjourner dans cette pièce sans ressentir l'atroce impression d'y être téléguidé par l'information, les feuilletons à multiples épisodes ou les westerns.

Ensuite, l'ameublement était douillet : les murs, entièrement recouverts de boiseries claires, et les confortables fauteuils en cuir créaient l'ambiance d'un club anglais. L'éclairage, discret, se réduisait à un lustre en fer forgé supportant deux lampes dont les abat-jour vert foncé concentraient la lumière sur le tapis du billard, le meuble essentiel occupant le centre de la pièce. C'était le cadre rêvé pour fumer, comme Plouf et Marcello, un bon cigare. Quand une partie se jouait, le silence ouaté ne devait être troublé que par le choc grisant des boules d'ivoire qui ne cessaient de tourbillonner et de se caramboler dans leur ronde folle.

Sur l'un des murs était accrochée une tapisserie du XVIIe siècle qui représentait Apollon enlevant sur son char de soleil une Vénus énamourée. En me la montrant, Esther dit doucement :

— Cette tapisserie plaisait autant au patron qu'à la patronne. Il disait que ce char aux chevaux ailés évoquait pour lui les premiers jeux du cirque et elle s'extasiait en confiant que son rêve aurait été de pouvoir broder de ses mains une œuvre de cette qualité.

— En somme tout le monde était content ! Je ne pense quand même pas que ce soit Plouf qui ait fait installer là ce joyau ?

— Il a conservé ce fumoir meublé tel qu'il l'était au temps du précédent propriétaire, le prince russe.

— Il a eu raison.

Face à la tapisserie, sur le mur opposé, se trouvaient trois portraits de même dimension et ayant le même encadrement.

— La galerie de famille ?

— Si l'on veut... murmura Esther.

Au centre trônait une très belle jeune femme brune, portant sur la nuque un lourd chignon bas et dont le décolleté émergeait de l'échancrure d'un corsage de satin blanc, prolongé à la taille, qui était bien prise, par un large tutu de gaze très évasé remplissant tout le bas du tableau. On ne voyait pas les jambes.

— Qui est cette belle danseuse ?

— Mme Plouf... Mais elle n'est pas en ballerine ! Le

patron a fait peindre ce portrait en même temps que le sien qui est placé à droite et par le même peintre qui était l'un de ses amis, lorsqu'il s'est installé ici. J'ai assisté aux séances de pose qui ont eu lieu dans le salon. Ce fut long ! Pour la patronne, il a voulu qu'elle soit représentée telle qu'elle était lorsqu'il l'avait vue pour la première fois quarante années plus tôt dans le cirque où elle était écuyère à panneaux. Encore une spécialité de la piste qui se fait de plus en plus rare aujourd'hui ! Mais comme le visage et la tournure avaient évidemment changé, l'artiste s'est beaucoup servi de documents et d'anciennes photographies... Ni Marcello ni moi n'avons pu connaître Mme Plouf lorsqu'elle était aussi belle puisqu'elle avait déjà soixante ans passés quand son mari, ayant acheté ce château, nous y a fait venir.

— Avait-elle conservé alors au moins de beaux restes ?

— Sans être médisante, je dois avouer qu'elle était une personne plutôt plantureuse... Ce qui ne l'empêchait pas d'être aussi très gentille ! Et tellement simple avec ça ! Il y avait deux choses pourtant qui n'avaient pas changé chez elle : les yeux, restés aussi grands, et le sourire... Le merveilleux sourire d'une femme qui, ayant connu tous les succès, a su rester accueillante pour ceux qui n'avaient pas réussi aussi bien qu'elle.

Si Carla brillait en écuyère, Plouf, lui, était en clown : le clown que j'avais applaudi.

— Pour faire son portrait le peintre n'a pas dû avoir besoin de recourir à de vieilles photographies. Il avait déjà à sa disposition toutes ces lithographies que j'ai vues dans la salle à manger.

— M. Plouf n'a pas voulu qu'il s'en serve ou qu'il les copie. Il disait qu'il y a autant de différence entre une affiche et un portrait qu'entre un mannequin de vitrine et un être vivant ! Selon lui, les affiches n'étaient destinées qu'à sa publicité tandis que le portrait devait révéler son âme.

— Son âme ? Vous qui l'avez connu de très près pendant dix années, vous estimez qu'elle s'exhale réellement de cette toile et à travers ce maquillage?

— Il y a vingt ans, quand le portrait a été fait, M. Plouf était exactement ainsi... Il a d'ailleurs eu la conscience de se remaquiller et de remettre ses guenilles pour chaque séance de pause. Et son maquillage était un travail! A chaque fois ça lui prenait plus d'une heure! Il disait aussi que, pendant qu'il se transformait ainsi physiquement, il cessait d'être le même homme et qu'il changeait de peau.

— Mais pas d'âme?

Esther ne répondit pas.

Le troisième portrait représentait un officier blond portant moustache fine et vêtu d'une grande tenue bardée de décorations : un très bel homme d'une trentaine d'années.

— Qui est-ce?

— Le prince Alexys Skirnof.

— Pourquoi ce tableau est-il resté là après l'acquisition du château par Plouf?

— M. Plouf l'a voulu. C'est le prince tel qu'il était, paraît-il, lorsqu'il était attaché au service du tsar à Saint-Pétersbourg avant 1914 et quand il a fait construire cette demeure.

— Vous ne l'avez pas connu?

— Oh non! Il est mort avant que M. Plouf n'achète le château : il devait alors avoir dans les soixante-dix ans... D'ailleurs ce portrait était déjà dans ce fumoir, exactement là où se trouve maintenant celui de Mme Plouf. Mais il y était seul puisque les deux autres portraits n'ont été peints qu'après l'installation des patrons.

— Il n'y avait donc pas de princesse Skirnof?

— Je n'en ai jamais entendu parler.

— Plouf a quand même eu une curieuse idée de le laisser accroché à la gauche de celui de sa femme!

— Il avait conservé ce portrait parce que personne de la famille Skirnof ne l'avait réclamé. Et il estimait qu'il avait droit à une place dans cette pièce puisque rien n'y était changé. Je l'ai entendu également expliquer au peintre, qui faisait son propre portrait et celui de son épouse, que s'il lui faisait les peindre — lui en clown et elle en écuyère — c'était pour tenir la comparaison avec le prince qui était en militaire : ainsi chacun d'eux serait représenté sous le costume de sa profession.

— « Le clown, l'écuyère et le militaire », ce pourrait presque être le titre d'une petite comédie ou, mieux, d'une entrée comique qu'aurait imaginée et jouée le bon Plouf lui-même !

— Peut-être y a-t-il pensé ?

— Si nous jetions maintenant un coup d'œil sur les chambres ?

L'escalier était à l'échelle du château : monumental. Et hideux avec cela, mais faisant « très riche ». Au bas de chaque rampe se tenait, en sentinelle, un géant nègre en bronze, portant une torchère dorée dont les flammes sculptées cachaient des lampes électriques. Un escalier Second Empire qui aurait presque pu rivaliser avec celui de l'Opéra de M. Garnier.

— « Nous » avons aussi un ascenseur ! annonça la gardienne avec une nouvelle pointe de fierté.

— Sensationnel ! C'est Plouf qui l'a fait construire ?

— Non. Il date du prince Skirnof mais le patron en a modifié l'aménagement intérieur. Vous allez voir : c'est charmant. On aurait presque envie de souhaiter une panne prolongée pour y séjourner plus longtemps...

Comme l'escalier, la cage de l'ascenseur était, extérieurement, « Second Empire » — et cela pouvait, à la rigueur, passer — mais lorsqu'on s'y trouvait emprisonné, la décoration était très différente. D'abord, meuble rare dans un ascenseur de notre époque, il s'y trouvait une banquette dorée dont les pieds étaient d'une grâce légère. Il devait même être agréable de s'asseoir sur le coussin de velours bleu roi qui la recouvrait pour contempler avec un réel ravissement les gravures ornant les parois. Elles représentaient des écuyères brunes juchées sur les croupes de percherons et s'apprêtant à traverser les cerceaux de papier que leur présentaient délicatement des clowns enfarinés, des trapézistes rousses rivalisant de grâce avec des funambules blondes, des jongleuses femmes et même des clownesses dont les larges pantalons de soie bouffants s'harmonisaient avec les pointes de perruques multicolores façonnées en triangle. Visions charmantes qui avaient été tracées par un burin très sûr.

— Ces gravures sont aussi inattendues dans cet ascenseur que réussies ! D'après leur facture, qui marque une certaine similitude, il semblerait qu'elles soient l'œuvre d'un seul artiste ?

— C'est le même, en effet, répondit la gardienne : M. Plouf...

— Pas possible ! Il avait aussi ce talent ?

— Le patron, monsieur, avait tous les talents !

Le palier du premier étage donnait sur un couloir assez sombre dont les murs badigeonnés d'une teinte uniformément chocolat s'allongeaient pour desservir des chambres dont les portes à deux battants, disposées des deux côtés, étaient dorées : le style Second Empire continuait à régner. C'était somptueux, mais un peu triste.

Arrivée devant l'une de ces portes, la gardienne se recueillit comme si elle se trouvait sur le seuil d'un sanctuaire avant de dire :

— Nous commençons par la chambre de M. Plouf.

Inouïe, la chambre de Plouf ! Et — elle n'avait pu faillir à la règle qui avait présidé à la construction de tout le château — immense... Il ne s'y trouvait aucun siège, pas une seule commode ni même le moindre secrétaire ou guéridon. Pas de meuble à l'exception du lit et des deux tables de chevet qui l'encadraient. Un lit gigantesque et massif, sculpté ainsi que les tables dans je ne sais quelle ébène et dont les motifs décoratifs représentaient une multitude de petits personnages des temps modernes — hommes, femmes et enfants — qui se suivaient en faisant le tour du lit comme s'ils voulaient rendre hommage à celui ou à celle qui l'occupait.

— Vous m'avez bien dit que c'était la chambre de M. Plouf. Et Madame ?

— Ils faisaient chambre à part, mais pouvaient communiquer par la petite porte que vous voyez à droite face au lit.

— Plouf couchait seul dans ce lit où l'on pourrait aligner facilement les sept enfants de l'Ogre ?

— Il a toujours aimé ses aises.

— Je vois.

Le couvre-lit de velours rouge, rappelant assez le rideau de piste entrevu dans le salon, portait, brodée en fil d'or au centre, une seule lettre immense elle aussi : *P*... Le *P* de Plouf. L'initiale du prénom avait dû paraître superflue : la première lettre du nom au succès magique suffisait.

Pour accéder au lit, il fallait gravir quatre marches, recouvertes d'une moquette rouge où scintillaient de petites étoiles d'or : un vrai tapis de cirque. Et tout cela était abrité par un baldaquin dont les rideaux de satin également rouges étaient retenus autour des torsades des quatre colonnes par des cordelettes d'or se terminant par de gros glands. Le ciel du baldaquin était fait d'un panneau horizontal qui représentait une modeste maisonnette sans étage, encadrée de chaque côté par de grands immeubles modernes, et situés dans la rue banale d'une ville quelconque.

— Quelle étrange idée d'avoir fait placer cette peinture au-dessus de sa tête, ce qui l'obligeait à la contempler à chaque fois qu'il s'endormait ou se réveillait !

— Ce fut d'abord un tableau que M. Plouf avait commandé à l'un de ses amis d'enfance, liégeois comme lui. Et puis un jour, il a retiré la toile du cadre pour la faire placer là-haut en ciel de lit. Elle représente la maison où il est né dans un faubourg de Liège. Je me souviens très bien de ce qu'il m'a dit un matin où je lui apportais son petit déjeuner qu'il aimait prendre au lit : « Tu vois, Esther, c'est pour moi un plaisir rare que de pouvoir contempler, allongé sur ce lit presque royal, la pauvre maison dans laquelle je suis venu au monde. Mes parents, qui travaillaient l'un et l'autre en usine, n'étaient pas riches. Aussi, dès que j'ai été en âge de comprendre la tristesse de la vie, j'ai tout fait pour

31

m'arracher à sa misère... Mais lorsque j'ai vraiment commencé à gagner de l'argent, mes parents étaient déjà morts! Ils n'avaient d'ailleurs été que locataires de cette maison que je n'ai jamais pu acheter par la suite malgré les offres que j'ai faites à plusieurs reprises au propriétaire. Quand j'ai appris qu'elle allait être démolie pour céder la place à un tronçon d'immeuble à douze étages qui relierait les deux bâtisses voisines, j'ai demandé à l'un de mes anciens camarades d'école — qui, lui, était resté à Liège et qui ne maniait pas trop mal le pinceau — de faire ce tableau avant qu'elle ne disparaisse. Ce n'est pas un chef-d'œuvre, mais c'est exactement la maison. Quand je la regarde, je m'attends toujours à voir apparaître ma mère sur le pas de la porte... Et je souhaite ardemment que le jour où je serai sur le point de disparaître — car j'ai bien l'intention de mourir ici, dans ce lit! — la dernière vision que j'aurai de ce monde sera celle de ma maison natale. »

— Et il est mort dans ce lit?

— Pendant qu'il dormait. La plus paisible de toutes les fins, la plus courte aussi : une crise cardiaque. Ne plus se réveiller et passer instantanément du sommeil au repos de l'infini, n'est-ce pas le souhait que nous pouvons tous faire? Il a pu avoir une dernière vision de « sa » maison avant d'aller rejoindre son épouse qui s'était éteinte trois années plus tôt dans la chambre voisine.

— On ne peut guère souhaiter mieux! Ce grand portrait, placé au-dessus de la porte de communication, c'est sans doute celui de Carla Plouf?

— C'est elle exactement telle qu'elle était, il y a vingt ans, lorsqu'ils ont acheté le château. Evidemment, ce n'est plus la même femme que celle que vous avez vue dans le fumoir représentée en tutu d'écuyère à panneaux! Le portrait du rez-de-chaussée a été exécuté à la même époque que celui-ci uniquement pour montrer aux quelques rares intimes à quel point la patronne avait été svelte et belle quand son mari était tombé amoureux d'elle. Tandis qu'ici, elle n'est plus que « Madame Plouf », l'épouse du grand artiste qui a réussi... Elle s'est empâtée et embourgeoisée dans la vie civile. Comme je vous l'ai dit en bas, seuls — vous pouvez le constater — les yeux sont restés les mêmes... Il y a aussi les cheveux noirs, mais là ils sont teints : normalement ils devraient être blancs ou, au moins, très grisonnants. Dans la chambre de Madame vous verrez le portrait du patron, tel qu'il était « en civil » lui aussi, à l'époque où il s'est installé ici.

— Vous n'allez pas me dire que c'est le même artiste qui a peint les tableaux du fumoir et ceux-ci ?

« Le même ! Il connaissait très bien les patrons qu'il avait vus débuter, progresser, grandir...

— Et surtout se transformer physiquement ! La vraie chance de Plouf a été de pouvoir conserver en piste son maquillage : ce qui l'a empêché de vieillir... Tandis que sa femme !

— Il disait lui-même que les clowns étaient les seuls personnes à pouvoir conserver pour leurs admirateurs la même tête en vieillissant quand ils avaient réussi à s'en faire une !

— Si nous franchissions maintenant cette petite porte pour aller dans la chambre de Mme Plouf ?

Elle contrastait étrangement, la chambre de Madame, avec celle de Monsieur. Presque exiguë, elle faisait penser à une chambrette de dame de compagnie, d'infirmière ou même de servante. Le lit, dont les montants en cuivre étaient surmontés de quatre petites boules que l'on avait envie de dévisser, était d'une banalité affligeante. Il ne possédait ni marches d'accès, ni baldaquin, ni couvre-lit rouge brodé d'or... Un lit où il aurait été impossible de passer la nuit à deux. Les murs, ripolinés et vernissés de blanc, achevaient de créer une impression de chambre de clinique. On n'aurait pas été surpris de voir, posés sur la table de nuit en bois blanc, quelques flacons de médicaments. Le reste du mobilier se réduisait à une chaise en rotin placée au pied du lit et qui semblait être réservée pour la visite du docteur. Le sol était entièrement recouvert d'un linoléum à la teinte neutre. L'unique note de couleur venait du portrait de « Monsieur », de dimension égale à celle du portrait de « Madame », accroché sur le panneau faisant face au lit.

Un Monsieur digne et presque compassé sous lequel il était impossible de deviner l'âme d'un clown. Myope, presbyte ou astigmate, il portait des lunettes donnant à l'ensemble du visage un air docte et solennel. La bouche était petite et sévère avec des lèvres minces alors que celle de Plouf-le-clown avait toujours su se montrer large, immense, goguenarde, rigolarde... Malgré l'atténuation des lunettes, les yeux noisette jetaient des reflets d'acier : un regard qui devait pouvoir facilement se révéler inhumain. La chevelure, fournie, avait une blancheur qui tempérait heureusement l'expression de dureté de l'ensemble du visage. Comment un tel flot de cheveux avait-il pu être dissimulé sous le faux crâne dénudé du clown ? Le complet veston était d'un bleu sombre avec — seule petite note de rouge — un ruban qui s'échappait discrètement de la boutonnière gauche. La cravate était de bon goût. Ça, le portrait de Plouf ? Plutôt celui de quelque ancien P.-D.G. qui aurait trôné, muet et impassible, dans la salle d'un conseil d'administration pour rappeler à ses successeurs ou aux administrateurs que les affaires restent toujours les affaires et que la vie n'est pas faite que de rires. J'étais loin, très loin, du portrait du fumoir et des affiches du salon !

— A votre avis, Esther, est-ce ressemblant ?

— C'est le patron.

— Quand il n'était pas en piste, savait-il se montrer de rapports agréables ?

— Oui, parce qu'il ne parlait que de son métier... Et comme Marcello et moi avions eu le même, nous ne pouvions pas ne pas nous entendre !

— Me permettez-vous de vous donner un avis strictement personnel ? J'estime que l'aménagement de cette pièce est totalement déplacé à cet étage. On se croirait dans une chambre froide qui devrait plutôt se trouver à la cave ou près de l'office. Comment Mme Plouf a-t-elle pu vivre et dormir ici ?

— C'est elle qui a exigé que sa chambre fût ainsi.

Elle disait que ça lui rappelait la netteté de la caravane où elle habitait lorsqu'elle travaillait dans un cirque. C'était une femme assez simple qui avait des goûts modestes et qui ne se laissait pas éblouir par le faste ou par le décorum. M. Plouf n'était pas du tout d'accord avec elle sur le choix d'une chambre pareille mais, comme il l'aimait plus que tout, il a transformé l'ancien dressing-room du prince pour en faire ça ! Il faut comprendre aussi Carla Plouf... Elle craignait sans cesse qu'il n'arrivât quelque chose à son mari... Pour elle, qui n'avait pas pu être mère, il était aussi un peu son enfant. Prévenante, attentive, amoureuse, elle vivait toujours dans son ombre. Dès qu'il avait le moindre rhume ou la plus petite fatigue, elle le soignait et, pourtant, c'était un rude gaillard difficile à suivre dans ses activités ! Jamais elle n'élevait la voix. Indulgente et conciliante elle lui passait tous ses caprices, les favorisait même, à condition qu'il la gardât auprès de lui. Cette chambre est bien le décor convenant à l'existence secrète de Carla qui ne voulait pas gêner son seigneur et maître mais qui était toujours là, prête à lui venir en aide à la moindre défaillance... Le véritable drame de la vie de ce couple modèle a été que, contrairement à ce qui se passe le plus souvent, c'est elle qui est partie la première. Elle est tombée gravement malade, et, pendant des journées et des nuits entières, c'est lui qui l'a veillée, assis sur cette chambre, dans cette petite chambre. C'est là où, désespéré, il a recueilli son dernier souffle. Si vous l'aviez vu après la mort de sa femme ! Il errait dans le château et dans le parc à sa recherche, ne voulant plus jamais entrer dans cette chambre dont il laissa volontairement la porte de communication fermée au verrou.

— Et cette autre porte, sur quelle pièce donne-t-elle ?

— Sur la chambre du prince Alexys.

— La chambre de Madame et celle du prince communiquaient directement ?

— Cela n'avait aucune importance puisque le prince était mort avant que M. Plouf n'achète le château.

— Puis-je visiter maintenant la chambre du prince ?

— M. Plouf n'y a jamais touché : elle est restée telle qu'elle était quand le prince l'habitait...

Fabuleuse, la chambre du prince Alexys Skirnof ! Et offrant un contraste saisissant avec celles du clown et de son épouse... Un vrai décor d'opéra russe où le lit surélevé lui aussi comme celui de Plouf mais avec seulement deux marches — le roi de la piste avait sans doute eu l'orgueil d'avoir une couche plus imposante — et sans baldaquin était recouvert d'un brocart d'or. Un lit sur lequel aurait pu agoniser un tsar. Tout n'était d'ailleurs que vieil or dans la pièce : aussi bien les motifs étranges incrustés sur les murs que les lourds chandeliers à cinq branches portant des bougies aux torsades peintes... Bougies qu'Esther se hâta d'allumer pour éclairer une multitude d'icônes, toutes plus belles et plus mystérieuses les unes que les autres, tapissant les parois. En se consumant, sous les flammes vacillantes, la cire répandait une âcre odeur d'encens qui créait une atmosphère de chapelle. Même si le corps du bel officier, revêtu de son uniforme blanc comme il l'était sur le tableau du fumoir, n'était plus là, son âme slave devait demeurer présente. La lumière du jour, tamisée par celle plus irréelle des bougies, ne pénétrait que par une unique fenêtre dont les carreaux avaient été remplacés par des vitraux sur lesquels caracolaient des cavaliers mongols. Contrairement à la chambre du clown où, à l'exception du lit démesuré, il n'y avait aucun meuble, celle du prince possédait une vaste bergère dans laquelle le constructeur du château avait dû aimer s'asseoir. Les coussins avachis, que personne peut-être n'avait osé toucher depuis sa mort, donnaient l'impression de porter encore l'empreinte d'une forme humaine. Devant la fenêtre enfin se trouvait l'un de ces immenses bureaux-secrétaires, en vogue à l'époque Louis-Philipparde, qui s'ouvraient ou se refermaient grâce à un couvercle cylindrique et dont le sommet était recouvert d'une tablette en marbre sur laquelle étaient posées deux miniatures : l'une représentait un homme vêtu de noir et à l'aspect sévère, portant une barbe blanche qui lui donnait quelque ressemblance avec Tolstoï; l'autre exhalait la féminité d'une femme dont la quarantaine s'auréolait d'une blondeur discrète.

— Qui est-ce? demandai-je à la gardienne.

— Ce sont les parents du prince.

— Et sa femme?

— M. Plouf m'a dit qu'il avait préféré se rassasier d'un nombre impressionnant de maîtresses.

— Il eût été dommage que Plouf ait changé quoi que ce soit à l'ambiance de cette chambre.

— Il ne l'aurait jamais fait, ayant conservé beaucoup trop de respect pour la mémoire du prince.

— Pensez-vous qu'ils se soient connus avant que ce dernier ne disparaisse?

— Certainement. Mais le patron n'a pu acheter ce château qu'une dizaine d'années plus tard.

— Pourquoi avoir attendu aussi longtemps pour faire cette acquisition?

— Le prince, qui n'avait pas d'héritiers, avait légué la demeure à une association d'émigrés russes résidant en France. Mais celle-ci, n'ayant pas les moyens de l'entretenir, l'a mise en vente. C'est à elle que le patron l'a rachetée après beaucoup de tractations.

— N'est-il pas étrange de constater que la destinée des demeures princières est le plus souvent aléatoire? C'est encore une chance qu'il se soit présenté un clown pour maintenir la magnificence de ce domaine pendant un certain temps... Souhaitons que les futurs acquéreurs ne transforment pas ces lieux en maison de retraite ou en colonie de vacances!

— Ça pourrait faire aussi un château-hôtel de grand luxe.

— A condition de trouver une clientèle! C'est un genre de bâtisse qui ne plaît pas aux nouvelles générations : elle les impressionne.

— Il faudrait un nouveau Plouf.

— L'ennui, c'est qu'il n'y aura pas d'autre Plouf! Un clown se ruinant pratiquement pour posséder un château, ce doit être de plus en plus rare!

— Quelles pièces Monsieur désire-t-il maintenant visiter ?

— Aucune. Elles sont toutes de même proportion ?

— Moins somptueuses que celle-ci, mais offrant pourtant un avantage : elles ont chacune la télévision.

— C'est vrai qu'il n'y a de poste ni chez Plouf, ni chez sa femme, ni ici chez le prince ! Pourquoi ?

— Le patron a estimé que le prince n'ayant pas connu l'ère de la télévision, sa femme et lui pouvaient eux aussi s'en passer dans leurs chambres à coucher. Les postes qu'il a fait installer dans la salle à manger leur suffisaient.

— Il faut reconnaître que, là, ils étaient amplement servis ! Et il a quand même fait installer des postes dans toutes les autres chambres ?

— Pour les invités.

— Ne m'avez-vous pas dit qu'il n'a reçu presque personne pendant les dix années où il a vécu ici ?

— C'est exact, mais même s'il n'y avait qu'un seul invité de temps en temps, le patron ne voulait pas qu'il s'ennuie.

— Un grand seigneur à sa manière, ce Plouf ! Il prévoyait tout... Chère Madame, maintenant que, grâce à votre extrême obligeance, j'ai pu me faire une certaine idée du rez-de-chaussée et de trois chambres de ce premier étage, j'aimerais jeter un rapide coup d'œil sur le parc.

— Mais, monsieur, il y a aussi le second étage qui est entièrement meublé.

— Je m'en doute. Dans le même genre ?

— Vous trouverez des chambres de tous les styles : du *Henri-II*, du *Renaissance*, du *Régence*, de l'*Empire*, du *Louis-Philippe*, du *Modern style*, du style *Arts décoratifs*, etc. Le tout choisi et agencé selon le goût du patron.

— J'imagine très bien ce que ça peut donner ! Aussi je préfère ne pas visiter ces chambres.

— Et les cuisines qui se trouvent en sous-sol ?

— Oh ! vous savez : les cuisines et moi...

— Elles sont ultra-modernes et très vastes...

— Prévues sans doute pour une armée de cuisiniers et de serviteurs que l'on ne trouve plus ! Mme Giraud, qui a eu pendant cette visite la gentillesse de ne pas dire un seul mot pouvant influencer ma décision, m'a laissé entendre que si je me décidais à louer ce château pour un temps déterminé, vous-même pourriez très bien préparer mes repas. Est-ce exact ?

— Je m'en ferais une joie ! J'aidais déjà Mme Carla à faire la cuisine pour son mari qui était très gourmand.

— Vous opériez toutes les deux dans ces immenses cuisines ?

— Mme Carla avait fait installer une cuisinière électrique dans l'office qui se trouve à côté de la salle à manger. Pour quatre personnes c'était suffisant... Pourtant, il nous est arrivé d'utiliser les cuisines du sous-sol une fois, pendant la semaine qui a précédé le départ du Cirque Plouf en tournée : la dernière d'ailleurs que le patron ait faite...

— Et qui ne s'est pas tellement bien terminée selon ce que l'on m'a dit ?

— Hélas ! C'est elle qui a mis M. Plouf en difficulté financière. Ni lui ni sa femme ne s'en sont jamais relevés ! Cet échec, le seul de sa longue carrière, a miné le patron... La seule chose qu'il a pu sauver a été le château. Ensuite il y a eu la mort de sa femme... Pendant trois années encore M. Plouf lui a survécu mais — mon mari et moi nous le sentions bien — il n'avait plus envie de vivre ! Pourtant, avant la tournée fatale, ce fut l'enthousiasme ! Si vous aviez connu ce moment-là, monsieur, vous auriez vu le château dans toute sa splendeur ! La propriété nous paraissait presque trop petite ! Les principaux artistes occupaient toutes les chambres et je vous jure que les postes de télévision marchaient ! Une partie du personnel de montage et des garçons de piste logeait au-dessus des remises. Nous étions cent soixante personnes en tout ! Il y avait quarante chevaux dans les écuries, sept éléphants sous une tente spéciale et les roulottes-cages de deux groupes de fauves — tigres et lions — abritées sous la tente-ménagerie. Les caravanes étaient alignées tout le long de la grande allée que vous avez suivie pour venir de la porte d'entrée du parc jusqu'ici; le chapiteau enfin, flambant neuf avec ses quatre mâts et sa toile striée de bandes bleu blanc rouge — puisque son cirque partait de France pour entreprendre à travers l'Europe une tournée de deux années, M. Plouf avait voulu qu'il ait nos trois couleurs — était planté, face au château, sur la grande pelouse au pied de la terrasse. Jamais on ne reverra une chose pareille! Et il n'y a qu'ici que cela pouvait se passer...

— Au « Château du Clown »! Ça me donne l'envie d'aller voir cette pelouse. Je me sens un peu écrasé par tous ces ors... Descendons et sortons : j'ai besoin de respirer.

Ce que je n'avais pas remarqué par la grande baie du salon était la piscine construite sur la terrasse même et dont le plongeoir à plusieurs étages semblait avoir des dimensions olympiques. L'eau était d'une limpidité parfaite.

— C'est votre mari qui l'entretient?

— Ça lui demande une bonne heure tous les jours.

— Et qui s'y baigne?

— Personne. Mais Marcello continue à s'en occuper comme au temps où M. Plouf était là. Il adorait cette piscine où il restait au moins une heure tous les jours. Avec la télévision et son atelier c'étaient ses seules distractions.

— Son atelier?

— Il est situé à côté du garage : le patron y passait des heures à bricoler. Il était très habile de ses mains. Voulez-vous le visiter?

— Si j'en ai le temps! Qu'est-ce que représente ce grand massif rond de fleurs placé en plein centre de la pelouse?

— Mais c'est le portrait de M. Plouf en clown! Monsieur ne l'a donc pas reconnu?

— Pour cela il aurait fallu que je le regarde de l'une des fenêtres du premier étage... D'ici, ce n'est pas très facile! J'aimerais le voir de plus près : rapprochons-nous.

C'était bien le Plouf triomphal que j'avais connu avec son nez fait de bégonias rouges, sa bouche démesurée et hilare dessinée par des santolines gris argent, son crâne dénudé ayant la pâleur de bégonias blancs, ses gros sourcils peints faits de buissons d'ogérates, son large nœud papillon en cinéraires blanches. C'était aussi ressemblant que la dernière des affiches avec, en plus, l'authenticité qu'apporte la vie des fleurs.

— Sans doute est-ce votre mari qui entretient ce chef-d'œuvre dont l'originalité dépasse toutes les horloges florales que j'ai vues!

— M. Plouf, qui en a eu l'idée cinq années après s'être installé ici, disait que ce serait unique au monde! Et il a spécifié dans son testament qu'il exigeait que Marcello continuât à maintenir ce massif après sa mort. C'est un rude labeur : il faut changer les fleurs selon les saisons! En ce mois de juin vous êtes devant un Plouf en fleurs de printemps capable de tenir jusqu'à la fin de l'été; ensuite il sera en fleurs d'automne, puis en fleurs d'hiver qui ont été les plus difficiles à trouver.

— Je ne suis guère compétent en horticulture. Quand l'automne viendra, en quoi sera fait ce nez de bégonias?

— En géraniums.

— Utiliserez-vous aussi des chrysanthèmes pour certains motifs?

— Certainement pas! M. Plouf les détestait... C'est pourquoi il n'a pas voulu que son épouse et lui soient enterrés dans un cimetière où ils foisonnent à la Toussaint.

N'était-ce pas dément, ce clown qui avait cru pouvoir prolonger son maquillage de piste grâce à de fragiles fleurs? Une mégalomanie allant jusqu'au-delà de la mort? Une forme de narcissisme? Puisqu'il avait fait planter le massif et sélectionné lui-même les fleurs qui pourraient durer en toutes saisons, il avait pu, pendant les dernières années de son existence, contempler son propre portrait floral étalé sur la pelouse chaque fois qu'il regardait par la fenêtre de sa chambre! Peut-être même avait-il ressenti un étrange sentiment de fierté morbide à se voir ainsi immortalisé d'aussi délicate façon? Mais quand le fidèle Marcello ne serait plus là, qui s'occuperait des fleurs?

— Pourquoi a-t-il voulu que ce massif soit aussi imposant? Il semble qu'un ensemble plus modeste aurait suffi.

— Le cercle du massif a un diamètre de treize mètres cinquante : la dimension d'une piste de cirque classique. Il est placé à l'endroit exact où se trouvait la piste du Cirque Plouf pendant les huit jours où le chapiteau est resté planté sur la pelouse.

— Vous m'avez bien dit que votre patron et sa femme n'étaient pas dans un cimetière. Où sont-ils?

— Ici. Ils reposent sous le monument que vous apercevez de l'autre côté de la pelouse, face au château.

— J'aimerais me recueillir devant ces tombes.

Le monument était encore plus stupéfiant que le massif de fleurs. Construit en granit, il était la copie exacte de ces tombeaux de gisants que l'on peut encore contempler dans les cryptes de cathédrales et dans les caveaux de châteaux historiques. Chacune des pierres tombales, placées côte à côte, était sculptée. Celle de droite représentait Plouf allongé, revêtu de ses oripeaux de clown, les paupières closes, mais avec son large sourire figé pour l'éternité; les mains étaient ramenées sur la poitrine et les phalanges des doigts crispées sur un saxophone sculpté lui aussi dans la pierre. Celle de gauche montrait Carla, portant la robe d'écuyère à panneaux déjà entrevue sur le portrait du fumoir et ayant également les mains ramenées sur la poitrine pour serrer une cravache. Il n'y avait pas d'inscriptions, ni aucune des dates extrêmes. Cette double tombe semblait avoir été conçue, comme le portrait floral, pour étonner les vivants qui passeraient par là... C'était un nouveau défi d'où tout sentiment de piété ou même de respect était exclu. Sans doute le clown avait-il estimé que sa célébrité était telle qu'il suffirait de le voir statufié pour le reconnaître sans que son nom fût même mentionné? Nom qui jaillirait spontanément de la bouche de ceux qui s'arrêteraient, médusés : « C'est Plouf! » Quant à l'épouse, elle saurait se contenter, puisqu'elle avait été modeste, des poussières de la gloire attachée au nom de son grand homme.

Pendant que je demeurais muet, Mme Giraud se rapprocha pour me dire à voix basse :

— Vous reconnaîtrez que je ne vous ai pas beaucoup ennuyé pendant cette visite, trouvant plus sage de vous laisser poser à Esther toutes sortes de questions. Mais, maintenant que nous nous trouvons en présence de ce que j'estime être « le clou » de cette visite, puis-je vous poser à mon tour une question, une seule?

— Parlez.

— Que pense de tout cela le romancier qui vous habite?

— Il se rend compte que ce que son imagination aurait pu inventer se trouve largement dépassé par la réalité! C'était un fou, ce Plouf?

— Je crois plutôt qu'il ne fut qu'un clown aimant surprendre les gens par sa cocasserie.

— Et si quelqu'un avait acheté la propriété, que se serait-il passé?

— Comment cela?

— Croyez-vous vraiment que cet acquéreur aurait continué à faire entretenir le portrait floral et laissé le monument à cette place?

— Il l'aurait bien fallu! Dans les dispositions testamentaires de Plouf, il est formellement spécifié que ses héritiers — c'est-à-dire ses neveux — ou toute autre personne à laquelle ils vendraient le château seraient contraints de conserver les deux tombes et le massif de fleurs.

— Ceci pendant combien d'années?

— Il n'y a pas de limitation de temps.

— Il s'est cru éternel! Je comprends mieux pourquoi depuis dix années il n'y a pas eu d'acheteur!

— Aimeriez-vous visiter maintenant les écuries et les communs? demanda la gardienne.

— Je pense en avoir déjà vu assez pour me faire une opinion. Je dois rentrer à Monte-Carlo.

La seule chose que je remarquai encore avant de m'éloigner du tombeau fut un banc rustique installé sur la pelouse à quelques mètres du monument et face à lui.

— Sans doute est-il destiné à ceux qui veulent méditer devant les tombes ?

— C'est le patron qui l'a fait placer là après la mort de sa femme. Tous les soirs il venait s'y asseoir à la tombée de la nuit. Il y restait parfois des heures et ne rentrait dans le château que très tard. Souvent Marcello et moi lui avons fait comprendre que ce n'était pas très raisonnable mais il nous répondait invariablement : « Carla et moi avons encore tant de choses à nous dire ! » Dans les derniers temps de sa vie il se traînait presque, en s'appuyant sur une canne, pour faire ce pèlerinage. On sentait qu'il était las de tout... Plus rien ne l'intéressait : ni la télévision ni même le bricolage dans son atelier ! Il n'a cessé d'aller sur ce banc que la veille de sa mort. C'est alors que nous avons compris que sa fin était proche et c'est le lendemain matin que je le trouvai glacé dans son lit... Vraiment, monsieur ne veut pas jeter, ne serait-ce qu'un regard, sur les écuries qui sont magnifiques ?

— Nous les garderons pour un autre jour, Esther, car j'ai la ferme intention de revenir prochainement... A ce propos, madame Giraud, pendant que nous nous dirigerons vers le pont-levis de la sortie j'aimerais avoir un petit entretien avec vous...

Profitant de ce que la gardienne s'éloignait en nous précédant dans l'allée, la directrice de l'agence ne perdit pas une seconde :

— Même si vous êtes un peu étonné par tout ce que vous avez découvert, avouez que vous ne regrettez pas trop l'heure que vous venez de passer ?

— J'ai l'impression de sortir d'un rêve hallucinant qui, par moments, a pris des allures de cauchemar ! Mais je ne suis nullement déçu : ça valait la peine et je vous sais gré d'avoir insisté pour que je visite ce « Château du Clown ».

— Ce qui semble indiquer qu'il ne vous a pas tellement enthousiasmé ?

— Je n'ai pas dit cela. J'avoue même qu'il m'intrigue... Ceci à un tel point que je suis prêt, si le prix est raisonnable, à le louer pour une durée de deux mois renouvelable éventuellement au même prix, comme je vous l'ai dit dans votre bureau, moyennant un préavis de ma part donné à la fin du premier mois... Sommes-nous d'accord ?

— Personnellement je le suis, mais encore faudrait-il que je téléphone aux neveux-héritiers pour avoir leur assentiment. Je vous promets de le faire dès que je serai de retour à l'agence. J'ai tout lieu de penser qu'ils ne feront pas d'objection quand je leur expliquerai qui vous êtes. Peut-être même seront-ils ravis ? Qui donc d'autre qu'un poète, un artiste ou un écrivain pourrait louer cette demeure ?

— Peut-être quelqu'un qui serait aussi fou que Plouf lui-même ?

— Si cela s'arrangeait, vous vous installeriez quand ?

— Mais... ce soir !

Ce fut au tour de Mme Giraud de me regarder avec stupeur :

— C'est donc que vous avez eu le coup de foudre ?

— J'ai seulement la conviction qu'un cadre aussi dément risque de se révéler propice à l'élaboration et à la composition de mon roman. Le jeu n'est-il pas, lui aussi, une sorte de folie ?

— Vous verriez votre héroïne « la Joueuse » habitant là ?

— Et pourquoi pas ? Ce château ferait un casino fabuleux !

— Quelle chambre choisirez-vous pour dormir ?

— Je n'en ai vu que trois. Si je m'installe ce soir, j'aurai demain le temps de visiter les autres, ainsi que toutes ces merveilles dont la brave gardienne m'a vanté les mérites et qui sont les cuisines, l'atelier, les communs, les écuries. Pour cette nuit, je ne dormirai certainement pas dans le lit à baldaquin de Plouf, ni dans la chambre sanitaire de son épouse! Je crois que j'aurais plutôt un penchant pour la chambre du prince russe.

— Vous ne la trouvez pas un peu lugubre?

— Elle offre pour moi le double mérite de posséder, dans son style, une sorte d'authenticité qui n'a pas bougé depuis la construction du château et surtout d'avoir, placé devant la fenêtre, un bureau-secrétaire sur lequel je pourrais écrire dès cette nuit si l'envie m'en prenait. Ce qui n'est pas certain!

Esther nous attendait, en compagnie de son mari, devant le pont-levis.

— Monsieur, voici Marcello.

— Enchanté de faire votre connaissance... Votre femme m'a parlé de votre brillante carrière d'artiste malheureusement interrompue par un regrettable accident. Je sais aussi l'admirable attachement que vous conservez à la mémoire du grand Plouf et de son épouse. Et je vous félicite tout particulièrement pour la façon dont vous continuez à entretenir non seulement les fleurs du portrait de la pelouse mais aussi le reste de la propriété. Je suis sûr, que, de là où il est maintenant, Plouf doit continuer à apprécier votre travail.

Il n'était pas très réussi, le mari d'Esther! Autant elle se tenait droite et digne, autant il était recroquevillé, voûté, presque bossu, claudiquant chaque fois qu'il se déplaçait en s'appuyant sur une canne assez curieuse dont le pommeau représentait une tête de cheval.

— J'aime votre canne.

— C'est celle qu'utilisait le patron pour se promener dans le parc pendant les derniers mois, répondit l'homme difforme. Si je m'en sers aujourd'hui, c'est parce qu'il m'a dit un soir : « Quand je ne serai plus là, tu seras le seul qui auras le droit de t'appuyer dessus! » Elle m'est bien utile! Le parc est grand...

Ses yeux s'étaient embués de larmes pendant qu'il parlait.

Au moment de prendre congé du couple, je trouvai normal de glisser dans la main de la gardienne un billet, mais elle s'écria :

— Oh non, monsieur! Je suis une ancienne artiste, moi aussi... Et j'ai été tellement heureuse que vous me posiez autant de questions! Cela m'a permis, en vous répondant comme j'ai pu, de mieux vous faire connaître ceux à qui nous devons tout.

Après un retour silencieux dans la voiture de Mme Giraud, celle-ci me déposa devant mon hôtel en disant :
— Dès que j'aurai joint les neveux, je vous appelle.
— Merci encore!

Si je n'avais pas éprouvé le besoin de parler pendant le parcours, c'était parce que je me sentais encore tout imprégné du souvenir de l'étrange visite. Je revoyais, en mémoire, la grille d'entrée avec le pont-levis flanqué de ses tourelles, la grande allée où s'étaient alignées les caravanes du cirque avant le départ de la dernière tournée, les armures du vestibule, la piste du salon entourée d'affiches, la salle à manger encombrée de postes de télévision, le fumoir avec son billard et ses « portraits de famille», l'ascenseur aux gravures, le lit monumental au baldaquin, la chambre ripolinée de Carla, celle aux icônes et aux chandeliers du prince Skirnof, la piscine sans nageur, la tête de Plouf en fleurs, le tombeau des gisants... Sincèrement, il était surprenant, ce château!

Deux heures à peine s'écoulèrent avant que Mme Giraud ne m'informe que les neveux de Gênes étaient d'accord. Elle avait réussi à leur imposer un prix de location raisonnable. Je n'avais plus qu'à boucler mes valises, monter dans ma voiture, passer à l'agence pour signer le contrat et reprendre la route de la Forteresse. Entre-temps, la directrice de l'agence téléphonerait à Esther pour lui annoncer que le château avait enfin, après dix années d'attente, trouvé un habitant provisoire qui logerait le soir même dans la chambre du prince et pour lequel elle devrait préparer un repas léger. Une nouvelle heure passa et je me retrouvai devant l'entrée, de chaque côté de laquelle m'attendaient, souriants et presque radieux, la femme maigre et le boiteux. Au moment où je m'engageai sur le pont-levis — n'avais-je pas le droit, maintenant que je résidais dans les lieux, de troubler la belle ordonnance de l'allée ? — je compris que quelque chose de fantastique, que je n'avais encore jamais connu dans mes innombrables pérégrinations, allait se passer. Et, chose curieuse, je souris intérieurement. Ne pensant même plus à mon bouquin sur la joueuse, j'avais comme le pressentiment qu'une nouvelle aventure insolite voulait bien venir à ma rencontre...

Esther n'avait pas perdu de temps : la chambre du prince était prête. La couverture du lit défaite me permit de remarquer, brodé sur l'oreiller, le monogramme *P*. Ceci pour rappeler à tout occupant des lieux qu'il était bien chez Plouf.

— Dois-je déjà allumer les chandeliers ? demanda la gardienne.

— Surtout pas ! Je ne raffole pas tellement de l'odeur qu'ils répandent. Ouvrez plutôt la fenêtre pour laisser entrer le bon air du parc.

— A quelle heure Monsieur voudra-t-il dîner ?

— Dès que ce sera prêt. J'ai faim ! L'émotion de découvrir cette demeure m'a creusé.

— Monsieur a-t-il une préférence culinaire spéciale ?

— Aucune. Plus ce sera simple et plus je serai content.

— Pour ce soir, j'avais préparé des paupiettes de veau...

— Mais c'est un plat royal !

— Marcello les adore.

— Moi aussi.

— Avec un bordeaux ? A moins que Monsieur ne préfère un rosé de Provence ?

— Oh non ! Vous avez même du bordeaux ?

— La cave est encore bien fournie.

— Vous croyez que nous pouvons puiser dedans ?

— Marcello et moi avons toutes les autorisations des héritiers qui n'aiment que les vins italiens...

48

— Une vraie chance pour vous... et pour moi !

— Comme entrée, une ratatouille niçoise ?

— Esther, vous allez me combler.

— Et pour dessert ?

— Vous n'auriez pas un peu de fromage ?

— Du roquefort : c'est le préféré de Marcello.

— Décidément, lui et moi avons les mêmes goûts : c'est pourquoi nous nous entendrons.

— Monsieur veut dîner dans la salle à manger ou sur la terrasse ? La soirée s'annonce douce.

— Réservons la terrasse pour demain. Ce soir, je préfère « essayer » la salle à manger : elle me fascine !

— Je viendrai chercher Monsieur d'ici une petite heure mais s'il avait besoin de quoi que ce soit, il a, à la droite du lit, cette sonnette qui est reliée à l'office où je serai. Le seul inconvénient de cette chambre est qu'elle n'a pas le téléphone.

— Vous m'en voyez ravi.

— Monsieur est comme M. Plouf. Lui aussi avait horreur du téléphone ! Il n'a jamais voulu qu'un poste soit installé dans sa chambre, ni dans celle de son épouse.

— C'était un sage.

— Mais si Monsieur voulait quand même téléphoner, il trouvera dans le fumoir un appareil posé sur une tablette qui est placée sous le portrait du prince Skirnof.

— Et pourquoi pas sous celui de Plouf ou de Carla ?

— Le patron affirmait que le téléphone était un instrument tout juste bon à réveiller les morts et comme le prince n'était plus de ce monde lorsqu'il l'a fait installer...

— Aujourd'hui, il n'y aurait plus d'inconvénients à déplacer la tablette ?

— Oh ! Je sais que Monsieur ne ferait pas cela ! M. Plouf serait capable de sortir de son cadre !

— C'était un farceur ?

— A certains moments oui : quand il se croyait encore en piste...

La salle de bains du prince était aussi somptueuse que sa chambre. Là aussi rien n'avait dû être changé. Les gros robinets dorés du lavabo et de la baignoire étaient sculptés, représentant des gargouilles qui crachaient l'eau : celle de l'eau froide grimaçait, celle de l'eau chaude souriait. Un raffiné, ce prince ! J'eus l'honneur de me tremper dans la baignoire qui était en marbre rose comme d'ailleurs toute la salle de bains. On ne se refusait rien avant 1914 quand on avait la chance de posséder une baignoire. Il est vrai qu'il existait assez peu de baignoires.

Le bain fut salutaire : il me remit les idées en place, me permettant de revivre l'enchaînement des faits qui m'avaient conduit à cette tiédeur bienfaisante et me rappelant surtout que j'avais un roman à écrire. Toutes les notes, déjà prises à Monte-Carlo, m'attendaient en vrac, répandues sur le secrétaire de la chambre. Demain — je me le jurai — je me mettrais au travail de bonne heure mais ce soir je n'en avais pas encore le courage. Après le dîner, je retournerais faire au clair de lune un tour dans le parc pour mesurer l'effet que produisait le portrait floral dans une demi-obscurité. J'irais aussi revoir les gisants et sans doute ne résisterais-je pas à l'envie de m'asseoir à mon tour sur le banc vermoulu où Plouf venait chaque soir contempler la tombe de Carla. Ensuite, quand je me serais bien imprégné des visions sculptées du clown et de l'écuyère, je remonterais dans la chambre du prince pour essayer de dormir. Il n'était pas possible qu'entre un clown, une écuyère et un prince russe je ne fasse pas un rêve fabuleux ! Il m'emmènerait tellement loin des salles empuanties du casino et des foules qui les fréquentaient que le lendemain au réveil, j'aurais l'esprit dispos pour créer objectivement la nouvelle héroïne à laquelle j'avais décidé de donner vie sur le papier.

Le repas mijoté par Esther fut une réussite. Au moment où je m'installais devant le couvert disposé avec soin, elle demanda :

— Monsieur désire-t-il que j'allume le poste de télévision qui est placé en face de lui ?

— Peut-être vais-je vous décevoir mais, contrairement à ce cher Plouf, j'ai horreur de regarder défiler des images pendant que je mange ! Vous ne m'en voulez pas ?

Je me sentais assez ridicule, seul convive dans cette immense salle à manger, derrière la table en fer à cheval et n'ayant pour vis-à-vis que l'alignement de tous les téléviseurs éteints. Esther précisa :

— C'est intentionnellement que je n'ai pas donné à Monsieur le siège du centre, ni celui qui est à sa droite. C'étaient ceux du patron et de la patronne. Pour moi ce sont des chaises réservées ! Tant que je resterai en service ici, personne ne s'y assiéra ! Mais Monsieur est quand même à la place d'honneur : à la droite de Mme Plouf qui s'asseyait toujours elle-même à la droite de son mari.

— Pour moi c'est comme s'ils étaient là...

Tous les couverts, sans exception, portaient, gravé dans l'argent, le monogramme *P*. Mais c'étaient surtout les assiettes qui étaient curieuses : au fond de chacune d'elles, bien au centre comme sur la pelouse, apparaissait, peinte dans l'émail, la tête clownesque de Plouf. Et je ne pus m'empêcher d'imaginer un enfant n'aimant pas quelque bouillie qu'il devait avaler et auquel sa maman aurait dit : « Si tu manges ta soupe tu auras une belle surprise : tu verras apparaître au fond de l'assiette un clown ! » La soupe détestée aurait été vite ingurgitée.

Pendant le repas, Esther sut se montrer discrète. Quand elle revint et après que je l'eus félicitée de l'excellence de sa cuisine, elle répondit :

— C'est Madame qui m'a tout appris : c'était une extraordinaire maîtresse de maison ! Si vous saviez, monsieur, la joie que nous apporte, à mon mari et à moi, le fait qu'il y ait enfin quelqu'un assis dans cette salle à manger ! Elle n'a pas été utilisée depuis la mort du patron.

— Marcello et vous n'y avez jamais pris de repas ?

— Nous ne nous le serions pas permis! Tout ce luxe, ce n'est pas pour nous. C'est trop vaste ici! Nous ne sommes pas faits pour la vie de château.

— Croyez-vous que Plouf et Carla l'étaient?

— Je ne sais pas mais ils devaient l'aimer puisqu'ils ont acheté la demeure... Marcello et moi prenons nos repas dans le domicile qui nous a toujours été réservé.

— Où est-il, ce logement?

— Nous habitons au-dessus du portail d'entrée et dans les deux tours qui flanquent le pont-levis. C'est plus intime.

— Vous trouvez?

— Monsieur désire-t-il du café?

— Jamais de café! Maintenant que la nuit est tombée, je vais m'offrir une petite promenade dans le parc.

— Monsieur a-t-il l'intention de rentrer tard au château?

— Je ne sais pas. De toute façon je ne sortirai pas de la propriété. Mais pourquoi cette question?

— La nuit nous avons l'habitude de fermer à clef toutes les portes. On ne sait jamais ce qui peut se passer! Je vais laisser à Monsieur une clef : laquelle préfère-t-il? Celle de la baie donnant sur la terrasse ou celle de la grande entrée du perron?

— Celle de la baie : je sortirai et rentrerai par là.

— Peut-être faudrait-il que je montre à Monsieur où se trouvent les commutateurs électriques du grand salon, du vestibule, de l'escalier — quand il est éclairé, l'ascenseur l'est aussi — et du couloir du premier étage pour qu'il puisse rejoindre facilement sa chambre.

— Montrez-moi tout cela et donnez-moi la clef.

— Monsieur désire-t-il que je le réveille demain matin?

— Je serai debout avant vous. Bonsoir, Esther et encore merci pour la gentillesse de votre accueil.

— J'espère que Monsieur se reposera très bien pour la première nuit qu'il passe ici.

— Je le souhaite aussi!

Arrivé sur la terrasse, j'entendis les panneaux de la baie vitrée se refermer derrière moi. Les consignes étaient strictes chez Plouf, même s'il n'était plus de ce monde.

Esther l'avait annoncé : la soirée était douce, parfumée de ces senteurs légères qui s'éloignent du littoral pour se réfugier vers l'arrière-pays méditerranéen. Une brise tiède caressait les bégonias et les cinéraires du portrait fleuri en créant une illusion de mouvement. La bouche démesurée du visage de Plouf semblait s'élargir par moments en agrandissant la grimace burlesque. Mais c'étaient les contours du tombeau qui bénéficiaient le plus de l'irréalité de la nuit : le granit s'animait lui aussi sous les reflets d'ombre des branches de palmiers. Le clown et l'écuyère allongés donnaient l'impression d'être vivants... C'était comme si les mains et les doigts figés de Plouf allaient rapprocher l'embouchure du saxophone des lèvres exsangues pour que le gisant pût encore extirper de l'instrument quelques plaintes de l'au-delà pendant que les mains de Carla martèleraient de la cravache les flancs d'une cavale imaginaire.

Combien de temps restai-je ainsi immobile, sur le banc, ne pouvant détacher mon regard de la vision de l'étrange tombeau ? Alors que mes pensées très confuses erraient, voltigeant autour de ceux qui n'étaient plus, brusquement une vision insolite commença à prendre forme et à se dessiner au bord du tombeau. C'était la silhouette d'une personne assise... Il n'y avait aucun doute possible : je m'étais endormi sur le banc et je rêvais ! Je dus faire appel à toute ma volonté pour ouvrir et refermer mes yeux, mais, chaque fois que je les rouvrais, la silhouette se précisait davantage... Un mirage au clair de lune ? Peut-être... Mais quelle précision dans les détails ! C'était un homme que je voyais, maintenant avec une grande netteté, assis sur la dalle sculptée aux pieds de Plouf : ces pieds chaussés des immenses godillots qui étaient encore destinés à faire rire... Un homme qui n'avait ni le visage sévère de Plouf en civil ni le masque hilare du clown et qui pourtant ressemblait à chacun d'eux ! Au premier moment ce visage me parut blafard, rappelant celui d'un Pierrot qui se serait échappé d'une gravure de Willette mais, très vite, il commença à rosir comme si la chaleur revenait sur l'épiderme en même temps qu'un sourire indéfinissable, imprégné de sérénité et d'indulgence. Les yeux clairs n'avaient aucune fixité. Ils regardaient avec un mélange de curiosité et de gentillesse qui ne semblait pas s'adresser uniquement à moi mais aussi à tout ce qu'ils voyaient et qui m'entourait : un très beau regard dont la limpidité avait quelque chose d'infiniment reposant. La bouche, qui venait de s'entrouvrir, semblait prête à dire : « Eh bien, oui, c'est moi ! Tu ne me reconnais pas ? » Le vêtement, fait d'une simple tunique blanche, avait la pureté de l'Antique.

Etait-ce quelqu'un qui revenait de l'au-delà et qui ne pouvait pas se débarrasser de son linceul ? L'un de ces extraterrestres que notre époque s'acharne à vouloir découvrir ? De toute façon, l'ensemble de la silhouette faisait jeune : ce n'était pas un personnage usé par le travail ou par les années mais plutôt un être d'exception évoquant merveilleusement la plénitude de l'homme qui vient d'atteindre la quarantaine et devant l'apparition duquel on ne pouvait se poser que cette question : « On est donc ainsi quand on revient de l'autre monde ? »

Continuant à sourire, il paraissait ravi de mon étonnement et aussi gai que sa voix qui sonna clair lorsqu'elle dit :

— Avoue que tu ne t'attendais pas à cette bonne blague ?

Pétrifié — et pourtant l'inconnu ne me faisait pas peur, tellement s'exhalait de lui un courant d'amitié — je ne parvins pas à répondre. Se levant, il s'avança vers moi sans que ses pieds parussent toucher terre, en disant encore :

— Eh oui, je suis Plouf, ou plutôt son âme qui est la seule qui compte maintenant et qui n'a jamais voulu abandonner ce château même si ma carcasse n'est plus que pourriture !

Le plus simplement, comme si le geste lui était familier, il ajouta :

— Pousse-toi un peu à droite sur ce banc et laisse-moi ma place qui est à gauche : quand j'étais vivant, c'était toujours là que je m'asseyais pour pouvoir contempler la tombe de mon épouse.

Lorsqu'il se fut installé à côté de moi, je compris que les âmes pouvaient être très vivantes... et même bavardes ! Car il reprit presque aussitôt :

— Ce qui me plaît en toi, c'est que tu n'as pas l'air d'être trop gêné ! C'est d'ailleurs pour cela que j'ai pris la peine de venir te rendre visite. Je ne l'ai jamais fait avec d'autres, depuis dix années que j'erre dans ce qu'ils appellent « l'au-delà », parce qu'ils ne m'auraient pas compris ! Toi, je te considère un peu comme étant l'un des nôtres.

— Comment cela ?

— N'as-tu pas déjà écrit beaucoup de choses sur le cirque et sur nous ? M'as-tu applaudi au moins ?

— Une fois à Paris : à *L'Empire*...

— Dommage que nous ne nous soyons pas connus alors ! Mais après tout, peut-être vaut-il mieux que ça se passe ici, cette nuit ?

— Marcello et Esther me paraissent être encore beaucoup plus que moi des « vôtres » ! Ne revenez-vous pas bavarder avec eux de temps en temps, ne serait-ce que pour leur donner quelques conseils qui les aideraient à prolonger votre souvenir ?

— Ce n'est pas nécessaire ! Toi-même tu as pu le constater cet après-midi ; ils me sont restés fidèles... Ce sont d'ailleurs les seuls ! Mais s'ils m'avaient revu comme toi ce soir, ils se seraient enfuis et auraient abandonné le château en clamant qu'il était hanté ! Ce qui est faux : je ne suis pas là pour effrayer mais pour continuer à protéger mon bien que j'ai eu tant de mal à acquérir ! Je suis sûr que tous ceux, sur cette terre, qui ont mis leur âme à faire vivre une demeure ne l'ont pas quittée le jour de leur mort physique. Ils y restent même s'il n'y a plus que des ruines ! Ce n'est que lorsqu'on enlève les dernières pierres qu'ils s'en vont...

— Pour aller où ?

— Ils meurent pour de bon ! Mais pourquoi nous attendrir sur eux ? A chacun son destin... Pour moi, je sais que ça ne m'arrivera pas de sitôt ! Je veille... C'est pourquoi mes neveux, qui ne valent rien et que je méprise, n'ont pas pu encore trouver d'acquéreur ! Ce tombeau les embarrasse... Je préfère de beaucoup des locataires comme toi dans ma demeure : un locataire, ça passe, alors que les pierres ça dure... Je suis content aussi que ce soit toi, un authentique ami du cirque, qui soit le premier locataire. Je vais tout mettre en œuvre pour que tu connaisses ici une vie agréable : comme cela tu prolongeras ton bail qui, pour mon goût, est beaucoup trop court ! Ainsi nous pourrons rester ensemble.

— Ensemble ?

— J'ai tant de choses à raconter que je n'ai envie de dire qu'à toi !

— Croyez bien, Plouf, que je suis très sensible à une telle marque d'amitié et de confiance, seulement je ne me vois pas très bien continuer à résider ici quand mon bouquin sera terminé.

— Tu en écriras d'autres ! Je t'inspirerai ! Et puis, franchement, ça te passionne cette histoire de joueuse ? Qui veux-tu que cela intéresse ? Ceux qui jouent ? Ils ne pensent qu'à jouer et ne prennent pas le temps de lire... Ceux qui ne jouent pas ? Ils n'aimeront jamais le jeu ! Alors, que veux-tu que leur apporte ton roman ? Tu ferais beaucoup mieux de parler de moi ! Je te jure qu'il y a de la matière !

— Pourquoi ne l'avoir pas fait vous-même quand vous vous êtes retiré ici ?

— J'y ai pensé. On est même venu me proposer d'acheter mes Mémoires. Seulement voilà : comme tous ceux qui ont vu beaucoup de choses, je n'ai pas eu le courage de m'installer, la plume à la main, devant des feuillets blancs... Mais je ne le regrette pas trop puisque je t'ai maintenant là, à côté de moi, toi dont c'est le métier d'écrire : tu vas me remplacer.

— Vous me demandez là une chose impossible ! En

supposant que je raconte votre vie maintenant, personne ne me croira quand j'expliquerai que c'est vous-même qui êtes venu me la faire découvrir après votre mort! On me prendra pour un fumiste ou pour un dément.

— Ne t'occupe jamais de ce qu'on dira de toi! Tu n'as qu'à faire comme moi quand j'appartenais encore à ce que tu crois être le monde des vivants et qui, maintenant que je peux l'observer de loin, me fait l'effet de n'être qu'une nécropole! C'est dans mon nouveau monde à moi qu'on commence à vivre! Crois-tu qu'on ne m'ait pas traité de fou, moi aussi, quand j'ai acheté et aménagé ce château? Après ma mort les rares visiteurs qui y sont venus ont continué à le dire. Qu'est-ce que tu veux que ça me fasse? J'ai été clown et je suis resté clown... Toi aussi, comme tous ceux qui ont de l'imagination, tu es considéré comme étant un fou... Puisque nous sommes deux fous, associons-nous! Nous serons heureux! Ça ne te plairait pas que nous nous retrouvions chaque soir, vers la même heure, sur ce banc où je t'expliquerais ce que fut mon passage sur cette terre? Cela te détendrait de ces prouesses d'écriture sur une joueuse auxquelles tu pourrais t'adonner dans la journée. Nous nous quitterions tous les matins dès que le jour commencerait à poindre.

— Et quand dormirais-je?

— Le moins possible! Je peux te garantir que tu auras tout le temps de le faire lorsque tu auras franchi le même cap que moi! Et ne va surtout pas t'imaginer que c'est fatigant de passer la nuit avec un fantôme : c'est beaucoup plus reposant que de faire des rêves, parce que nous — qui venons de l'autre monde — nous avons de la suite dans les idées. Ce qui est éreintant dans un rêve ou dans un cauchemar, c'est l'incohérence des images! Je te promets de suivre dans mon récit l'ordre chronologique des faits tels que je les ai connus et vécus. D'ailleurs, si je n'agissais pas ainsi, je ne m'y retrouverais pas! Quelle est ta réponse?

Le regard limpide me fixait avec une sorte d'humilité

et presque de détresse comme s'il quémandait un assentiment, mais je ne savais que dire.

— Tu n'as donc pas confiance en moi ?

— Mais si, Plouf, j'ai confiance en vous, seulement...

— Seulement quoi ? Tu ne comprends donc pas qu'il faut absolument que je raconte à quelqu'un mon passé maintenant puisque je n'ai pas su le faire avant de mourir ? Et un romancier n'est-il pas le confident rêvé ? Enfin, je commence à en avoir un peu assez de tourner en rond dans ce domaine que je connais par cœur ! Il me faut de la compagnie !

— Mais Carla ?

— Ne la réveille surtout pas ! Laisse-la encore dormir... Quand le moment de son entrée dans mon histoire viendra, je ne manquerai pas de te la présenter : elle nous rejoindra parce qu'elle est très docile et qu'elle a toujours fait tout ce que j'ai voulu. Mais, pour l'instant, ce serait prématuré ! Il y a des choses de la vie d'un homme qu'une femme n'a pas à connaître, des choses que l'on ne peut se raconter que d'homme à homme... Tu sais très bien que lorsqu'une femme a réussi à faire complètement le tour d'un homme, il cesse de l'intéresser ! Et, du manque d'intérêt au manque d'admiration, il n'y a qu'un pas, vite franchi... Carla m'a toujours admiré ! Quand elle m'a quitté, trois années avant mon propre départ, elle l'a fait sans avoir totalement découvert mon âme véritable : c'est pour cela qu'elle m'a aimé jusqu'à son dernier souffle. Et, lorsque j'ai été la rejoindre dans l'autre monde, je me suis débrouillé pour conserver une partie de mon mystère. C'est pourquoi elle et moi nous continuons à nous adorer dans l'au-delà.

— Ce que vous venez de dire là est très beau.

— Beau ou pas, c'est la vérité de tous les couples. Maintenant, décide-toi : si mon offre ne te convient pas, dis-le franchement ! A quoi ça sert de mentir à un défunt qui lit dans toutes tes pensées ? Je sais que ce que je viens de te proposer t'intéresse, mais si tu persistes, malgré tout, à ne pas vouloir recueillir mes confidences, je te promets de retourner immédiatement dormir auprès de Carla. Et tu ne me verras plus jamais que sur les affiches, en photo peut-être, en portrait, dans le massif fleuri ou sculpté sur ma tombe ! Quelle est ta réponse ?

— Restez, Plouf ! C'est étrange mais, moi aussi, je commence à avoir besoin de votre amitié.

— Alors donne-moi la main... Tu peux constater que la mienne est encore moins froide que la tienne !

La mienne était glacée. Il reprit :

— Puisque nous sommes devenus maintenant des amis, il y a encore une chose qui me gêne : pourquoi t'obstines-tu à me dire « vous » alors que je te tutoie depuis le premier moment de notre rencontre ?

— Mais... c'est par respect.

— Ne mens pas ! C'est uniquement parce que tu te sens vivant et que tu me sais mort ! C'est stupide un pareil raisonnement ! Comme moi tu as une âme et les âmes ne se vouvoient pas entre elles ! Dis-moi « tu ».

— Bonjour, Plouf !

— A cette heure-ci, ce serait plutôt bonsoir ! Mais ce n'est pas suffisant : je veux le mot « tu » !

— Comment vas-tu, mon clown ?

— Je ne me suis jamais senti aussi bien puisque je viens de trouver enfin un ami ! Alors, je le commence, ce récit de ma vie ?

— Je t'écoute.

— Ce qui va peut-être te surprendre, c'est que je n'étais nullement destiné à être clown ! Je devais être dans l'enseignement.

— Toi, Plouf, professeur ?

— N'exagérons rien : un tout petit professeur ! Plutôt un précepteur pour fils de famille...

# LA VOCATION

Et, sur le banc, la surprenante confession commença...

— Tu sais que je suis né à Liège et que mes parents étaient pauvres : le ciel de lit peinturluré, qu'Esther t'a fait admirer pendant la visite de ma chambre, te l'a prouvé. Ma maison natale, qui y est représentée, était certainement l'une des plus modestes de la ville. Mes parents se sont privés de tout pour que leur fils unique puisse recevoir une éducation à une époque où les lois sociales étaient loin d'être ce qu'elles sont aujourd'hui ! Sans être tellement brillantes, ces études me firent obtenir un diplôme qui me permettrait de postuler un poste d'enseignant dans une institution secondaire et surtout de me familiariser très correctement avec la langue allemande. A Liège, nous n'étions qu'à quarante-cinq kilomètres d'Aix-la-Chapelle.

» J'avoue qu'à vingt ans je n'avais guère envie de faire partie de ce corps professoral dont l'inlassable dévouement consiste à inculquer à des enfants plus ou moins doués et rarement dociles les premiers rudiments de sciences pour lesquelles il n'y en a que quelques-uns à manifester un engouement certain. Alors que j'étais encore assez perplexe sur mes possibilités d'avenir pédagogique, une chance inespérée se présenta à moi ! L'un de mes maîtres me dit avoir reçu une lettre d'un baron allemand — qu'il avait connu dans sa jeunesse quand ils faisaient eux-mêmes tous deux leurs études à Bruxelles — dans laquelle son ancien camarade lui demandait s'il ne connaîtrait pas, uniquement pour la période des grandes vacances, un jeune professeur parlant le français et l'allemand. Celui-ci viendrait, moyennant salaire, passer deux mois dans son château situé en Bavière pour inculquer à ses deux fils, âgés de dix et douze ans, les premiers rudiments du français. Le salaire était royal : je pourrais commencer tout de suite à aider mes parents auxquels je devais tout. La durée du contrat me convenait aussi : ces deux mois me laisseraient le temps de réfléchir sur le choix de l'institution belge où j'irais ensuite à la rentrée scolaire. Enfin, cela me donnerait, à moi qui n'étais jamais sorti de Wallonie, une possibilité de voir du pays : n'avais-je pas toujours entendu dire que la Bavière était enchanteresse ? J'acceptai d'enthousiasme. Huit jours plus tard j'arrivais au *Burghoffer*, le château du baron von Wiesenthal.

» Si je te parle tout de suite de ce château, c'est parce que j'ai la conviction absolue, avec l'indispensable recul du temps et maintenant que j'ai déserté le monde des vivants, qu'il a joué un rôle considérable dans mon existence ! Si je n'avais pas connu le *Burghoffer,* tu ne serais pas aujourd'hui assis à ma droite sur ce banc dans le parc de cette demeure que tout le monde dans le pays a surnommé : « *Le Château du Clown* ».

» Car il m'apparut fantastique le château du baron ! Perché sur un nid d'aigle et dominant la petite ville de Binden située dans une vallée encaissée où serpentait une adorable rivière, il était — selon un adjectif cher aux Allemands — de proportions « colossales ». Si ça peut te donner une idée de ses dimensions, considère qu'il était trois fois plus grand que « mon » château et avait sur lui la supériorité d'avoir été construit une trentaine d'années plus tôt, vers 1880. C'est même à se demander si le Wiesenthal de l'époque n'a pas mis son point d'honneur à vouloir rivaliser pour la magnificence avec des châteaux construits par son roi, l'étonnant Louis II. Ce qui me fascina le plus fut la multiplicité des tours crénelées ! C'est depuis ce jour-là que j'ai estimé qu'un château qui n'avait pas de tours n'en était pas tout à fait un et que s'il m'arrivait un jour, à moi aussi, de posséder un château, il serait flanqué du plus grand nombre de tours possible !

— Je dois reconnaître qu'en réalisant ce rêve plus tard, tu ne t'es pas privé de tours ! Tu en as déjà six : les quatre qui encadrent le château et les deux plus petites qui montent la garde de chaque côté du pont-levis...

— J'aurais voulu en avoir beaucoup plus ! Revenons, pour le moment, au jour de mon arrivée au *Burghoffer*... La route qui reliait la vallée au château était moins longue que celle qu'il t'a fallu franchir pour arriver jusqu'ici, mais sans aucun doute plus ardue ! Comment pourrais-je oublier la calèche à deux chevaux, superbement attelée, qui m'attendait à la petite gare de Binden ! Jamais je n'avais encore eu l'honneur de voyager en pareil équipage ! Tous les paysans rencontrés pendant la montée se découvraient et me saluaient ! Je leur répondais en éprouvant la sensation grisante d'être brusquement devenu un personnage important ! Pour pénétrer dans la cour intérieure du château où se trouvaient les marches du perron, il fallait franchir un pont-levis : ce qui m'apporta le plaisir de savourer avec délices le martellement du trot des alezans sur le tablier en bois. Arriver ainsi dans un château d'apparence médiévale était pour moi le comble du raffinement !

— Peut-être fut-ce également ce jour-là que tu as pris goût aux ponts-levis ?

— Ainsi qu'aux armures en pied quand j'ai vu toutes celles qui s'alignaient dans le vestibule où un major-dome, ganté de blanc et vêtu d'une livrée à la française au dos de laquelle s'étalaient les armoiries brodées des Wiesenthal, m'avait introduit après avoir regardé avec commisération la pauvre valise qui constituait tous mes bagages ! C'est pour cela que j'ai voulu qu'il y ait aussi des armures dans mon vestibule ! Même si l'on vient de la plèbe comme moi, je trouve que ces sublimes ferrailles anoblissent une demeure... Après une courte attente, je fus introduit dans ce que le baron appelait « son cabinet de travail » mais où j'ai tout de suite pensé qu'il n'avait jamais dû beaucoup travailler !

» Il avait grande allure, le baron von Wiesenthal ! Et il savait porter le monocle avec une arrogance qui n'était qu'à lui et que je n'ai jamais retrouvée depuis... Monocle qu'il retirait à certains moments de l'orbite de son arcade sourcilière gauche dans un geste d'une extrême élégance pour le manipuler entre ses doigts racés avec l'habileté d'un prestidigitateur : ceci lorsqu'il parlait. Quand il se taisait, il lissait sa moustache aux pointes soigneusement effilées dans un autre geste qui semblait vouloir dire à tout interlocuteur : « Parlez toujours, je me moque éperdument de ce que vous racontez ! »

» Ses mots d'accueil furent :

« — Ah ! C'est vous, monsieur... »

» Et il eut une courte hésitation avant de prononcer mon nom qui, de toute évidence, ne semblait pas l'enthousiasmer !

« — Monsieur Ernest Bedaine... Votre ancien maître, que j'ai bien connu quand je poursuivais moi-même mes études à Bruxelles, fait le plus grand cas de vous... Peut-être êtes-vous encore un peu jeune, ce qui pour un précepteur risque de lui ôter le respect indispensable de ses élèves mais, d'un autre côté, ce n'est pas mal non plus ! Ne sommes-nous pas dans une période de vacances où vous serez surtout le compagnon de jeux de mes fils... Montez-vous à cheval ?

« — Pas encore, monsieur le Baron, mais ça ne me ferait pas peur !

« — Mes fils ont déjà de solides notions d'équitation. L'important pour vous sera de ne pas vous montrer trop ridicule sur un cheval... Vous savez aussi bien que moi que le ridicule tue et que vous devrez conserver votre prestige en toutes circonstances. Heureusement j'ai dans mes écuries une petite jument très calme qu'a souvent montée la baronne mon épouse et que nous avons appelée *Calypso*.

« — J'essaierai d'être son Ulysse, ou à la rigueur son Télémaque...

« — Je dois tout de suite vous confier que mes fils, qui se prénomment respectivement Eric et Dietrich, sont assez turbulents... Il en est d'ailleurs toujours ainsi chez les héritiers mâles des Wiesenthal : c'est une tradition de la famille ! Mais ce sont quand même de bons garçons : Eric a douze ans et Dietrich dix. En temps normal, ils sont pensionnaires au collège des jésuites de Freiting, près de Munich. Nous sommes catholiques. Vous aussi, je pense, puisque vous êtes wallon ? »

» J'eus une légère hésitation avant de répondre. En réalité mes parents n'avaient guère songé à me faire donner une éducation religieuse mais, puisque ces Wiesenthal étaient des catholiques chevronnés, pourquoi ne me mettrais-je pas à l'unisson de la famille ? Et je répondis que moi aussi je l'étais.

— Tu as menti ce jour-là, Plouf !

— Il y a des mensonges qui sont nécessaires quand on n'a que vingt ans et pas un sou en poche. Le baron continua :

« — Vous dire que mes fils sont d'excellents élèves serait exagéré : ils sont doués mais paresseux. Les seules choses qui les passionnent vraiment sont l'histoire, la géographie, l'équitation et l'escrime... Faites-vous de l'escrime ?

« — Je pense pouvoir également m'y mettre...

« — Mais qu'avez-vous donc appris à Liège pendant vos études ?

« — L'allemand.

« — C'est déjà quelque chose. Seulement il faudra vous en servir le moins possible et uniquement pour expliquer à mes fils qu'ils s'expriment mal en français car il est certain qu'ils sont allergiques à cette belle langue. Ce qui est inadmissible pour un Bavarois appartenant à l'une de nos familles. C'est pourquoi la baronne et moi avons décidé que, pendant ces vacances, nous ne parlerions qu'en français devant nos fils. C'est une langue que mon épouse pratique comme moi couramment. A chaque fois que vous-même et les enfants prendrez vos repas avec nous, nous nous exprimerons en français. Mais comme nous recevons beaucoup, et plus particulièrement le soir, ces repas ne seront pas très fréquents. Ce serait donc insuffisant si vous n'étiez pas là : vous, vous prendrez tous vos repas avec eux. Il est indispensable qu'il y ait quelqu'un qui ne leur parle toute la journée qu'en excellent français : ce sera l'essentiel de votre travail. Nous nous comprenons ?

« — Très bien, monsieur le Baron.

« — Je pense que le moment est venu de vous présenter mes fils. »

» Tout cela avait été dit dans un français à l'intonation gutturale mais solide. D'un geste, qui avait un côté un peu théâtral, le baron tira deux fois sur un cordon tressé qui pendait le long d'un mur. Le tintement atténué d'une cloche retentit et presque aussitôt, comme si le personnage n'attendait que cela derrière la porte, celle-ci s'ouvrit. Le majordome solennel réapparut et le baron lui ordonna, en allemand cette fois, de faire descendre sa progéniture dans son cabinet... Et je les vis : déjà grands pour leur âge, bien plantés, merveilleusement blonds avec des yeux très bleus qui me dévisagèrent sans aucune timidité. Pour ces jeunes garçons je n'étais que la bête curieuse dont on leur avait annoncé la venue et qui venait d'un pays où l'on parlait cette langue française dont ils n'avaient que faire. Ils se tenaient côte à côte et figés, presque au garde-à-vous, devant leur père : c'était lui qui les impressionnait et pas moi.

« — Eric, Dietrich..., leur dit le baron en allemand, voici votre précepteur, monsieur Bedaine, que vous allez conduire dans la chambre qui lui est réservée en veillant à ce qu'il ne manque de rien. Ensuite vous lui laisserez le temps de s'installer et de prendre quelque repos après les fatigues du voyage. Vous reviendrez le chercher à 7 h 15 pour l'accompagner jusqu'au petit salon où je le présenterai à madame votre mère avant le dîner qui sera servi à 7 h 30. »

» Puis, continuant en français à mon intention :

« — En Allemagne et spécialement dans notre Bavière, nous avons deux grands défauts aux yeux des peuples latins : nous dînons trop tôt et nous avons avalé un chronomètre. »

» Et, revenant à l'allemand pour ses fils :

« — C'est la dernière fois de ces vacances où je vous parle en allemand. Votre mère, votre précepteur et moi n'utiliserons plus que la langue française en votre présence. Et comme je vous sais curieux, je n'ai aucune inquiétude ! J'ai la certitude que vous finirez bien par l'apprendre, cette langue, ne serait-ce que pour savoir ce que nous disons. Maintenant, je vous ai assez vus : rompez ! A tout à l'heure, monsieur Bedaine. »

» Pendant que je gravissais l'escalier monumental, précédé des deux jeunes garçons, je réalisais que ce baron von Wiesenthal devait être un homme avec qui il ne fallait pas trop plaisanter.

» Quand je me retrouvai seul dans ma chambre après que « mes » élèves se furent retirés, j'avais fait une constatation et une découverte. Eric et Dietrich ne possédaient que quelques rudiments de la langue française et ma tâche ne serait pas aisée ! La découverte ? C'était la première fois de ma vie que je pénétrais dans un château habité par ses propriétaires et qui n'avait pas été transformé en triste musée que l'on ne peut visiter qu'avec des groupes de touristes. Un château fabuleux où j'avais « ma » chambre tapissée de soie moirée et un lit aux draps finement brodés. La fenêtre me permettait de contempler la vallée verdoyante et la petite ville de Binden dont chaque habitation ressemblait à une maison de poupée. J'étais loin, fabuleusement loin, de ma pauvre mansarde de la banlieue liégeoise éclairée par une lucarne dont l'horizon se limitait à des cheminées d'usines crachant toutes une épaisse fumée noire. Pour moi, c'était le début d'un rêve.

» Une angoisse cependant m'étreignit : dans une pareille demeure où régnait un tel protocole on devait certainement s'habiller pour le dîner ? Et ma garderobe se réduisait à deux costumes — tout neufs il est vrai — que j'avais achetés la veille à Liège grâce à la générosité de celui qui m'avait recommandé au baron et qui m'avait dit : « *Maintenant que vous êtes engagé, il est indispensable que vous soyez dignement vêtu pour vivre la vie de château. Courez vite acheter deux costumes : un clair pour la journée et l'autre plus sombre pour le soir.* » Ayant débarqué du train dans le vêtement gris, je mettrais le noir ce soir mais serais-je assez élégant à l'égard du baron ou de la baronne et surtout aux yeux de ces deux garnements qui observaient tout avec la cruauté de leur âge ? A 7 h 15 précises ils frappaient à ma porte. Assez inquiet, je pus constater qu'eux aussi avaient changé de vêtements. Habillés pareil, ils portaient des *Eton* avec la petite veste noire courte et des pantalons gris perle. Ils étaient beaucoup plus élégants que moi ! N'ayant pas encore grand-chose à nous dire en français, nous redescendîmes en silence le grand escalier.

» Le baron et la baronne nous attendaient dans ce qu'ils appelaient « le petit salon », mais qui m'apparut comme étant une pièce aux dimensions déjà impressionnantes. Je sus gré au baron de ce qu'il se soit vêtu d'une redingote sombre qui ne contrastait pas trop avec mon vêtement noir. Je ne sais trop pourquoi, mais je m'étais presque attendu à le retrouver pour ce premier dîner engoncé dans quelque uniforme rutilant qui aurait rappelé ceux que portaient alors les héros d'opérettes viennoises !

» Sans être d'une grande beauté, son épouse ne manquait pas de charme. Elle aussi s'était habillée simplement. Son sourire était accueillant et ses gestes harmonieux. Jamais encore, je te l'avoue, je ne m'étais trouvé en présence d'une aussi grande dame. Comprenant ma timidité, alors que je m'inclinais, elle eut la gentillesse de venir à mon aide en me tendant la main et en disant dans un français moins guttural que celui de son époux et d'une voix tout aussi harmonieuse que son sourire :

« — Je suis ravie, monsieur Bedaine, de savoir que vous allez enseigner le français à mes fils. Ont-ils au moins déjà fait un effort pour vous dire quelques mots de français ?

« — Mais Madame, je suis persuadé qu'ils sont remplis de bonnes intentions... »

» J'avais menti en pensant que si les deux garnements, qui n'avaient pas desserré les dents depuis que nous nous connaissions, comprenaient vaguement ce que je venais de dire, j'aurais droit de leur part à un embryon de gratitude. N'est-ce pas le sentiment qui peut le plus rapidement engendrer l'amitié ?

» Le majordome entra, portant un plateau. « *Un peu de xérès pour vous mettre en appétit, M. Bedaine ?* » dit le baron en me tendant un verre. Comment refuser ? La baronne et les enfants n'eurent pas droit au breuvage. Levant son verre, le maître de maison dit d'une voix solennelle : « *A la Belgique et à votre Roi pour qui nous avons la plus haute estime !* » Nous bûmes, lui et moi, en silence. J'ignorais absolument le *xérès*, comme d'ailleurs la plupart des vins ! Depuis ce soir-là, les temps ont changé : j'ai appris à apprécier les bonnes choses... Je crois bien qu'il reste encore quelques bouteilles de *xérès* dans ma cave : si tu l'aimes, tu n'auras qu'à dire à Marcello qu'il t'en monte une et tu pourras en déguster chaque soir un verre avant ton dîner. Ça m'intéressera de savoir ensuite, quand nous nous retrouverons sur ce banc, s'il n'est pas trop éventé. Après dix années, c'est possible.

— Merci, Plouf, pour une aussi délicate attention mais je t'avoue ne pas être très amateur de *xérès* ! Je préfère un bon scotch.

— J'en ai aussi et de toutes les marques ! Peut-être aimerais-tu en prendre un maintenant ?

— Comment pourrais-tu me l'offrir ? Tu ne vas tout de même pas le faire surgir, comme toi, de ta tombe ?

— Sûrement pas ! Je n'ai plus besoin de nourritures terrestres... Tu m'accompagneras simplement pour le trouver dans ma cave.

— Ne te dérange pas ! Nous sommes tellement bien ici, sur ce banc ! Continue plutôt à me raconter ta première soirée chez les Wiesenthal...

— Sincèrement ça t'intéresse?

— Ce qui m'intrigue le plus c'est de savoir comment le préceptorat t'a conduit jusqu'au cirque.

— C'est pourtant lui qui m'y a mené et beaucoup plus vite que tu ne peux le penser! Après le toast patriotique du baron, nous passâmes dans la salle à manger... Jamais non plus je ne pourrai oublier ce dîner! Le faste et le raffinement du service me laissèrent pantois et pourtant nous n'étions que cinq à table : le baron, son épouse, Eric, Dietrich et moi. Derrière chacun de nous, prêt à satisfaire le moindre de nos désirs, se tenait debout et immobile un valet portant la livrée armoriée. Et, en plus de ces serviteurs immobiles, le déroulement du repas était assuré — sous la haute direction du majordome qui jouait le rôle d'un véritable chef du protocole — par deux maîtres d'hôtel et un sommelier! Autant de monde pour servir trois adultes et deux enfants, cela frise l'aberration et, pourtant, cela me ravissait autant que ça m'étonnait! Les mets étaient d'une telle qualité que c'était à croire que le chef était français. Et, selon la règle imposée par le baron, nous ne parlâmes qu'en français de tout et de rien. Je sentais que mes hôtes n'auraient demandé qu'à parler de Paris. Malheureusement, je n'avais jamais été à Paris et ne débarquais que de Liège! Je n'étais pas très sûr non plus que les enfants comprenaient ce que nous disions mais, tels de vrais petits singes, quand ils nous voyaient rire, ils s'esclaffaient pour nous faire croire qu'aucune des subtilités de la langue française ne leur échappait! Le repas terminé, et après que le café eut été servi dans le fumoir, Eric et Dietrich dirent bonsoir à leurs parents selon les règles d'un protocole qui avait dû être institué depuis des siècles pour des générations de jeunes Wiesenthal. Prétextant la fatigue du voyage, j'en profitai pour demander, moi aussi, la permission de me retirer. Avant de me souhaiter une bonne nuit, le baron me confia, aimable : « Je ne sais pas si mes fils ont compris grand-chose à ce que nous avons dit pendant le dîner! Mais cela n'est pas bien grave! Ce qui importe, c'est qu'ils se familiarisent progressivement avec le charme de la langue française en l'entendant. L'utilisation pratique des mots viendra ensuite. »

» Mes élèves me raccompagnèrent jusqu'à la porte de ma chambre devant laquelle j'eus la satisfaction de les entendre me dire un « *Bonsoir, monsieur Bedaine* » dans un français assez correct. Quand je me retrouvai enfin seul, débarrassé de tous les Wiesenthal, je me mis à la fenêtre pour humer les senteurs de la nuit d'été. En bas, au fond de la vallée, je voyais se refléter la lune dans le miroitement de la rivière calme qui ressemblait à un serpentin argenté. Une multitude de lumières scintillaient à l'emplacement de la petite ville. Et tout se passait à mes pieds ! Du haut de ce nid d'aigle qu'était le *Burghoffer* j'éprouvais la sensation enivrante, moi le petit précepteur, de dominer le monde ! C'était prodigieux ! Ce fut ce soir-là que je pris la décision de devenir, moi aussi, châtelain un jour... La demeure du baron m'avait véritablement ébloui ! Mon château serait perché comme le sien sur une hauteur : pour y accéder il faudrait gravir une longue côte et il y aurait au bout un pont-levis avec une herse qui ne se lèverait que pour des amis soigneusement choisis. Les importuns resteraient de l'autre côté des murs crénelés, piétinant dans leur médiocrité. Mon château aurait aussi des tours, beaucoup de tours, qui ne serviraient sans doute à rien mais qui impressionneraient les visiteurs comme je venais de l'être moi-même en arrivant au *Burghoffer*. A l'intérieur on découvrirait des salons aussi vastes que ceux du baron et une salle à manger immense où une nuée de serviteurs en livrées brodées à mes armes — mais quelles armes ? Il faudrait que je m'en crée, symbolisant ma réussite, ou que j'achète un titre : ça doit pouvoir se trouver dans une baronnie ruinée ou chez un prince désargenté ! — papillonneraient autour de la table pour le plus grand agrément de mes convives... Les mets les plus raffinés seraient servis dans une vaisselle étincelante gravée de mon monogramme : mes initiales E.B. conviendraient-elles ? Seraient-elles assez brillantes ? Mon nom, Ernest

Bedaine, ne l'était guère! Peut-être faudrait-il que je change de nom et que je trouve le pseudonyme qui me conduirait à la gloire? Tout dépendrait de ma carrière... Ma carrière? Le professorat? Il paraissait douteux qu'une telle profession me permette d'acheter un château... A moins de devenir un immense savant? Hélas, je connaissais mes capacités qui étaient des plus limitées : c'était à peine si je pouvais faire un médiocre professeur de français pour de très jeunes Allemands... Combien de temps dura, cette nuit-là, la rêverie à l'une des fenêtres du *Burghoffer*? La seule chose que je puisse te confier, à toi qui es mon ami, c'est que j'avais quand même la conviction qu'un jour viendrait où, moi aussi, je posséderais un château!

» Il m'a fallu attendre près d'un demi-siècle pour y parvenir! Maintenant je l'ai ce château dans lequel tu t'es promené tout à l'heure et ce parc où je suis censé reposer pour toujours dans ce tombeau à côté de ma chère Carla... Mais cela n'est que l'opinion des vivants qui ne compte pas eu égard à l'Eternité! En réalité, ne pouvant pas me reposer tant que le château existera, je dois continuer à le protéger puisqu'il a été le but de toute ma vie terrestre. N'est-ce pas ton avis?

— N'appartenant pas au monde qui est maintenant le tien, il m'est difficile de répondre! Je ne peux pas voir les choses de la même façon... Et ne crois-tu pas que le véritable but de ta vie n'a pas été d'être châtelain — ce qui, mon Dieu, n'est qu'une ambition des plus relatives — mais plutôt de devenir l'un des plus grands clowns de tous les temps : l'homme qui sait faire rire! Ce qui me paraît beaucoup plus exaltant parce que plus difficile.

— Si tu crois que je me doutais, quand je rêvais à la fenêtre du *Burghoffer,* qu'un jour très proche viendrait où je ferais le clown! Je ne voulais qu'être riche et posséder un château! Le cirque n'a été pour moi que le moyen qui m'a permis de réaliser ce double rêve.

— Plouf, tu me déçois! N'as-tu pourtant pas aimé ton métier plus que tout?

— Dis plutôt que c'est lui qui s'est imposé à moi

avec une telle force qu'ensuite je n'ai jamais pu lui échapper complètement ! Tu ne sais pas, toi qui aimes le cirque mais qui ne lui appartiens pas, quel est son pouvoir d'attraction ! Quand on est entré dans le rond de la piste, on ne peut plus en sortir... C'est la pire des geôles ! On s'y sent prisonnier de tout : de la lumière des projecteurs qui ruisselle et de l'ombre qui l'entoure, de l'odeur des fauves qui y stagne et du parfum plus lointain des écuries, des rires de la foule qui m'étaient réservés et des silences angoissés qui accompagnent les évolutions des trapézistes, des accents de l'orchestre cuivré et des barrissements des éléphants... Ce fut un peu tout cela, l'atmosphère de ce métier qui m'a donné la possibilité d'acquérir cette demeure... Mais il y a une chose, mon ami, que tu ne m'as pas encore dite : est-ce qu'il te plaît « mon » château ?

Après une courte hésitation, je répondis :

— Il faut croire que oui puisque je viens de le louer.

— Tu mens ! Je sais que tu le détestes pour sa laideur mais qu'il t'intrigue parce qu'il ne ressemble à aucun autre.

— Ça, c'est très vrai !

— Il rappelle vaguement celui des Wiesenthal, mais j'y ai introduit un confort moderne et la télévision qui ne pouvaient pas exister au *Burghoffer*. Ne trouves-tu pas que, dans le genre, c'est une grande réussite ?

Et, comme je me taisais encore :

— Je sais que tu n'as pas été tellement fasciné par mes idées personnelles de décoration mais ça m'est égal ! Je continuerai à aimer ce que j'y ai apporté. Carla est comme moi : dernièrement encore, elle me disait qu'elle n'aurait pu supporter d'être inhumée ailleurs.

— Elle s'y promène la nuit comme toi ?

— Seulement quand je l'appelle... Au fond, Carla, qui a été une grande écuyère, n'aimait pas tellement se montrer en dehors de son travail. Elle a toujours été timide et l'est restée. Son âme n'est heureuse que lorsqu'elle se trouve blottie auprès de la mienne : c'est pourquoi elle me rejoint partout où je suis... Je t'ai dit que je te ferai faire sa connaissance quand elle se présentera dans mon récit. Maintenant ce serait prématuré car elle n'a jamais connu les Wiesenthal ni pénétré dans leur château...

— Et toi, Plouf, quand et comment as-tu quitté ces Wiesenthal pour devenir clown ?

— Trois semaines seulement après ma rêverie à la fenêtre du *Burghoffer* et grâce à Eric et Dietrich... Très vite je compris que je ne parviendrais pas à faire d'eux de très bons élèves en français : cette langue les ennuyait trop ! Ayant aussi réalisé que leur père était un homme ne tolérant pas l'insuccès, j'étais assez inquiet... C'est que je tenais à cette place de précepteur qui me permettait de vivre ! Plus le baron et la baronne parlaient en français et moins leurs fils paraissaient les comprendre ! Par contre, je commençais à me débrouiller en équitation et en escrime : ce qui, logiquement, aurait dû rehausser mon prestige dans l'esprit de mes élèves... Malheureusement ce n'était pas encore suffisant : en comparaison d'eux, je n'étais encore qu'un médiocre cavalier et un piètre épéiste ! Il fallait absolument que je trouve quelque chose qui déclenche l'enthousiasme d'Eric et de Dietrich à l'égard de leur précepteur, sinon je n'obtiendrais rien d'eux et en fin de compte ce serait pour moi le désastre. Ce n'était pas eux qui faisaient des progrès, mais moi dans les sports !

» Un matin où, m'étant réveillé très découragé, je regardais une fois de plus par ma fenêtre le merveilleux paysage qui s'étalait à mes pieds et dont je ne parvenais pas à me lasser, je vis une chose extraordinaire ! Un gros champignon, bariolé de rayures de couleur, avait poussé pendant la nuit sur l'unique place de Binden. Aucun doute n'était possible : ce champignon était le chapiteau d'un cirque ! Alignées tout autour de lui, l'encerclant, il y avait des roulottes peinturlurées, elles aussi, de couleurs vives. Un cirque ? Mais c'était fantastique ! Brusquement, je venais de trouver le moyen de me concilier les bonnes grâces d'Eric et de Dietrich... Il n'était pas possible qu'ils n'aimassent pas le cirque ou, alors, ils ne seraient déjà plus des enfants ! Ce qui heureusement n'était pas le cas.

» Eux aussi avaient repéré le cirque dont ils ne firent que parler pendant tout le petit déjeuner : *Circus... Circus!* Ils connaissaient même son nom, le *Circus Arkein,* et ils m'apprirent, dans leur jargon franco-allemand où les gestes compensaient les mots de français défaillants, que c'était l'un des plus grands et des plus célèbres cirques d'Allemagne. Leur enthousiasme était d'autant plus communicatif qu'ils n'avaient encore jamais reçu l'autorisation paternelle d'aller assister à une représentation de ce vaste établissement ambulant qui passait chaque année à Binden. Et si je parvenais à l'obtenir, moi l'obscur petit précepteur étranger, cette difficile autorisation ? Ne serait-ce pas jouer ma dernière chance à l'égard de mes élèves ? Après avoir été au cirque grâce à mon intervention, ils ne pourraient plus rien me refuser et ils se lanceraient avec enthousiasme dans les difficultés de la langue française.

» Je risquai le coup deux heures plus tard quand le baron vint, comme chaque matin, jeter un coup d'œil monoclé sur la séance d'équitation qui se déroulait dans le manège en plein air qu'il avait fait spécialement aménager. Nous étions tous les quatre à cheval : le baron ressemblant à une statue équestre, ses fils moins impressionnants mais déjà aguerris sur leurs montures et moi-même sur *Calypso* avec qui je commençais à faire bon ménage. Le baron l'avait d'ailleurs remarqué puisque ses premières paroles furent :

« — Il me semble, M. Bedaine, que vous faites quelques progrès en équitation. Votre assiette est meilleure et vous donnez l'impression d'être plus à l'aise. »

» Je sautai, si j'ose dire, étant alors à cheval, sur l'occasion pour répondre :

« — Monsieur le Baron, je vous sais gré de pareils encouragements et je me fais à mon tour la joie de vous annoncer qu'Eric et Dietrich font, eux aussi, depuis quelques jours, des progrès en français.

« — Ce n'est pas possible ? s'exclama le baron satisfait. Pourtant ma femme et moi ne nous en sommes pas encore rendu compte.

« — Il y a, monsieur le Baron, pour un pédagogue

comme moi, de petits indices qui ne trompent pas et ceci particulièrement dans les intonations... Si vos fils persévèrent dans cette bonne voie, ma fierté sera de vous quitter à la fin des vacances avec la certitude d'avoir fait un sérieux travail.

« — Acceptons-en l'augure, monsieur Bedaine, puisque vous êtes orfèvre en la matière.

« — Orfèvre est un bien grand mot! Mais je crois que ces efforts méritent une récompense qui serait également un encouragement à faire encore mieux.

« — Que voulez-vous dire, monsieur Bedaine?

« — J'ai tout lieu de penser que si vous aviez la gentillesse de me laisser conduire vos fils ce soir à la représentation du *Circus Arkein* qui s'est installé à Binden, le but que nous recherchons, vous et moi, serait atteint. »

» Ce ne fut pas de la stupéfaction qui se lut alors sur le visage du baron, mais de l'ahurissement. Son monocle tomba même de son arcade sourcilière pendant qu'il répétait :

« — Au... cirque? Quelle drôle d'idée, monsieur Bedaine! Mes fils aimeraient aller au cirque?

« — Ils en meurent d'envie!

« — Et vous, monsieur Bedaine?

« — Moi? Disons qu'il faut bien que quelqu'un les accompagne... A moins que Mme la Baronne et vousmême?

« — Ni ma femme ni moi n'aimons ce genre de spectacle où l'on impose aux animaux et particulièrement aux chevaux des exercices acrobatiques qui n'ont que de lointains rapports avec l'art équestre pur... Mais enfin, si cela amuse les enfants et peut contribuer à les encourager à progresser en français, je donne l'autorisation. »

» J'avais gagné. Chez Eric et Dietrich, ce ne fut plus de l'enthousiasme mais du délire et je sentis immédiatement un extraordinaire revirement dans leur comportement à mon égard. Leurs yeux bleus me regardaient maintenant avec un mélange d'étonnement et de reconnaissance. Je découvris également à cette minute que le mot « cirque » — que je n'avais pas tellement employé jusque-là parce qu'il ne m'avait jamais intrigué — possédait en lui une sorte de pouvoir magique : celui de faire rêver les enfants.

» Le soir même la belle calèche nous déposait tous les trois devant l'entrée où s'étalaient en lettres lumineuses immenses ces deux mots : CIRCUS ARKEIN. Pas plus qu'Eric et Dietrich je n'avais jamais été au cirque. Les maigres ressources de mes parents m'avaient privé de ce plaisir. Certes, j'avais vu à Liège des cirques, mais toujours de l'extérieur... Il m'avait fallu attendre ma vingt et unième année pour pouvoir enfin pénétrer dans ce monde à part qui bouge tout le temps. Nous y étions très bien placés, installés au premier rang de fauteuils au bord de la banquette, prêts à tout recevoir : la poussière de sciure, les bouffées de rire, le crottin de cheval... Pour mes élèves, assis de chaque côté de moi, ce serait la vraie fête ! Personnellement, je ne savais pas, attendant de voir pour être émerveillé ou déçu. Eh bien, je fus ébloui ! Non pas tellement par le spectacle lui-même — qui était remarquable comme c'est presque toujours le cas, même aujourd'hui, dans les cirques allemands — mais par une écuyère à panneaux dont l'éclatante beauté brune me bouleversa tout autant que sa grâce équestre. Tu me diras qu'à vingt et un ans on s'enflamme vite pour une jolie fille, mais mon émotion ne s'est jamais ternie depuis ce premier soir où je la vis. C'est pour cela qu'elle est ici à côté de moi pour l'Eternité : c'était Carla... Une Carla dont je ne savais rien, sinon qu'elle était pour moi la plus belle femme que j'avais jamais vue ! Et même lorsqu'elle a pris de l'âge et de l'embonpoint, elle a su le rester. Ne penses-tu pas que c'est ça, l'amour ?

» Mais ce ne fut pas pour moi l'unique sensation de la soirée. Il y en eut une autre — et de taille ! — qui fut la cause directe de mon changement complet d'existence. Un numéro de clowns espagnols venait d'entrer en piste. Numéro qui ne fit pas tellement rire au début. Ce qui devint drôle par la suite pour les spectateurs fut la collaboration personnelle, et tout à fait imprévue pour moi, que j'apportai au numéro. A partir de ce moment la salle commença à s'esclaffer! Le seul qui ne s'amusa pas du tout fut moi mais plus ma mine était sinistre et ahurie, et plus je faisais rire les autres. L'un des grands mécanismes d'un numéro de clowns est d'obtenir le fou rire aux dépens d'un pauvre bougre qui subit une cascade ininterrompue de petits malheurs.

» Comment fus-je incorporé parmi les clowns espagnols? Mais le plus bêtement du monde! Brusquement, alors que le numéro se déroulait, fastidieux et sans grand imprévu, les clowns cessèrent de travailler en faisant de grands gestes de découragement devant leur propre impuissance à amuser et pendant que le *ringmaster,* ou maître de piste, s'avançait pour dire dans un allemand solennel :

« — Mesdames, messieurs, les *Viva Lotta* — c'était le nom du numéro — sont désespérés : leur principal partenaire comique, *Alfonso,* a été pris d'une grave indisposition quelques minutes avant d'entrer en piste. N'obéissant qu'à leur conscience professionnelle, ses trois frères ont quand même voulu faire leur entrée mais vous venez vous-même de constater que le travail est décalé : il manque le quatrième artiste... C'est pourquoi les *Viva Lotta* demandent s'il ne se trouverait dans la salle un artiste ou même un amateur qui accepterait de remplacer *Alfonso* au pied levé?

» Il y eut d'abord quelques murmures de protestation qui s'atténuèrent vite pour laisser place au silence : chaque spectateur baissait les yeux en espérant secrètement que le volontaire se présenterait vite pour qu'il n'ait pas lui-même à se dévouer! Aucun bras ne se leva... Depuis cette soirée ma longue pratique du métier m'a appris que ce genre de numéro, où l'on fait appel à la collaboration spontanée d'un spectateur, est fréquent aussi bien pour un numéro de jongleur que pour des patineurs, des acrobates au tapis ou même pour chevaucher une mule récalcitrante. Mais tu te doutes bien que ce soi-disant amateur néophyte de la piste est en réalité l'un des membres de la troupe et presque toujours le meilleur. Faire rire par sa maladresse dans des exercices acrobatiques est un art qui exige une maîtrise absolue du métier, mais se dévouer pour remplacer au pied levé un clown est infiniment plus rare ! Au cours de toute ma carrière, je ne l'ai vu qu'une fois : pour ce numéro des *Viva Lotta* qui, après avoir débuté médiocrement, se terminait régulièrement sur un triomphe grâce à l'apport inespéré de l'amateur ! Ces Espagnols, qui n'avaient aucun complice dans la salle, puisaient délibérément leur souffre-douleur parmi les spectateurs : sans doute était-ce la raison pour laquelle le numéro était encore plus drôle !

» Ce soir-là, à Binden, les amateurs se bousculaient tellement peu que la demande pressante du *ringmaster* et, par voie de conséquence, le numéro lui-même risquaient de tourner à l'emboîtage. Une gêne assez pénible commençait à régner autour de la piste. Sans doute empoignés par elle, mes deux jeunes voisins me donnaient des coups de coude en me disant à voix basse — et en français, ce qui me surprit ! — « *Allez-y, monsieur Bedaine ! Il faut les aider !* ». Si « j'y allais », ce ne serait certainement pas pour venir au secours de ces Espagnols en panne de succès dont je n'avais que faire mais plutôt pour accroître encore mon prestige dans l'esprit de mes élèves. Une conviction intime me faisait brusquement comprendre que si je faisais le clown ce soir, le succès de mon préceptorat serait assuré jusqu'à la fin des vacances. Mû par je ne sais quel ressort de gloriole insensée, je levai le bras et enjambai la banquette. C'est ainsi que je me suis retrouvé, pour la première fois de ma vie, sur une piste !

» Je peux te l'avouer sans me vanter : ce fut tout de suite l'ovation ! La première que je connaissais au cirque... Depuis j'en ai connu des milliers d'autres mais aucune je te le jure n'a produit sur moi un tel effet ! Comment l'oublier puisque je l'avais récoltée alors que je n'avais encore rien fait ? Elle n'était due qu'à l'amateur téméraire qui voulait bien se risquer dans l'aventure burlesque. Quand elle prit fin, elle se transforma presque aussitôt en rires : j'avais reçu ma première

gifle et surtout mon premier seau d'eau sur la figure...
Ensuite ça n'arrêta plus pendant cinq minutes qui me
parurent un siècle ! J'eus droit à toutes ces grosses plai-
santeries qui se nomment le jet de farine, le coup de
pied au derrière, la glissade sur un plancher détrempé,
la pyramide humaine qui s'écroule, la tarte à la crème,
les bruits incongrus, le jaune d'œuf qui dégouline sur
la chemise et, pour finir en apothéose, le déculottage.
Lorsque la salle me vit en caleçon, pitoyable, ruisselant
de sueur et de peur, les vêtements maculés de talc et
les yeux hagards, ce fut le délire ! J'avais gagné mon
premier galon d'auguste de piste et le grade d'« Empe-
reur du Rire » dans les pensées d'Eric et de Dietrich.
Quand, le numéro terminé et après que j'eus dégusté
en compagnie des *Viva Lotta* tous les rappels souhaita-
bles, je revins prendre ma place entre mes deux élèves,
je compris que j'étais devenu pour eux un dieu ! Le
petit prof de français, qui tenait à peine sur un cheval
et qui maniait l'épée comme un manche à balai, n'avait
pas hésité à faire le clown devant des milliers de gens !
C'était l'un de ces authentiques héros qu'aiment les
gosses.

» Pendant que la représentation continuait, ils commencèrent l'un et l'autre à brosser, comme ils le pouvaient avec leurs propres manches soigneusement
repassées, mon pauvre costume gris qui avait pris une
coupe tellement informe que je le croyais définitivement perdu ! C'était encore heureux que j'aie eu la
bonne idée de ne pas endosser pour cette « soirée de
gala » le costume sombre : jamais je n'aurais pu me
présenter ensuite à un dîner présidé par le baron et la
baronne ! Une autre chance fut que le retour en calèche
au château se fit à une heure de la nuit où les maîtres
des lieux dormaient. Il y eut cependant un personnage,
attendant dans le vestibule le retour des héritiers, qui
me toisa avec le plus profond mépris lorsqu'il vit dans
quel état vestimentaire je me trouvais : ce fut mon
irréductible ennemi, le sinistre majordome. Eric et Dietrich tentèrent pourtant de me sauver en lui annonçant

triomphalement en allemand : « *Il a été formidable ! Il a fait le clown !* » Mais le cerbère demeura de glace.

— Maintenant, dit Plouf, tu connais mes vrais débuts, que je n'ai racontés à personne tellement je les trouve peu glorieux !

— Quelle impression as-tu ressentie quand tu t'es vu sur la piste au milieu de ces clowns ?

— Celle d'être un parfait abruti ébloui par les lumières et matraqué aussi bien par les claques que par les rires ! Mais quand je me suis retrouvé dans mon lit, après avoir dit bonsoir à mes élèves qui m'embrassèrent pour la première fois ce soir-là, je pus mieux m'analyser... Je venais de découvrir une vérité qui, à la longue, s'est révélée comme étant le principal moteur de mon changement de vie : celui qui réussit à faire rire a droit à la reconnaissance des autres et mérite toutes les indulgences. On commence par le plaindre parce que tout lui tombe sur la tête, puis on finit par l'admirer parce qu'il connaît l'art d'attirer les catastrophes sans paraître lui-même l'avoir fait exprès... Ce genre d'hurluberlu, qui est assez rare, vaut son pesant d'or s'il réussit dans cette tâche presque impossible. De toute façon, il vaut beaucoup plus cher qu'un professeur de français ! Il y a, de par le monde, des légions de professeurs et très peu de clowns !

» Pourquoi ne serais-je pas clown, moi aussi, puisque je venais d'avoir la preuve que je pouvais faire rire à mes dépens ? Mais il me faudrait devenir un très grand clown capable de faire rire à lui tout seul avec, au besoin, un partenaire qui serait en face uniquement pour lui donner la réplique et qui, lui-même, serait tout, sauf drôle : un monsieur sérieux qui ne me servirait que de faire-valoir... Il y avait aussi cette écuyère brune dont je connaissais le nom par le programme que j'avais pris soin d'emporter en cachette de mes élèves, enfoui dans l'une des poches de mon veston détrempé... Elle se nommait Carla Bardoni, une Italienne sans aucun doute. Seules les Italiennes ont des yeux pareils ! Et cette poitrine ! Et ces jambes longues

80

et musclées! Et cette grâce exquise lorsqu'elle traver-sait, en sautant sur la croupe du cheval, les cerceaux en papier que lui présentait à bout de bras un nain! Si je voulais la revoir, il me faudrait retourner au cirque et faire peut-être une nouvelle fois le clown? Ne serait-ce pas la seule façon de me faire remarquer par elle? Surtout si je la faisais rire! Elle serait comme tous les autres : après avoir eu pitié de mes malheurs, elle finirait par m'estimer! Je la voyais déjà m'applau-dir entre deux sourires... Ce fut sur cette vision plutôt réconfortante que je m'endormis.

» Le lendemain, au réveil, je me précipitai à la fenê-tre pour regarder de très haut la tente de mes exploits. Elle n'était plus là, ni les roulottes! Le cirque était parti. Je restais seul sans « mon » écuyère et n'ayant plus du tout envie de faire rire.

» Une heure plus tard, je retrouvais mes élèves au petit déjeuner où j'eus une surprise : ils me récitèrent l'un et l'autre trois imparfaits du subjonctif français sans commettre une seule erreur! La leçon de la piste avait porté. Mais vers 10 heures — alors que, profitant de leur immense bonne volonté — j'allais les accabler d'une dictée, le majordome vint m'annoncer d'une voix sépulcrale que « *M. le Baron m'attendait dans son cabinet* ». Quand j'y pénétrai, je compris tout de suite, à l'attitude sévèrement monoclée, que je n'avais pas été convoqué pour recevoir des félicitations sur mon initia-tive de la veille. Le baron se tenait raide et debout, comme cela se passait toujours pour lui dans les cir-constances graves :

« — Apprenez, monsieur Bedaine, qu'il n'a jamais été dans mes intentions de vous faire venir de votre pays pour que vous fassiez le clown devant mes fils! Votre conduite d'hier soir a été proprement scanda-leuse! J'en ai eu des échos par quelques-uns de mes serviteurs qui assistaient à la représentation. »

» Je réalisai immédiatement que c'était l'horrible majordome qui avait fait un rapport accablant sur le négligé de ma tenue à mon retour alors qu'il n'avait même pas assisté personnellement à mon immense triomphe !

« — Vous comprendrez aussi, monsieur Bedaine, qu'il n'est pas question que vous restiez ici en qualité de précepteur. Si cela vous dit de faire le clown, libre à vous d'aller exercer vos talents ailleurs mais ça ne se passera pas chez moi ! Vous partirez aujourd'hui même. Pour votre information vous avez cet après-midi à 2 heures un train à Binden qui vous conduira jusqu'à Munich où vous trouverez toutes les correspondances. Voici dans cette enveloppe les gages prévus pour les deux mois de votre engagement. Etant donné votre comportement d'hier soir, la stricte rigueur exigerait que je vous règle uniquement le montant des trois semaines que vous venez de passer ici. Mais je n'en ferai rien, estimant que vous auriez quelques difficultés à trouver actuellement en plein été un autre poste de précepteur. Vous admettrez aussi qu'il me soit impossible de rédiger en votre faveur le moindre satisfecit pour l'enseignement que vous avez prodigué à mes fils. La baronne ne tient pas à vous revoir tellement elle est déçue d'avoir placé sa confiance dans un homme qui n'est qu'un clown. Quant à moi, je considère que notre entretien est terminé. Je ne vous retiens plus. »

» Je suis ressorti du cabinet du baron von Wiesenthal en emportant l'enveloppe tellement précieuse pour moi et sans prendre la peine d'adresser un au revoir au butor qui me congédiait comme un vulgaire palefrenier ! Cela, parce que j'avais réussi à faire rire les petits Wiesenthal et les bourgeois de Binden ! Eric et Dietrich ? Avant même de rejoindre ma chambre pour y faire ma valise, je me précipitai dans la salle d'études où ils m'attendaient. Quand je leur eus annoncé mon brusque départ, ce ne fut plus une explosion de joie mais de larmes. Dietrich, le cadet, eut le plus de chagrin : à dix ans, on peut encore pleurer sincèrement, à douze — l'âge de l'aîné — on se croit déjà un homme et on cache mieux son chagrin.

» La seule chose qui m'avait profondément déplu dans la semonce du baron était qu'il semblait être persuadé que ses fils n'avaient fait aucun progrès en français ! Eh bien, ce gentilhomme allait voir de quel bois se chauffait le petit précepteur roturier !

» Je dis à mes élèves :

« — Les larmes n'ont jamais rien arrangé, surtout à votre âge ! Vous m'oublierez vite et ce sera très bien ainsi. Par contre, ce que je souhaite de tout mon cœur, c'est que vous continuiez entre vous — et en attendant peut-être la venue d'un autre précepteur — à parler français. Je suis sûr que vous le ferez en souvenir de moi. Et, avant de vous quitter, je mets mon point d'honneur à vous imposer une autre dictée qui sera très courte et que vous montrerez à vos chers parents dès que je serai parti. Si vous vous appliquez bien, ils pourront constater que vous avez accompli d'immenses progrès. Vous êtes prêts ? Je dicte... »

» Je les vois encore ces jeunes Wiesenthal, penchés sur leurs cahiers et écrivant lentement pendant que leurs dernières larmes s'imprégnaient sur le papier : *Il y eut une fois un professeur qui croyait avoir un grand avenir dans l'enseignement du français. Il se trompait : ses gentils élèves, Eric et Dietrich, le préféraient de beaucoup lorsqu'il faisait le clown et c'est pourquoi il a été contraint de leur dire au revoir.*

« — La dictée est terminée. Montrez-moi vos cahiers. »

» Je lus avec émerveillement : il n'y avait pas une seule faute ! Tu te rends compte, mon ami, de ce que peut obtenir un clown ?

Plouf avait dit ces derniers mots presque avec une intonation de défi. Pendant quelques secondes je restai interloqué... C'est qu'il n'avait pas tort, ce diable de fantôme ! Un clown peut tout faire même lorsqu'il n'est plus de ce monde... Il m'avait bien obligé, moi un romancier encore de ce monde, à m'asseoir sur ce banc, devant son tombeau, pour l'écouter et ceci avec une curiosité tellement passionnée que je me dépêchai de lui demander :

— Ensuite ce fut pour toi le départ ?

— Je n'eus même pas le droit de revoir mes élèves, ni personne du château à l'exception de mon ennemi le majordome qui eut un rictus de satisfaction quand il me vit m'éloigner du perron dans la calèche. Quant au cocher, lui, il s'en fichait : il me tournait le dos.

» Après lui avoir fait mes adieux devant la gare de Binden, je ne pris pas le train de Munich. Le contenu de la précieuse enveloppe me permettait d'attendre avant de retourner à Liège où je n'aurais trouvé qu'une ville désertique pendant ce mois d'août. Tout le monde — et surtout les directeurs d'institutions scolaires — était alors en vacances. Je me renseignai dans une brasserie, située sur la place où se trouvait le *Circus Arkein* la nuit précédente, pour savoir si celui-ci était encore dans la région. J'appris qu'il n'était qu'à une trentaine de kilomètres dans une autre petite ville : Mangen. Trente kilomètres c'est une promenade aujourd'hui, mais en ce temps-là, il n'y avait pas d'autobus reliant les deux villes, ni même de tramway ! Je ne pourrais donc pas arriver à temps pour la représentation du soir même. Mais je sus aussi que le lendemain le cirque serait dans une ville sensiblement plus importante : Wirbourg, située, elle, à quatre-vingts kilomètres et qu'il y avait, partant de Binden à 1 heure du matin, un tortillard qui pourrait me déposer, après une lente progression de station en station, à Wirbourg quatre heures plus tard. Ce qui faisait pour ce train une moyenne de vitesse de vingt kilomètres à l'heure !

» Dans l'attente du départ, j'eus tout le temps de rassembler mes idées dans la brasserie devant quelques chopes d'excellente bière agrémentées de *Delikatessen* qui furent très suffisantes pour calmer la fringale normale de mes vingt et un ans. D'abord, qu'est-ce qui me poussait à rejoindre ce cirque ? Un instinct secret me disant que mon avenir serait sur la piste et non pas dans une chaire de professeur ? Même pas... Ce n'était pas parce que j'avais réussi, par le plus grand des hasards et uniquement pour gagner l'estime de deux garnements, à faire le pitre pendant quelques minutes que je me sentais l'âme d'un clown ! Ce n'était

84

absolument pas chez moi l'éclosion d'une vocation subite. Avant tout, je voulais rejoindre ce cirque pour revoir la belle écuyère brune : c'était le coup de foudre. Le reste, je m'en moquais éperdument ! Ce qui se passerait après, je ne cherchais même pas à le savoir : j'étais en vacances... Mais ce dont j'étais certain, c'était qu'en me flanquant aussi brutalement à la porte, ce baron von Wiesenthal venait de me rendre un fier service ! Je me sentais libéré de mes ambitions encore très relatives d'enseignant tout en comprenant qu'il existait beaucoup d'autres professions où je risquais de mieux réussir. Je regrettais quand même un peu Eric et Dietrich et surtout ces quelques larmes qu'ils avaient eues pendant leur dernière dictée. Mais après tout, moi aussi j'étais jeune : comme le leur, mon chagrin ne demandait qu'à passer !

» J'arrivai à Wirbourg par un temps radieux. A 5 heures du matin, les habitants dormaient encore et aucune brasserie n'était ouverte malgré la lumière d'une journée d'août qui s'annonçait comme devant être caniculaire. Je rencontrai cependant un laitier auquel je demandai s'il savait où se trouvait le *Circus Arkein.* Il me répondit qu'à chaque fois qu'un cirque venait, il s'installait sur l'esplanade de la *Grosseplatz,* qui se trouvait en plein centre de la ville. Pour l'atteindre, je n'avais qu'à suivre l'avenue, bordée de tilleuls, que je voyais devant moi. Il ajouta :

« — Seulement le cirque n'est pas encore arrivé. Il vous faudra attendre. »

» Ce que je fis en m'asseyant sur un banc de la place qui ressemblait étonnamment à celui-ci. Et je patientai, stoïque. Tout autour de la place il y avait, sûrement plantés là depuis quelques jours par des avant-courriers, des panneaux en bois sur lesquels étaient placardées des affiches du *Circus Arkein,* avec, collées en travers sur chacune d'elles, des bandes jaunes annonçant que la représentation serait donnée à 8 heures du soir précises et que l'on pourrait réserver ses places au cirque même à partir de midi.

— Plouf, tu as bien dit des « avant-courriers » ? Qu'est-ce que c'est au juste ?

— Je ne l'ai su qu'à partir du moment où j'ai appartenu à un cirque. C'est une petite équipe de colleurs d'affiches qui précèdent d'une dizaine de jours le chapiteau dans sa tournée pour annoncer sa prochaine venue. Les affiches sont répandues un peu partout, aussi bien aux carrefours des routes que sur les murs des villes. C'est presque toujours un as qui dirige l'équipe : l'affichage est une chose capitale ! De lui peut dépendre le succès ou l'échec de toute la tournée qui s'échelonne généralement du début du printemps aux fêtes de fin d'année.

» Assis sur mon banc j'eus tout le loisir, pendant que la ville sortait de sa torpeur et que la vie revenait peu à peu sur la place, de détailler ces affiches qui me parurent alors assez prestigieuses. Depuis ce premier émerveillement j'en ai vu beaucoup d'autres vantant dans des compositions aussi colorées qu'imagées les exploits acrobatiques, équestres, clownesques ou de dressage réalisés par différents cirques et j'en suis arrivé à la conclusion assez simpliste que ces enluminures exposées à tout vent sont inspirées par les mêmes thèmes invariables : des trapézistes qui voltigent dans l'espace, des groupes de chevaux aux robes gaies et empanachés de plumets qui évoluent dans des carrousels au centre desquels se tient un monsieur impeccable en habit bleu qui manie la chambrière, des éléphants qui se dressent majestueusement sur leurs pattes arrière en dirigeant leurs trompes vers le ciel, des fauves terrifiants qui bondissent de tabouret en tabouret en menaçant de leurs gueules grandes ouvertes le dompteur vêtu d'un rutilant veston noir à brandebourgs d'or et enfin des faces de clowns qui s'élargissent sous les grimaces... Toutes ces affiches, sans exception, sont bordées par un encadrement d'étoiles multicolores. L'étoile n'est-elle pas le symbole du succès escompté ou de la réussite assurée ?

» Je n'aimais guère les faces de clowns affichées par le *Circus Arkein* et qui étaient censées être celles des artistes qui m'avaient embrigadé à Binden pour jouer leur partenaire d'occasion. D'abord ça ne ressemblait que très vaguement aux personnages de piste qu'ils avaient su créer, ensuite c'était assez vulgaire : aucune poésie ne s'en dégageait. La première qualité d'une affiche de cirque n'est-elle pas de faire rêver ? Toi qui chéris tant le cirque tu as certainement dû voir quelques-unes de ces œuvres merveilleuses dessinées par un Bills, un Paul Colin ou un Kiffer : ça crève les yeux d'originalité et de sensibilité. N'ai-je pas raison ?

— Comment pourrait-on contredire quelqu'un qui n'est plus ?

— Ce fut en continuant à regarder ces lithos malvenues que je décidai, au cas où je parviendrais à devenir moi aussi un clown, de me montrer très difficile pour le choix de mes propres affiches ! Et, aussi insensé que cela puisse paraître, dès ce matin-là je commençai à chercher quelle tête clownesque je pourrais bien me faire ? Déjà je ne voulais ressembler à aucun autre clown existant et ayant connu la célébrité : ceci avant même que la première roulotte ou caravane du *Circus Arkein* ne fût arrivée sur la *Grosseplatz* ! Ne crois-tu pas que c'était beaucoup d'orgueil à un moment de ma vie où je n'étais encore rien du tout : ni un bon professeur, ni un vrai clown ! Aujourd'hui je me rends compte que j'ai eu ce jour-là deux excuses : j'étais jeune, et j'avais besoin de croire à ma réussite quelle qu'elle fût !

» Ce fut l'apparition de la première voiture du cirque, entièrement peinte en rouge et sur les flancs de laquelle s'étalaient en lettres blanches énormes les mots CIRCUS ARKEIN, qui m'arracha à ma rêverie. Le véhicule était tiré par deux forts chevaux qui — je ne le sus que quelques jours plus tard — servaient aussi à la voltige équestre de celle qui était déjà dans mon esprit, et peut-être aussi dans mon cœur, « mon » écuyère... Ce qui te prouve qu'au cirque tout le monde peut tout faire, même les animaux ! Pourquoi me regardes-tu avec une pareille expression d'étonnement ?

— Parce que, personnellement, à chaque fois que j'ai

vu arriver un cirque ambulant quelque part, ses caravanes étaient remorquées par des tracteurs automobiles...

— Figure-toi, gamin... Ça ne te gêne pas que je t'affuble de cette épithète?

— Ça me flatterait plutôt...

— Et tu aurais raison parce qu'hélas tu n'as plus
rien d'un gamin : seulement, par rapport à moi et surtout à l'éternité où je me trouve, tu en es encore un! Ce
que je te raconte en ce moment remonte à soixante et
onze années... Fais le compte : quand j'attendais le *Circus Arkein* sur la place de Wirbourg, j'avais vingt et un
ans et j'ai quitté ce monde à quatre-vingt-deux, il y a de
cela déjà dix années... Eh bien, il y a soixante et onze
ans, on n'avait pas encore de tracteurs automobiles, ni
même beaucoup d'autos particulières ou de camions!
Pour franchir les petites distances, la traction hippo-
mobile était encore la reine et, pour les plus grandes,
c'étaient les trains à vapeur qui assuraient les déplacements. Les grands cirques ne voyageaient que par
train : les caravanes s'alignaient sur des wagons plates-formes. Chaque cirque avait son propre train et certains, tel *Barnum* aux Etats-Unis, en possédaient quatre! Quand le train, qui roulait presque toujours de
nuit — puisqu'il ne pouvait partir qu'après la représentation du soir, le démontage du chapiteau, l'embarquement du matériel, des animaux, de la cavalerie et des
artistes — arrivait à l'étape suivante, on utilisait les
chevaux les plus robustes pour tirer les véhicules jusqu'à l'emplacement où aurait lieu la représentation suivante et qui, à cette époque bénie où la circulation
n'était pas encore démentielle, se trouvait presque toujours sur une grande place située en plein centre de la
ville. Comme il n'y avait ni cinéma, ni radio, ni télévision, l'arrivée d'un cirque était un véritable
événement : tout le monde s'y précipitait! Ce qui se
passa exactement dès que la première caravane se fut
immobilisée sur l'esplanade.

» Je découvris à cet instant une autre grande loi du
cirque qui est aussi celle de tout spectacle ambulant : le
premier véhicule qui doit arriver est la roulotte-caisse.

Celle du *Circus Arkein* avait trois guichets qui s'ouvrirent presque aussitôt. Quelques minutes à peine s'écoulèrent avant qu'il n'y ait, amenées là par je ne sais quel miracle, trois files d'amateurs faisant la queue pour retenir leurs places. Cela déclencha immédiatement sur la *Grosseplatz* une sérieuse animation qui ne fit que s'accroître au fur et à mesure que les autres caravanes arrivaient toujours tirées par des chevaux. A la voiture-caisse succédèrent — peintes également en rouge et se suivant toutes les trois minutes — les longues remorques transportant les mâts, la grande toile roulée du chapiteau et celle moins importante de la tente-écurie, les voitures-cages de la ménagerie et enfin les caravanes servant d'habitation aux artistes ou au personnel. Je regardais, fasciné, le fabuleux déballage qui ressemblait à un étrange ballet. Pour la première fois de ma vie, j'assistais là à l'un des plus prodigieux spectacles qui soient : le montage d'un grand cirque ! En as-tu seulement vu un, ne serait-ce qu'une fois dans ta vie ?

— Jamais.

— Alors, mon ami, tu ne sais pas ce que c'est que le cirque ! Toute sa vie se situe entre le montage et le démontage. Aujourd'hui les cirques modernes réalisent, grâce justement à leurs tracteurs automobiles, ce double exploit en beaucoup moins de temps qu'autrefois. Pour hisser la grande tente le long des mâts on utilisait la force des éléphants qui tiraient sur les cordages en obéissant aux coups de sifflet de leurs cornacs. Et le cirque montait lentement... Le soir, à l'heure de la représentation, tout était en place.

» La caravane directoriale — de loin la plus belle — arriva, dotée de petites fenêtres aux rideaux de dentelle. Elle se différenciait des autres voitures occupées par les artistes à un détail qui — cela aussi je ne l'ai appris que par la suite — indique que c'est dans ce véhicule que se trouve « le Patron » qui est presque toujours le cerveau de l'entreprise. Elle possédait à l'arrière une sorte de plate-forme couverte rappelant un peu, mais en plus grand, celles des anciens autobus parisiens et sur laquelle étaient installés une table et des sièges. Pour pénétrer dans l'habitacle, il fallait d'abord traverser cette plate-forme à laquelle on accédait par un petit escalier de trois marches. La voiture était installée à l'entrée du cirque et face à la précieuse roulotte-caisse qui restait ainsi sous la vigilance permanente de la direction.

» Celle-ci était assurée par M. Rolf Arkein lui-même, le fondateur du cirque : personnage fantastique dont la carrure et l'allure pouvaient rivaliser avec celles du baron qui venait de me mettre à la porte. Comme lui, il portait un monocle encastré aussi dans l'arcade sourcilière gauche. Mais, contrairement à celui du seigneur du *Burghoffer,* ce monocle ne quittait jamais sa place comme s'il eût été vissé à l'œil ! Sans doute était-ce la raison pour laquelle il n'était pas agrémenté du délicat cordon de soie qui permettait au baron von Wiesenthal de le laisser tomber avec autant d'élégance lorsqu'il lui prenait l'envie de faire des effets de manipulation.

» Je n'ai pas souvenance d'avoir vu le directeur du *Circus Arkein* vêtu autrement que de son habit de piste bleu surmontant des culottes de peau blanches. Les bottes noires reluisantes étaient magnifiées par des éperons étincelants; les plissements de peau de l'encolure — rappelant celle d'un taureau de combat — exhalaient la force physique; le crâne devait être passé périodiquement au papier de verre pour retirer à toute végétation capillaire la moindre velléité d'épanouissement, ce qui d'ailleurs n'était pas tellement grave puisque le *Herr Direktor* ne se découvrait qu'une seule fois en piste pour saluer le public qui l'applaudissait à la fin de son numéro de Haute Ecole. Le reste du temps, du lever au coucher du soleil, il portait le haut-de-forme à huit reflets : c'était même à se demander s'il ne dormait pas avec ? Ses mains enfin, gantées de chevreau blanc, restaient perpétuellement crispées sur le pommeau d'un stick dont la principale raison d'exister était de marteler fiévreusement les bottes quand les choses n'allaient pas exactement comme le souhaitait leur propriétaire.

» Ce fut vers ce colosse, enfoncé dans l'un des sièges

de la plate-forme d'où il pouvait tout surveiller en dominant la situation, que je me dirigeai, non sans appréhension, après avoir quitté presque à regret le banc de l'esplanade d'où j'avais assisté à toute l'installation. Ayant gravi sur des jambes chancelantes les trois marches du petit escalier, je risquai dans un timide allemand :

« — Peut-être me reconnaissez-vous, monsieur le Directeur ? » Et, comme l'œil monoclé me dévisageait sans la moindre aménité, je continuai : « Je suis le spectateur-amateur qui a participé à l'entrée comique de vos clowns avant-hier soir à Binden... »

« — Ach ! s'exclama Rolf Arkein, vous avez été parfait ! Vous avez beaucoup fait rire le public... Vous êtes de loin le meilleur volontaire que j'aie vu depuis le début de cette tournée. Ça vous amuserait de recommencer ce soir ?

« — Ça ne me déplairait peut-être pas, monsieur le Directeur, si ça se prolongeait ensuite tous les jours...

« — Vous y avez donc pris goût ? Ça vous plaît vraiment de vous faire asperger d'eau et de recevoir des claques ?

« — Tout dépend des conditions dans lesquelles c'est fait... Je ne détesterais pas m'essayer dans la profession de clown.

« — Vous rendez-vous compte, jeune homme, de ce que vous venez de dire ? Mais être clown c'est l'un des métiers les plus difficiles au monde ! Et on ne le devient pas comme ça du jour au lendemain ! Pour être un bon clown il faut avoir passé par toutes les disciplines de la piste : l'acrobatie, les voltiges équestre et aérienne, la corde lisse, les barres fixes, le jonglage, le fil de fer et en plus être bon musicien... Ce n'est que quand on possède ces premiers atouts que l'on peut se risquer à être clown, à condition bien entendu d'avoir aussi une voix qui porte, le sens inné du rire et ce qu'on appelle une présence... Que faites-vous actuellement dans la vie ?

« — Je suis apprenti professeur...

« — Pas fameux comme base pour faire un clown ! Vous parvenez à faire rire vos élèves ?

« — Ça m'est arrivé l'autre soir dans votre établissement.

« — Et c'est ce qui vous a donné brusquement la vocation d'être clown ?

» Rolf Arkein était perplexe. Lorsqu'il se trouvait dans un pareil état d'âme, il se frottait l'œil gauche avec l'index droit. Ce fut ainsi que je découvris que son monocle n'avait pas de verre ! Alors que je le regardais stupéfait, il reprit :

« — Qu'est-ce qui vous surprend ? Que mon monocle n'ait pas de verre ? Mais je n'en ai nul besoin : ma vue est excellente ! Par contre, ce qui m'est indispensable, c'est le cercle placé dans mon arcade sourcilière... J'ai eu, quand j'étais encore très jeune, un grave accident de cheval en piste. Ma tête a heurté la banquette. Le nerf qui actionne la paupière gauche a été sectionné. Quand je ne mets pas ce cercle de monocle, la paupière retombe toute seule et je ressemble à un borgne : ce qui est parfaitement inesthétique pour un écuyer ! Au cirque, il ne faut jamais faire pitié, même si l'on est un clown qui reçoit tout sur la gueule ! Vous réalisez pourquoi c'est difficile ?

« — Je comprends mais je voudrais quand même tenter l'expérience... Franchement, monsieur Arkein, vous n'avez pas trouvé avant-hier soir que j'avais quelques dispositions ?

« — Oh ! vous savez : on peut être très amusant un soir parce qu'on ne s'attend pas à tout ce qui va vous arriver mais lorsque le rire est calculé et se transforme en routine on risque de paraître beaucoup moins drôle ! Vous m'avez quand même l'air d'en vouloir, ce qui est déjà beaucoup... Vous n'êtes pas allemand ?

« — Je suis wallon.

« — Donc vous parlez couramment le français. Et l'anglais ?

« — Je peux m'y mettre.

« — Si vous voulez atteindre un jour la classe internationale, ce sera indispensable ! Nous autres, gens de

cirque, à force de voyager dans le monde entier et surtout de naître un peu n'importe où, au hasard des tournées, nous n'avons plus qu'un seul pays auquel nous
finissons tous par appartenir plus ou moins : le
Royaume de la Piste! C'est un Etat où l'on s'exprime
dans toutes les langues... Pour quelqu'un comme vous
qui se destinait à l'enseignement, ce ne devrait pas être
tellement difficile d'y parvenir. »

» Il avait cessé de se frotter l'œil :

« — Comme vous m'êtes sympathique, nous allons
faire un essai : je vous fais réserver une place de premier rang au bord de la banquette pour la représentation de ce soir et quand les clowns feront leur appel
habituel à la bonne volonté d'un spectateur, vous vous
lèverez et vous enjamberez la banquette pour entrer en
piste. Ensuite ça se passera comme à Binden, mais,
bien entendu, je vais prévenir les clowns qu'ils vont
vous retrouver ce soir pour qu'ils ne fassent aucune
réflexion pouvant laisser croire aux spectateurs que
vous êtes de mèche avec eux : ce qui ôterait au numéro
toute la saveur de l'improvisation. Ils se comporteront
comme s'ils ne vous avaient jamais vu! Cette deuxième
apparition en piste sera pour vous le test idéal : si vous
obtenez le même succès qu'à Binden, ça indiquera que
vous possédez réellement un tempérament comique et
je vous engagerai immédiatement. Après quelques solides répétitions, je vous incorporerai à ma troupe d'augustes de piste. Si, au contraire, vous ne faites pas tellement rire vous n'aurez qu'à retourner à l'enseignement. Acceptez-vous de courir cette chance, que je n'ai
jamais offerte à quelqu'un ignorant tout du cirque, de
repasser devant le public?

« — J'accepte!

« — Alors soyez là à 8 heures : ce qui vous permettra de revoir tout le programme et de vous imprégner
davantage de l'atmosphère de ma maison... Qu'est-ce
que vous transportez dans cette valise ?

« — Mes vêtements personnels.

« — Vous n'avez qu'à la laisser ici où elle sera plus

en sûreté jusqu'à la fin de la représentation, je vais la confier à Mme Arkein. »

» Après qu'il eut frappé à la petite porte permettant de pénétrer à l'intérieur de la caravane, sa voix toni-truante appela :

« — Greta ! »

» La porte s'ouvrit et un autre colosse parut... Un colosse en jupons portant une robe estivale dont le fond bleu ciel était constellé de petits pois blancs et qui, n'ayant pas de manches, était maintenue par des bretelles qui s'entrecroisaient dans le dos après avoir chevauché sur les épaules. Le buste et plus particulièrement la poitrine étaient enserrés par un corsage de guipure rose bonbon. L'ensemble voulait « faire jeune » mais, hélas, Frau Arkein avait dû, comme son époux, dépasser depuis longtemps la cinquantaine ! Le visage, aussi rose que le corsage, était poupin et la peau plus luisante que les bottes du directeur. Les yeux, tout petits et enfoncés dans la bouffissure des joues, avaient le bleu d'une porcelaine de Saxe. La bouche, dessinée en cul de poule par un rouge agressif, était gargantues-que. Les cheveux, savamment bouclés, retombaient de chaque côté du visage en anglaises dont la blondeur était tellement oxygénée que l'on pouvait deviner sans peine que les provisions de camomille ne devaient pas manquer dans la roulotte ! Coiffure dont l'opulence voulue faisait penser à une perruque destinée à accentuer le côté « colossal » de Mme la Directrice. Quant aux bras nus, en mâts de charge, ils se terminaient par des mains adipeuses dont les doigts boudinés dispa-raissaient sous des bagues multicolores. La robe, qui se voulait courte, laissait entrevoir des genoux d'une lai-deur rarement égalée surmontant des jambes, nues elles aussi mais charnues, dont la solidité semblait être à toute épreuve. Les pieds enfin devaient atrocement souffrir dans des escarpins de satin rose, curieusement surélevés par des talons aiguilles et dont la pointure devait se rapprocher du 47. Bon ami, si je pouvais te résumer l'ensemble de la silhouette de Greta Arkein, je te dirais avoir ressenti ce jour-là, sur la plate-forme de la roulotte directoriale, l'étonnante impression de me trouver en présence d'une géante qui ne rêvait qu'à jouer à la fillette !

« — Ma femme ! dit avec fierté le directeur. (Puis, continuant les présentations :) Monsieur... Mais au fait, jeune homme, comment vous appelez-vous ?

« — Ernest Bedaine.

« — Ce n'est pas un très bon nom pour un artiste ! Si vous en devenez un, il faudra en changer... Nous trouverons bien ensemble quelque chose qui fasse plus « cirque »... A moins que vous ne parveniez un jour à monter un numéro avec un partenaire, mais dans ce cas, il faudrait que vous soyez plus gros ! Ce numéro comique pourrait alors s'appeler *Bide et Bedaine*... Ce n'est pas si mal ! Ça fait déjà sourire quand on le lit sur un programme. Qu'est-ce que vous en pensez ?

« — Vous ne croyez pas que *Bide* est assez dangereux ? En allemand, ça passe peut-être, mais en français ?

« — Nous sommes avant tout un cirque allemand ! Ne l'oubliez jamais ! Ma chère Greta, ayez l'obligeance d'emporter dans notre appartement la valise de Monsieur... » Comme le baron, il eut lui aussi une hésitation : « ... de monsieur Bedaine ! Et rapportez-nous deux chopes que nous boirons ici en l'honneur de la deuxième entrée en piste de ce jeune homme qui aura lieu ce soir... »

» Quand les chopes furent sur la table, il en prit une, se dressa, claqua des talons dans le cliquetis de ses éperons et dit avec solennité, en la levant :

« — Prosit ! Au succès que vous allez, j'espère, retrouver ! »

» L'imitant, je répondis :

« — Au *Circus Arkein* et à ses directeurs ! »

» On prétend souvent que nous autres, Belges, sommes plutôt doués pour ingurgiter à une cadence accélérée notre Gueuze Lambic nationale ou n'importe quelle autre bière... Eh bien, crois-moi, nous ne sommes que de tout petits apprentis en comparaison d'un directeur de cirque allemand qui se rafraîchit en Bavière !

— Comment s'est passée l'audition, parce qu'enfin ce fut cela ta deuxième entrée en piste?

— Un désastre!

— Non?

— Mais heureusement, avant le moment fatidique de ma prétendue entrée comique, il y eut le déroulement du programme qui, lui, était de premier ordre. Et surtout, étant installé cette fois sans mes élèves, je connus l'immense bonheur de pouvoir savourer pour moi tout seul — dans les moments d'extase admirative la présence des autres spectateurs ne compte pas, même s'il y en a des milliers! — l'éblouissante apparition équestre de celle qui avait déjà hanté mes rêves pendant ma dernière nuit au *Burghoffer*... Elle était de plus en plus belle, cette Carla Bardoni! Pour moi, qui avais passé les vingt et une premières années de ma vie sous des ciels le plus souvent plombés et embrumés, elle représentait l'Italie avec sa grâce innée, sa joie de vivre et son sourire qui sait résister à toutes les catastrophes ou à toutes les misères... Et sa voix! Je l'imaginais cette voix, que je n'avais pourtant jamais entendue mais qui ne pouvait qu'être ensoleillée... Et ce port de reine, cette allure, ce galbe! Elle me rendait fou, l'Italienne!

» A défaut de ma vocation de clown, qui était encore des plus douteuses, celle d'amoureux grandissait dans des proportions insoupçonnées! Cela doit te paraître d'autant plus bête que j'étais encore très novice dans ce mystérieux domaine. Ce n'étaient pas les aventures éphémères que j'avais connues jusqu'alors avec quelques Liégeoises qui avaient pu faire de moi un amoureux! Maintenant, grâce à la vision qui repassait devant moi à chaque tour de piste, je l'étais... Blotti, pétrifié sur mon siège et recevant la poussière de sciure, je me sentais le ver de terre amoureux de l'Etoile! A l'un de ses passages, il me sembla même qu'elle me souriait... M'aurait-elle reconnu depuis Binden? Cela m'électrisa! Que peut faire un obscur quand il se sent brusquement remarqué par la beauté? Mais se surpasser en se montrant à son tour prodigieux lorsque le moment de son entrée en piste arrive... Je me concentrai pendant toute la durée des numéros qui suivirent en essayant de me persuader que l'heure de l'exploit qui déchaînerait chez la belle le grand amour réciproque allait enfin sonner ! Et je cherchai à me souvenir de toutes les farces que m'avaient jouées l'avant-veille les clowns pour pouvoir les subir en me montrant encore plus drôle ! Ce ne serait qu'à ce prix que la divine Carla, descendue de son piédestal équestre et revenue sur terre, pourrait enfin remarquer que j'existais et que j'étais quelqu'un puisque je savais faire rire !

» Eh bien je fus lamentable, précisément parce que je connaissais déjà d'avance tous les avatars qui m'étaient destinés ! Croyant mieux faire, j'allais au-devant d'eux : ce qui coupait tous les effets des partenaires et ne me rendait plus drôle du tout ! Le pire était que je me rendais parfaitement compte que je m'enlisais en même temps qu'eux, que c'était très mauvais et que nous courions à la catastrophe finale ! Mais, paralysé par la panique envahissante, je ne parvenais pas à redresser la situation... Eux non plus d'ailleurs ! Nous quittâmes la piste en courant sous les sifflets. Les seuls mots que me dit en allemand avec l'accent espagnol — après que le rideau de piste se fut refermé précipitamment pour protéger notre fuite — le clown blanc, qui était le meneur de la troupe, furent :

« — Si c'est pour vous venger de « notre » triomphe d'avant-hier que vous avez fait exprès de vous présenter à nouveau aujourd'hui comme partenaire bénévole, vous auriez mieux fait de rester dans votre trou de Binden ! » Et fou de rage, il continua pour ses partenaires : « C'est toujours comme cela avec les amateurs ! Quand ils paraissent drôles parce que nous avons réussi à les rendre ridicules, ils se croient devenus de grands comiques et commencent à se prendre au sérieux ! »

» Tu reconnaîtras que pour quelqu'un qui voulait devenir clown, c'était la gifle morale qui faisait beaucoup plus mal que celles qu'il venait de recevoir en piste ! J'étais atterré... D'autant plus que la belle Carla était là, dans les coulisses, ne me regardant pas du tout avec admiration mais avec pitié ! J'avais envie de pleurer... Il n'était pas question pour moi de retourner m'asseoir dans la salle : le public m'aurait sûrement lynché, me reprochant d'avoir été la cause de l'échec de professionnels ! Je ne pensais plus qu'à une chose : courir jusqu'à la roulotte directoriale pour récupérer ma valise et m'éloigner pour toujours de cet enfer qui se voulait joyeux et qui se nommait « le cirque ».

» Pendant que je contournais extérieurement le chapiteau en trébuchant dans la nuit contre les piquets d'arrimage et en me faufilant entre les roulottes, j'entendis les flonflons étouffés de l'orchestre et des éclats de rire du public, déferlant par vagues, qui me parurent encore plus cruels que les paroles du clown blanc. C'était comme si on voulait me donner une leçon définitive. Il n'avait pas été long, le *Herr Direktor*, à remplacer notre entrée comique manquée par un autre numéro qui, lui, avait su ramener l'hilarité qui fait tout oublier.

» Aussi quelle ne fut pas ma stupeur, en arrivant à la roulotte de Rolf Arkein, de le trouver déjà installé dans son fauteuil sur la plate-forme et mâchonnant un cigare.

« — Je vous attendais, monsieur Bedaine... Je prévoyais que vous ne seriez pas long à venir chercher votre valise. C'est là un bon point en votre faveur : ça prouve que vous avez pris nettement conscience de votre incapacité à faire rire à coup sûr pour le moment.

« — Vous aviez mille fois raison, monsieur le Directeur, de me dire que si je faisais un numéro il pourrait très bien s'appeler *Bide et Bedaine*... Le nom de *Bide* serait celui qui me conviendrait le mieux.

« — Retirez votre veston qui est blanc de talc. Mme Arkein va vous le brosser pendant que nous prendrons un cognac qui vous réchauffera aussi bien le corps que le cœur. »

» Greta Arkein parut aussitôt, portant un plateau où se trouvaient le breuvage réconfortant et deux verres, qu'elle posa sur la table. Puis elle prit le veston maculé que je lui tendais en m'adressant un sourire où il n'y avait pas de pitié mais presque de la gentillesse. Ce fut à partir de cet instant que je la trouvai beaucoup moins laide et monstrueuse. Après avoir rempli les verres, son mari reprit :

« — Prosit ! Buvez d'abord... »

» Ce que nous fîmes et, cette fois, je vidai comme lui mon verre d'un trait. J'en avais grand besoin ! La chaleur revint instantanément en moi, aussi bienfaisante que les paroles de l'homme au faux monocle :

« — Comprenons-nous bien, monsieur Bedaine... Je viens de dire que vous étiez incapable de faire rire tous les jours pour le moment mais cela ne signifie pas que vous n'y arriverez pas... Au cirque, plus peut-être que dans n'importe quelle profession, tout est une question de patience, de temps, de ténacité et de volonté. Vous voulez vraiment devenir clown ?

« — Je le veux !

« — Ne serait-ce pas chez vous un engouement passager ou une fantaisie qui risque de passer vite ? Vous êtes encore à un âge où l'on peut changer d'idée.

« — Je serai clown pour deux raisons... La première, c'est que je sens que je dois réussir dans cette profession : ce n'est pas parce que j'ai été exécrable ce soir que je ne serai pas moins mauvais demain. Je crois que dans un métier aussi spécial, on peut ne pas être brillant pendant longtemps à condition de s'en rendre compte : ce n'est qu'à ce prix que l'on doit progresser.

« — Vous venez de dire quelque chose de juste mais je vous signale que vous débuterez au cirque avec un lourd handicap : vous n'appartenez pas à une famille ou à une dynastie de gens du voyage. Vous n'êtes pas de « notre » milieu et tous ceux qui travailleront dans le cirque autour de vous sauront vous le faire cruellement sentir ! Pendant des mois, des années peut-être, ils vous considéreront comme n'étant qu'un amateur et ne manqueront probablement pas de vous surnommer « le Professeur » par dérision.

« — J'accepte ce risque sachant que je cesserai de

n'être pour eux ce genre de personnage que le jour où j'aurai réussi.

« — J'aime les gens courageux, monsieur Bedaine ! Quelle est la deuxième raison qui vous amène à nous ?

« — Ne m'en veuillez pas, monsieur Arkein, mais il m'est très difficile de vous la dire pour le moment. Peut-être vous la confierai-je plus tard ! C'est un motif strictement personnel. »

— Comment aurais-je pu lui annoncer que j'étais tombé éperdument amoureux de la belle Carla et que je voulais, à mon tour, l'éblouir sur la piste pour faire sa conquête ? Il m'aurait ri au nez et répondu que ce n'était pas une raison suffisante pour entrer dans son cirque ! Mes affaires de cœur ne regardaient personne et ce qui m'arrivait était trop sublime pour que je mette des étrangers dans la confidence.

— Tu as bien fait.

— La preuve n'est-elle pas là : Carla dort encore à côté de moi après plus d'un demi-siècle !

Il avait désigné la tombe.

— Qu'a dit Rolf Arkein ?

— Rien. Sous son apparence bourrue c'était un homme de cœur. Il m'a engagé à des appointements qui, je peux te l'avouer aujourd'hui, étaient véritablement dérisoires ! J'étais certainement l'homme le plus mal payé de son établissement où il y avait, entre les artistes et le personnel, cent cinquante personnes. Mais qu'est-ce que cela pouvait faire du moment que j'étais agréé et que, grâce à lui, j'entrais dans la grande famille ! En quelques minutes il m'expliqua tout ce que je devrais faire quotidiennement pour mériter ce salaire de misère :

« — Vous commencerez à travailler dès cette nuit, quand la représentation sera terminée, pour aider au démontage du chapiteau. Ensuite vous pourrez dormir dans la roulotte 31 — qui est l'une de celles réservées au personnel de piste — lorsqu'elle sera installée à la gare sur le wagon plate-forme qui lui est réservé. Notre prochaine étape est Munich où notre train spécial n'arrivera pas avant 9 heures du matin : vous pouvez donc compter sur six bonnes heures pour vous reposer. Les chevaux vous font-ils peur ?

« — Plus maintenant... (Je pensais aux séances d'équitation sur *Calypso* dans le manège du baron qui, finalement, allaient peut-être se révéler avoir été plus utiles pour moi que je ne l'aurais pensé !)

« — Vous les connaissez ?

« — Je sais qu'ils ne sont pas intelligents et qu'ils peuvent se venger si on les a maltraités.

« — Vous attellerez celui qui tire toujours la roulotte 31 et vous le conduirez à la bride en marchant à côté de lui pendant le trajet d'ici jusqu'à la gare qui n'est pas long. Vous n'aurez qu'à suivre la caravane. Arrivé là-bas, l'équipe spéciale d'embarquement fera le reste pour arrimer la voiture sur le wagon.

« — Et le cheval ?

« — Le chef des écuries viendra le chercher pour le faire monter dans l'un des wagons-écuries où il a sa place désignée. D'ailleurs, vous savez, tous nos chevaux ont une grande habitude de ces déplacements : ils vont d'eux-mêmes devant le wagon où ils doivent voyager et où les attend leur avoine. Pour eux ce n'est plus qu'une routine... A Munich ce sera la manœuvre inverse : dès que l'équipe spécialisée aura placé la voiture sur le quai de débarquement vous attellerez le cheval qui aura été ramené par un homme d'écurie et vous suivrez le mouvement en le tenant à la bride comme cette nuit. Ce qui vous conduira à l'emplacement où nous dresserons le chapiteau. N'ayez surtout aucune inquiétude pour ces différentes manœuvres : elles sont commandées au sifflet et tout se passe très bien ! Ne sommes-nous pas, de par notre vocation, de sempiternels errants ?

« — Mon principal emploi consistera donc à participer au démontage du chapiteau et à conduire le cheval de la roulotte 31 ?

« — Ce ne sera là qu'une très faible partie de vos activités. Au cirque on doit tout faire : c'est pourquoi on n'a jamais le temps de s'ennuyer ! Dès que votre caravane sera à sa place, vous irez participer au montage du chapiteau. Ce ne sera que lorsque la grande tente sera solidement arrimée sur les mâts que vous pourrez déjeuner. De même que vous êtes logé, vous êtes nourri à la cantine du personnel où vous aurez une bonne surprise : sans y être extraordinaire, la cuisine est possible. C'est Mme Arkein elle-même qui la surveille et qui s'occupe des achats de ville en ville. J'estime que ceux qui font un rude effort physique doivent avoir une alimentation saine et copieuse : ce n'est qu'à ce prix qu'un cirque peut conserver son personnel. J'ai des employés qui travaillent depuis dix années avec moi : ce qui prouve qu'ils s'y trouvent bien. Après le repas vous avez droit à une sieste de deux heures : ce qui complétera vos heures de sommeil de la nuit. L'un des autres grands principes d'équilibre de mon cirque est : huit heures de sommeil, huit heures de travail physique et huit heures de récréation.

« — Mais c'est beaucoup mieux que dans un collège ! Vous avez bien dit : huit heures de récréation ?

« — Ce sera pendant ces heures-là que vous commencerez à apprendre votre futur métier en vous familiarisant avec la piste. Je vais donner des instructions à *Beppo* : c'est le chef de file de ma troupe d'augustes de soirée qui font les intermèdes comiques pour meubler les temps morts entre les numéros et que vous avez vus avant-hier et ce soir.

« — Ils sont très amusants.

« — Je suis enchanté de vous l'entendre dire ! Ce sont eux qui viennent de sauver la situation après votre fuite de ce soir... Je les garde toujours en première réserve, cachés derrière le rideau de piste et prêts à tout ! C'est très difficile d'être un bon auguste de soirée ! Il faut savoir composer une silhouette drôle, n'avoir pas peur de se rouler sur le tapis ou dans la sciure, se montrer gentil avec les spectateurs et particulièrement avec les enfants pour en faire tout de suite des amis.

« — Les enfants, ça me connaît...

« — Nous verrons cela... L'auguste de piste doit faire également preuve de dons acrobatiques et surtout savoir déchaîner l'hilarité à chacune de ses apparitions qui doit être très courte. *Beppo* vous apprendra tout cela... C'est le nain de la troupe, mais contrairement à une légende qui prétend que les nains sont méchants, il peut se montrer très gentil pour un débutant tel que vous. Vous travaillerez tous les après-midi avec lui quand la piste sera libre. Ensuite vous aurez droit, également à la cantine, au repas du soir dont le plat de résistance est le plus souvent une bonne soupe épaisse. Cela suffit : il ne faut pas trop manger si l'on veut être alerte et en bonne forme devant le public pour le faire rire. Après, vous endosserez l'uniforme de valet de piste. Vous avez vu mes hommes alignés à la barrière. Vous ne trouvez pas que leurs uniformes bleu et or sont très beaux ?

« — Ils sont splendides !

« — Ils font surtout « riche » comme ceux de mes musiciens : ce qui est très important ! Cela prouve que l'établissement a des moyens... Quand la représentation commencera, vous serez incorporé à cette cohorte indispensable qui apporte le matériel des artistes, les tapis, le plancher quand il le faut, qui monte et qui démonte le « tunnel » d'accès des fauves, la grande cage et le filet des « volants » : c'est ainsi que, dans le métier, nous appelons une certaine catégorie de trapézistes... Enfin, vous participerez au défilé de la parade finale en portant un drapeau. Chaque homme de piste en a un différent : j'en possède de tous les pays ! Ce qui donne au spectacle une allure internationale. D'ailleurs, dans ces hommes de piste, vous trouverez toutes les nationalités : des Allemands, des Tchèques, beaucoup de Polonais...

« — Et des Belges ?

« — Il n'y en a pas pour le moment, pas plus que de Français ! Mais comme le français est votre langue maternelle, vous comblerez cette lacune. C'est pourquoi, au défilé de la fin, vous porterez le drapeau belge ou français si cela vous fait plaisir. Et puisque vous venez de l'enseignement, vous aurez la possibilité de vous familiariser avec des langues slaves telles que le tchèque ou le polonais : ça pourra vous être utile plus tard... C'est par la pratique que l'on fait sa véritable instruction linguistique. La grammaire, ça vient plus tard et ça ne sert pas tellement dans le langage de cirque ! Vous avez une certaine chance : à partir de demain, pendant trois semaines où nous resterons à Munich, vous n'aurez plus le démontage du chapiteau, plus de déplacement jusqu'à la gare ni de remontage le lendemain matin. C'est pourquoi on vous confiera peut-être quelques petits travaux supplémentaires tel qu'étriller les chevaux si un valet d'écurie venait à manquer ou caparaçonner les éléphants avant leur entrée en piste, mais ce ne sera pour un garçon intelligent comme vous qu'un jeu d'enfant... Si vous n'aviez pas ces occupations, vous auriez l'impression de n'avoir plus rien à faire. C'est très malsain l'inaction ! Voilà : je pense avoir brossé le tableau général de vos occupations. Elles vous conviennent ?

« — J'essaierai de faire de mon mieux... Faudra-t-il me remettre en civil et m'installer dans la salle parmi les spectateurs pour me présenter comme volontaire au moment du numéro des clowns espagnols ?

« — Vous ne le pourrez pas puisque vous serez valet de piste : vous resterez à la barrière. Ce serait d'ailleurs une erreur : après le fiasco que vous leur avez fait faire ce soir, les *Viva Lotta* ne doivent pas vous porter dans leur cœur ! Ils vous joueraient de mauvaises blagues... Et puis vous n'êtes plus un amateur puisque vous appartenez maintenant à mon cirque. Venez : je vais vous présenter au chef de piste qui, lui, est allemand.

« — Le *ringmaster ?*

« — Lui-même. C'est un homme de grande expérience. Il se nomme *Herr* Schumberg. Parfois il peut paraître un peu sévère et autoritaire, mais c'est indispensable dans son emploi : tout le rythme du spectacle dépend de lui. Je suis convaincu que vous vous entendrez très bien. Avez-vous au moins mangé quelque chose aujourd'hui ?

« — Non, mais je n'ai pas faim.

« — Vous n'en aurez que meilleur appétit demain quand vous vous serez dépensé. Prenez votre valise. »

» Deux minutes plus tard, j'étais présenté, ma valise à la main, au *ringmaster* qui, après m'avoir toisé avec la même morgue que le majordome du baron, me dit dans un allemand fleurant de loin la Prusse :

« — Suivez-moi jusqu'à la roulotte-dortoir 31 où vous laisserez votre valise. Ensuite vous viendrez aider au démontage du chapiteau, au déplacement et à l'embarquement comme a déjà dû vous l'expliquer le patron... J'ai cru comprendre que votre prénom français était Ernest : pour nous, Allemands, c'est difficile à prononcer et surtout ça ne fait pas du tout « cirque » ! A partir de maintenant et tant que vous ferez partie du personnel du *Circus Arkein*, vous vous appellerez Ernst : ça sonne mieux. »

» Elle n'avait rien d'un palais ambulant, la roulotte-dortoir ! En y pénétrant, je me sentais pris à la gorge par une odeur âcre et nauséabonde, due à un mélange de sueur et de crasse, qui ne pouvait être comparable qu'à celle que l'on hume dans les chambrées de caserne quand on y rentre la nuit au retour de ce que l'on appelle une permission de spectacle !

» Au centre se trouvait un étroit passage bordé de chaque côté par des couchettes — le mot est même trop flatteur ! Disons plutôt des litières installées le long des parois et superposées trois par trois. J'en comptai douze... Il fallait dormir là-dedans à douze !

« — Voici votre place : c'est la seule qui soit libre », expliqua *Herr* Schumberg.

» Elle n'était pas fameuse ma place ! Située en bas et au fond de la voiture, à droite, c'était l'endroit idéal pour étouffer de chaleur et recevoir sur la tête tout ce que les occupants des « étages » supérieurs trouveraient spirituel de me lancer ! Contre la paroi était fixée une planchette, qui constituait avec la litière tout mon mobilier personnel et sur laquelle je posai ma valise.

» Le véhicule n'avait même pas de petites fenêtres comme celles des caravanes réservées aux artistes ou de la somptueuse voiture directoriale. L'unique et faible lumière provenait d'une lampe suspendue au plafond et puant le pétrole. De lavabo, douche ou commodités, il n'y en avait point ! Où donc se lavaient tous ces gens-là ? A moins qu'ils n'en éprouvassent pas l'utilité ? L'odeur *sui generis* imprégnant l'intérieur de la roulotte semblait le prouver... Dès le lendemain matin, après l'installation à Munich, j'étudierais la question car j'étais bien décidé à rester propre malgré toutes les corvées que l'on m'assignerait !

« — Eh bien, Ernst, dit le *ringmaster* sur un ton qui n'admettait pas la réplique, je vous attends ! Je vais vous assigner le poste que vous occuperez désormais à chaque démontage : vous ferez partie de l'équipe qui déboulonne les sièges et les bancs avant de les transporter dans l'un des fourgons du matériel. C'est ce qu'il y a de plus long à faire et je n'ai jamais assez de monde ! Demain, quand nous « planterons » sur la place de Munich, vous ferez l'inverse : vous ramènerez ces sièges et ces bancs pour les boulonner sur les traverses. Vous verrez : c'est assez fatigant mais ce n'est pas sorcier !

« — *Herr* Schumberg, dois-je faire ce travail vêtu de ce costume personnel ?

« — Demain je vous trouverai à la voiture-vestiaire une blouse de travail en même temps qu'un uniforme : il y en a de toutes les tailles ! Mais ce soir je n'ai pas le temps. Le mieux serait peut-être que vous retiriez votre veston et que vous le laissiez ici. Vous travaillerez en bras de chemise : cette nuit d'été est très chaude. Ah ! Un avertissement qui a son importance : si vous avez de l'argent, des papiers d'identité ou personnels, gardez-les toujours sur vous, de nuit comme de jour ! Si vous vous débarrassez de votre veston, enfouissez tout cela dans une poche de votre pantalon. Ceci parce que les vols sont fréquents : dans ces hommes de piste, qui viennent d'un peu partout, il n'y a pas que la crème ! J'en soupçonne même certains d'avoir fui la justice de leur pays... Je vous aurai prévenu. Maintenant au travail ! »

» Alors que je suivais, en bras de chemise sous un ciel serein, le *ringmaster* dans la direction du chapiteau dont le démontage venait de commencer, je croisai la belle Italienne qui, elle, était en peignoir. Elle ne me remarqua même pas ! Ce qui, à la réflexion, m'apparut normal : n'étant même plus le spectateur téméraire qui se risque à l'aventure dans un numéro de clown improvisé, j'étais devenu le plus obscur et le moins compétent de tous les valets de piste du cirque. Un pauvre type qui n'avait même pas d'uniforme ! Je n'étais rien, elle était tout ! Je me retournai cependant pour voir où elle allait. Je la vis entrer dans une caravane moins somptueuse que celle du directeur, puisqu'elle ne possédait pas de plate-forme de réception, mais quand même charmante : ses fenêtres éclairées étaient encadrées de rideaux de cretonne qui n'étaient pas encore fermés. Je repérai le numéro peint en blanc sur la roulotte entre les deux fenêtres et juste au-dessus des grandes lettres CIRCUS ARKEIN. C'était le 7, un très bon chiffre qui, dit-on, porte bonheur... C'était donc là, au 7, qu'habitait la belle de mes pensées. Mais y vivait-elle seule ? Peut-être existait-il un monsieur Bardoni ou même un personnage, portant un autre nom, qui serait pourtant « son monsieur » à elle ? J'étais angoissé. Si la chance, ou le Ciel, voulait qu'il n'y eût aucun homme dans sa vie, ce serait fantastique ! Et s'il en existait un, je le haïssais déjà sans l'avoir jamais vu.

» La tenaille que me tendit, sans dire un mot, *Herr* Schumberg, me rappela à la réalité du cirque : je n'avais plus qu'à déboulonner les sièges situés en bordure de piste, ainsi que les bancs installés derrière, en gradins, jusqu'aux limites de la grande toile qui marquait la frontière entre un monde voyageur et un monde casanier.

» Pendant plus de deux heures, je vécus dans une demi-obscurité un hallucinant carrousel où les bruits de marteaux alternaient avec les grincements de poulies pour ponctuer l'enlèvement progressif et méthodique de l'énorme matériel sans qu'il n'y ait aucune pagaille. Les moindres gestes de la fourmilière humaine en blouses grises — la couleur volontairement neutre de tous ceux qui montent ou démontent un chapiteau et qui n'ont jamais droit aux applaudissements — étaient savamment orchestrés. Personne ne parlait ni ne fumait : les coups de sifflets remplaçaient les ordres verbaux. Le plus étonnant fut que tout ce remue-ménage et ce va-et-vient me semblèrent normaux comme si je les avais toujours connus ! Pourtant douze heures plus tôt j'avais assisté, assis sur un banc de l'esplanade, au montage du cirque sous le soleil alors que maintenant je participais à son démontage en pleine nuit ! Nul ne semblait étonné de ma présence. Etais-je déjà admis parce que je peinais comme tout le monde ? Ce qui me fascinait aussi était que des artistes, applaudis par la foule à peine une heure plus tôt alors qu'ils étaient en piste et sous leurs costumes pailletés, participaient eux aussi au démontage, revêtus seulement de peignoirs. Ce fut à cette seconde que je mesurai pour la première fois de ma vie la fabuleuse différence existant entre un cabotin et un enfant de la balle.

» Quand il n'y eut plus sur la place ni tente, ni mâts, ni gradins, déjà hissés sur les voitures qui les emportaient au fur et à mesure du chargement vers la gare, je courus — toujours sur l'ordre du *ringmaster* qui, lui aussi, avait troqué son bel habit rouge pour une blouse grise — vers la tente-écurie qui commençait à son tour à être démontée. Et je pris par la bride le cheval, sur la croupe duquel les harnais étincelants du spectacle et les plumets d'orgueil avaient été remplacés par de vulgaires harnais de trait, pour le conduire jusqu'à la roulotte 31, « ma » voiture-dortoir. En passant devant l'emplacement de la caravane 7, je constatai qu'elle était déjà partie... Oh ! Comme j'aurais aimé ce soir-là conduire dans les rues de la ville déjà endormie cette caravane qui serait devenue pour moi le carrosse de mon aimée ! Malheureusement, je dus me contenter de la voiture-dortoir, où ceux, Tchèques et Polonais, dont j'allais devenir pour je ne sais combien de temps le camarade de nuit, s'étaient déjà installés. Ils n'avaient plus rien à faire jusqu'au lendemain. La conduite du véhicule n'incombait qu'à moi seul. Etait-ce une première marque de confiance? J'en doutais un peu pendant que j'avançais à pied, tenant la bride de « mon » cheval et suivant sans grande exaltation la voiture 30 qui me précédait et qui, je l'appris le lendemain, était celle de la cantine du personnel. Dans la nuit de Wirbourg, j'avais plutôt l'impression d'assumer une corvée dont tous les occupants du véhicule s'étaient déchargés avec joie au profit du débutant que j'étais. Rolf Arkein m'avait joué là un vilain tour.

» Tu dois te douter que je n'avais aucune idée de ce que pouvait être l'embarquement de véhicules hippomobiles sur les plates-formes d'un train! Eh bien, je te jure que ce n'était pas une partie de plaisir! Quand la voiture fut enfin calée sur le wagon et après qu'un valet d'écurie m'eut débarrassé du cheval embarqué avec ses frères dans l'un des fourgons accrochés en queue de convoi, je pus songer au repos. Mais je trouvai quand même encore la force de longer le train sur le quai d'embarquement pour repérer la caravane 7 qui se trouvait en tête avec la roulotte directoriale, la roulotte-caisse et toutes les voitures d'artistes. Les petits rideaux de la demeure ambulante de mon amour étaient fermés : aucune lumière ne filtrait. Carla devait déjà rêver à ses prochains triomphes... Je crois bien avoir alors marmonné à mi-voix sur le quai : « Dors bien, ma chérie! Sans que tu t'en doutes, à partir de ce soir il y aura dans chaque déplacement de ce train un ami sûr qui veillera sur tes nuits... »

» Mais je ne pouvais, hélas, le faire que de très loin, allongé tout habillé sur l'inconfortable litière de la roulotte 31 où les onze autres hommes de piste dormaient déjà lorsque j'y entrai. C'était un tel concert de ronflements que je me demandai, non sans inquiétude, si je parviendrais à fermer l'œil. Exténué, je n'avais même pas eu le courage de défaire ma valise : où aurais-je d'ailleurs pu accrocher mes vêtements? Le seul geste que je fis fut de me débarrasser de mes chaussures : tu sais comme moi que les pieds gonflent toujours en chemin de fer!

» Le train s'ébranla lentement et nous commençâmes à être aussi cahotés que si nous roulions sur un chemin de terre. Pendant que je regardais le luminaire, dont le balancement régulier rythmait mes pensées tel un étrange métronome, je commençai à mesurer l'abîme séparant les nuits douillettes passées dans ma chambre du *Burghoffer* de celle que je vivais dans ce train de cirque! Je te jure bien que je commençais à trouver que le château des Wiesenthal n'offrait pas un séjour tellement désagréable! Bien sûr, moi aussi, je posséderais un jour un château aussi beau que celui du baron mais, pour arriver à un résultat aussi grandiose, il me faudrait amasser une fortune que je ne pourrais acquérir que si je devenais le plus grand de tous les clowns : celui qui aura su faire rire le monde entier et surtout « ma » Carla! Heureusement une pensée me réconfortait : l'Italienne roulait dans le même train que moi... Il n'y avait aucune raison qu'une nuit ne vînt, beaucoup plus proche peut-être que je ne l'espérais, où nous serions allongés elle et moi, serrés l'un contre l'autre, dans le lit confortable d'une caravane aussi luxueuse que celle du *Herr Direktor* et de sa monumentale épouse... Carla serait alors devenue la plus célèbre écuyère du monde et moi le plus grand clown de tous les temps! Nous formerions le couple idéal de la piste, celui qui fait rêver les foules quand on parle de lui dans les journaux ou lorsqu'il apparaît sur les affiches multicolores. Ce serait le triomphe total!

» Seulement à l'allure où serpentait − dans les montagnes bavaroises − le train du *Circus Arkein,* je sentais déjà que la route serait rude et longue pour atteindre les sommets! Je finis par sombrer dans la torpeur d'un sommeil ferroviaire où mes désirs d'amour durent alterner avec mes rêves de château. Comme tu peux le constater ce soir, mes deux ambitions ont fini par se joindre et même par se compléter au point que l'on ne pourrait plus imaginer ce domaine sans la tombe de mon écuyère ni la présence de Carla ailleurs que dans ce château. Voilà, mon ami! Tu es le seul être vivant à savoir maintenant comment Plouf, ex-Ernest Bedaine et alias Ernst, a réellement débuté dans l'univers de ceux que certains bourgeois appellent encore avec mépris « les saltimbanques ».

— Tu ne peux pas savoir à quel point je te suis reconnaissant pour la confiance dont tu viens de faire preuve à mon égard ! J'ai l'impression que nous venons de finir de feuilleter les pages du premier chapitre de ta vie. Si nous passions au deuxième ?

— Toujours sur ce banc ?

— Pourquoi pas ? Nous y sommes bien et la nuit n'a fait que commencer.

— Tu as raison : c'est beaucoup d'avoir toute une nuit devant soi ! Je crains que le deuxième chapitre ne te paraisse encore plus mouvementé que le premier.

— Tant mieux ! Mais pourquoi cela ?

— Parce qu'étant entré dans le monde du cirque, je n'ai plus cessé de bouger ! Et aussi parce que j'ai commencé alors à vivre cette période assez difficile de l'existence où, ayant dit adieu à sa vraie jeunesse, on ne se sent pas encore tout à fait un homme. On hésite, on tâtonne, on espère et on cesse surtout de croire à certains tabous qui ne vous apparaissent plus comme étant des vérités absolues. En ce qui me concernait je venais, en quarante-huit heures, d'abandonner une profession à laquelle de longues années d'études m'avaient prédestiné pour me lancer complètement à l'aveuglette dans l'aventure plus que hasardeuse du cirque sans y avoir cependant été catapulté par la force d'une vocation irrésistible ! Avant le passage dans ma vie du *Circus Arkein*, le cercle de la piste ne représentait tout au plus pour moi qu'un aimable divertissement conçu pour rompre la monotonie de beaucoup de villes ou de bourgades. Le seul véritable moteur qui m'a fait partir avec le cirque a été la vision amoureuse de Carla sur son cheval. Quant à devenir clown, jamais, lorsque j'étais enfant, je n'avais rêvé de l'être pour la bonne raison que je n'en avais pas applaudi, mes parents n'ayant pas les moyens de m'offrir une entrée au cirque ! Mais, comme dès ma première venue chez Arkein, j'avais fait le clown pour étonner mes élèves sans trop mal y réussir, je pensais avoir quelques dispositions même si le surlendemain, ce fut un échec. Et j'ai persé-véré en commençant par accepter les plus humbles besognes qui me furent confiées. Ensuite ce fut autre chose ! Très vite, aiguillonné par l'amour, j'ai pris goût à l'atmosphère et à l'odeur. Je comprends très bien qu'il y ait des gens comme le baron von Wiesenthal pouvant détester le cirque, mais il en existe également beaucoup qui en raffolent et ceux-là sont irrémédiable-ment envoûtés ! C'est une passion comme une autre.

— Si nous devions, toi et moi, donner un sous-titre à ce deuxième chapitre que nous allons commencer à vivre, lequel choisirais-tu ?

— Sans aucun doute « l'Apprentissage ». Ce n'est pas facile d'apprendre au cirque...

# L'APPRENTISSAGE

— Plouf, comment s'est passée l'arrivée à Munich?
— Elle fut grandiose!
— Pour toi?
— Pour le cirque, mais pas pour moi qui n'étais que la plus humble des fourmis de l'organisation! Le Patron — j'ai le droit maintenant d'appeler ainsi Rolf Arkein puisque je faisais partie de son personnel depuis la veille et qu'il adorait qu'on le nommât ainsi : ça le flattait! — avait décidé de frapper ce qu'il appelait « un grand coup » en utilisant le vieux procédé du défilé de tout son cirque dans les rues de la ville en plein jour. Le ruban mouvant s'étirerait depuis la gare jusqu'à la place où nous devions nous installer. Cette parade n'avait sa raison d'être que dans les très grandes villes où se donnaient au moins une vingtaine de représentations consécutives. Aujourd'hui les cirques ambulants ne pratiquent que très rarement ce genre de publicité à cause des embouteillages monstres qu'elle engendre et c'est bien regrettable! Rien ne vaut, pour ameuter les foules des jours fastes, une telle exhibition spectaculaire et gratuite. Si tu avais vu ça!

» En tête se trouvait l'orchestre sous ses uniformes chamarrés et portant le plus de cuivres possible. Je me souviens que l'on y voyait côte à côte trois hélicons, ces prestigieux instruments qui remplacent les contrebasses, intransportables dans un défilé. Orchestre qui

113

avançait au pas de l'oie en répandant les flonflons de ces étonnantes marches militaires dont les Allemands possèdent le secret. Immédiatement derrière venait Rolf Arkein lui-même, coiffé de son haut-de-forme et monoclé, qui caracolait sur son étalon de Haute Ecole devant le bataillon des ouvreuses du cirque également en uniformes et défilant avec un sérieux que pourraient leur envier les majorettes d'aujourd'hui. Le patron répétait souvent que l'on reconnaissait un authentique homme de cheval à ce qu'il savait entraîner les cœurs féminins dans son sillage! A cette cohorte s'ajoutaient une vingtaine d'épouses ou de filles d'artistes, costumées en bayadères, qui tourbillonnaient en dansant comme elles le pouvaient et plutôt mal que bien sur la chaussée! Mais cela augmentait sensiblement la proportion de beau linge offerte à l'admiration des foules.

» Un deuxième orchestre suivait, renforçant la débauche de flonflons, constitué par la troupe des *Viva Lotta*, ces clowns espagnols devenus mes ennemis! Ils jouaient chacun de deux instruments à la fois pendant que les augustes « de reprise » ou « de soirée » — on peut les nommer de l'une ou de l'autre façon — avançaient en multipliant les pirouettes sous la direction de celui qui devait être mon professeur de rire selon la volonté du *Herr Direktor :* le nain *Beppo.* Puis apparaissait la cavalerie emplumée, composée des chevaux de race auxquels n'incombait pas l'humiliation de tirer les voitures et qui se suivaient en file indienne, tenus chacun à la bride par un bareiter très galonné. Ils précédaient le troupeau d'éléphants où, à l'exception du premier qui était « le doyen » et le plus gros, chaque pachyderme tenait avec sa trompe la queue du précédent. Comme il y en avait douze, cela faisait un étonnant chapelet qui allongeait encore le défilé.

» Ils étaient suivis de deux hippopotames qui, trottinant sur leurs pattes ridiculement courtes, portaient chacun trois jolies filles habillées en clownesses insolentes et assises à califourchon sur leur dos. A ces mastodontes longs et trapus succédaient les quinze ours bruns d'un dresseur dont je me souviens encore du

114

nom tellement il était extraordinaire : Carl Brecker. En pleine rue il chevauchait une bicyclette suivi de ses quinze plantigrades qui pédalaient derrière lui avec cette dignité nonchalante que savent avoir les ours.

» Un troisième ensemble musical, composé de huit sonneurs de trompe en habits rouges, précédait les roulottes-cages de la ménagerie toutes attelées, dans lesquelles tigresses de Sibérie, lionnes de l'Atlas et panthères noires de Java — savamment excitées par les piques des belluaires qui marchaient de chaque côté des voitures — se dressaient contre les barreaux en rugissant : ce qui émerveillait les badauds massés sur les trottoirs.

» Après les animaux et les clowns — qui, aux yeux des enfants et même de beaucoup de grandes personnes, ne sont peut-être pas des hommes tout à fait comme les autres — progressaient lentement les luxueuses caravanes des artistes. A tout seigneur, tout honneur : la première était la voiture directoriale tirée par deux frisons et dont la plate-forme arrière permettait à une Greta de plus en plus blonde et de plus en plus boudinée dans une longue robe blanche à petits pois verts d'étaler son opulence : une Greta plissée de sourires qui n'hésitait pas à adresser, du bout de ses doigts scintillants de bagues, d'innombrables baisers au petit peuple... J'ai pu remarquer, parmi les caravanes plus discrètes qui suivaient celle de madame la Directrice et où s'encadrait dans chaque petite fenêtre la tête mal réveillée d'un artiste, qu'une seule voiture avait ses volets clos comme si elle n'était pas habitée : celle de Carla. Il paraissait assez douteux, avec tout le vacarme qui l'entourait, que l'Italienne fût encore en train de dormir ! A moins que ce n'ait été chez elle ce jour-là qu'une attitude volontaire de mépris pour la mascarade dans laquelle on l'entraînait contre son gré. Ce qui pouvait laisser supposer, malgré les sourires enjôleurs qu'elle aussi savait distribuer lorsqu'elle était en piste, que la dame de mes pensées était peut-être nantie d'un exécrable caractère.

» Derrière les caravanes d'artistes roulaient les

innombrables véhicules transportant le matériel, la voiture-réfectoire et les roulottes-dortoirs du personnel dont la mienne clôturait la mascarade. J'avais compris, dès le départ de la gare, pourquoi le *ringmaster* avait décidé de me faire porter la lanterne rouge du défilé. Tous les hommes de piste — qui, comme moi, conduisaient par la bride un attelage — portaient l'uniforme bleu à brandebourgs d'or alors que moi je n'en avais pas encore ! Tout ce qu'avait pu me trouver en hâte *Herr* Schumberg était une casquette galonnée et ornée au-dessus de la visière d'un écusson sur lequel était brodée en fils d'or la lettre magique *A* de Arkein. En me confiant ce joyau qui était beaucoup trop large pour ma tête, il m'avait dit :

« — C'est encore heureux que vous ayez de grandes oreilles pour l'empêcher de tomber, sinon on ne vous verrait plus ! Vous auriez intérêt à la bourrer de papier à l'intérieur : elle tiendrait mieux. »

» Cette casquette trop grande, je l'ai gardée pendant toute la durée de mon stage d'homme de piste !

« — Ce serait également plus esthétique, avait ajouté Schumberg, si vous défiliez en bras de chemise. Avec la casquette ça fera un semblant d'uniforme... Dès que nous aurons « planté » en ville, je vous dénicherai un uniforme et une blouse de travail dans la voiture-magasin d'habillement mais pour le moment je n'en ai pas le temps. Maintenant en route ! »

» Je suivis docilement avec mon cheval qui n'avait pas l'air tellement contrit d'être le tout dernier. Moi j'avais honte, réalisant combien le pauvre hère mal vêtu que j'étais devait faire pitié pendant qu'il avançait sans aucune fierté à côté de la voiture. Etant beaucoup trop éloigné des trompes de chasse, la dernière des formations musicales, pour être entraîné par leurs sonneries, ma démarche n'avait rien de martial ! Au lieu de bénéficier de l'émerveillement des foules, je déclenchais plutôt un attendrissement qui n'était pas loin de l'hilarité... De cette parade, qui fut pour moi un calvaire, je pus quand même tirer un enseignement : si je devenais un jour un grand clown, j'entrerais en piste en marchant de la même lamentable façon que pendant ce défilé de Munich !

» Dès que le montage du chapiteau fut terminé et après que j'eus reboulonné tous « mes » sièges sur leurs travées, je me précipitai, dans la foulée du *ringmaster*, vers ce qu'il avait pompeusement appelé la roulotte-vestiaire mais qui n'était en réalité qu'un hallucinant capharnaüm où l'on trouvait de tout : des accessoires pour les entrées comiques, des instruments de musique, des maillots de piste plus ou moins troués, des fouets, des tabourets pour les numéros d'ours ou de phoques, des cordages, des oripeaux, de vieux chapeaux, des cerceaux, des blouses grises enfin ainsi que les fameux uniformes d'Arkein pendus à des portemanteaux. C'était un bazar ambulant. L'essayage fut rapide : avec *Herr* Schumberg on ne perdait jamais de temps ! Pas question de faire le difficile, les choses étant simplifiées à l'extrême pour l'habillement du personnel. Comme dans toutes les troupes du monde il y avait trois tailles : la grande, la moyenne, la petite... Tel que tu me vois, mes proportions de fantôme sont sensiblement les mêmes que mes mensurations terrestres : je choisis donc la taille moyenne tout en sachant très bien que j'aurais été plus pittoresque dans la grande avec des pantalons qui seraient retombés en accordéon sur mes chaussures... Seulement ni *Herr* Schumberg ni surtout le patron n'admettaient que l'un de leurs bareiters fût ridicule. La règle absolue de la maison pour cette spécialité de la piste était la distinction, ou presque.

« — Et soignez bien cet uniforme ! recommanda Schumberg. Il doit faire toute la saison et ne sera envoyé au nettoyage que quand nous rejoindrons le dépôt en janvier prochain, c'est-à-dire dans cinq mois. Prenez aussi cette blouse qui protégera votre uniforme pour les montages ou démontages de la grande cage et du tunnel d'arrivée des fauves pendant lesquels on abîme tous les vêtements tellement le matériel lourd est difficile à porter ! Conservez cette casquette : je n'en ai plus d'autre, mais bon sang, je vous le répète, bourrez-la de papier ! »

» Revenu à ma roulotte, je déposai avec précaution la veste à brandebourgs sur ma couchette et j'enfilai presque avec respect la précieuse blouse en me disant que je commençais, moi aussi, à devenir un artiste puisque j'imitais les plus grandes vedettes de la piste qui ne craignaient pas, quand il le fallait pour les besoins du spectacle, de redevenir des anonymes.

» Ensuite j'eus droit au repas du petit personnel dans la roulotte-cantine. Je ne sais si Greta Arkein savait faire les achats comme me l'avait expliqué son époux mais c'était absolument immangeable ! Peut-être fus-je mauvais juge ayant été trop gâté par le raffinement de la cuisine du Wiesenthal. Mais comme j'avais très faim, je dévorai quand même... Quand on est jeune, la solidité de l'estomac et la robustesse de l'appétit parviennent à compenser la médiocrité de ce que l'on découvre dans son assiette. Après ce premier repas à la sauce Arkein, j'avais droit à mes deux heures de sieste dans la roulotte-dortoir mais, ayant un mauvais souvenir des ronflements de la nuit et ne trouvant pas le courage de m'allonger deux fois par vingt-quatre heures sur l'inconfortable litière, je préférai m'évader du cirque pour aller boire un café convenable dans une brasserie que j'avais repérée sur la place. Café qui fut agrémenté d'un confortable sandwich au jambon qui compléta magnifiquement le menu du déjeuner. Je serais incapable de compter le nombre de sandwiches que j'ai ainsi pu ingurgiter au cours de la tournée ! Le sandwich, le café, le demi de bière et même « le petit cognac » constituent l'indispensable soutien des parias de la piste.

» La brasserie faisait des affaires d'or avec le personnel du cirque. Parmi ces affamés je repérai devant le comptoir, juché sur un tabouret qui lui permettait de se montrer à la hauteur de tout le monde, le nain *Beppo* : le tout petit homme qui devait me donner des leçons de grand cirque... En le regardant ingurgiter demi sur demi, je pensai tout de suite que ce devait être un personnage chez qui le besoin de satisfaire une soif inextinguible pouvait me fournir un excellent moyen d'approche. Malgré la cohue d'assoiffés, je me rapprochai de lui :

« — Je suis Ernst, le nouveau valet de piste dont M. Arkein vous a peut-être parlé ?

« — Ah ! C'est toi ? D'abord le Patron ne t'a donc pas expliqué que dans notre boulot on se dit « tu » ? Compris ? Appelle-moi *Beppo* et tutoie-moi sinon nous ne serons jamais des amis : avec le métier qu'on fait dans la troupe des augustes, s'il fallait encore se faire des politesses, on n'en sortirait plus ! »

» Il s'exprimait dans un allemand zézayant qui, par moments, avait des sonorités méditerranéennes et qui n'était pas du tout désagréable à l'oreille :

« — Ensuite tu ne t'appelles pas Ernst mais Ernesto.

« — Pourtant *Herr* Schumberg m'avait dit...

« — C'est un imbécile borné et prétentieux qui croit que tout le monde dans la maison doit porter un prénom à consonance germanique parce que le cirque est allemand ! Quand je suis arrivé dans la baraque, venant directement d'Italie, mon pays, où j'ai appris le métier pendant des années chez *Orfei* et *Togni*, il voulait que je m'appelle Ludwig ! Tu te rends compte pour un nom de clown ? J'ai refusé. Je suis resté *Beppo* et j'en suis fier ! Tout le monde maintenant connaît *Beppo* ! Le patron m'a dit que tu étais belge et que ton prénom est Ernest, c'est vrai ?

« — Hélas !

« — Si tu réussis à entrer dans la troupe des augustes de soirée dont je suis la tête de file, tu t'appelleras Ernesto... Tu garderas Ernst uniquement pour Schumberg. Ça lui plaira : c'est un prénom à peu près aussi sinistre que son nom ! Ernesto c'est bien : ça ne fait pas sérieux et ça chante... Mais dis-moi : comme tu parles français, tu dois te débrouiller un peu en italien ?

« — Vaguement...

« — Ce n'est pas difficile : ça se pratique surtout avec des gestes ! Mais il faudra quand même que tu l'apprennes un jour. Avec l'espagnol c'est la langue qui se prête le mieux pour des répliques de clown : les mots y ruissellent de soleil... Ce qui ne veut pas dire que j'aime les entrées comiques trop bavardes ! Moins un clown parle et meilleur il est !

« — Un autre demi ?

« — Ce n'est pas de refus ! Si tu me prends par le sentiment, on ne va pas être longs à s'entendre... Alors, comme ça, tu veux être clown ? Drôle d'idée ! Sais-tu que ce n'est pas du tout un métier de rêve ? Moi je n'ai pas eu le choix : que voulais-tu que je fasse avec mes 77 centimètres ? Un éternel groom d'hôtel ? Je n'ai pas l'âme d'un larbin... Mieux valait faire le Gugusse ! En ce qui te concerne, il faudrait s'entendre : tu viens chez nous par besoin de fric ou parce que ça te plaît ?

« — Ça me plaît ! »

» Je sentais qu'il me jaugeait :

« — Sais-tu que, dans le civil, tu n'as pas du tout la tête de l'emploi ! Ton visage n'a rien de naturellement comique et tes traits sont beaucoup trop réguliers... Enfin ça peut se corriger avec le maquillage. Quel est ton métier ?

« — J'étais professeur.

« — Sans blague ? Ça ne m'étonne plus que tu fasses aussi sérieux ! Sais-tu seulement rire ?

« — Ça doit pouvoir s'apprendre.

« — Et pleurer à volonté ?

« — Ça aussi ce doit être une question de technique... ou d'oignons !

« — Retiens un grand principe de notre boulot : à chaque fois qu'un auguste reçoit en piste une claque, vraie ou fausse, il pleure comme un enfant à qui ça n'a pas fait mal mais qui est vexé... Et s'il réussit, à son tour, à en flanquer une à son partenaire, il s'esclaffe et pouffe de rire bruyamment.

« — Que doit-on faire quand on vous donne un coup de pied au cul ?

« — On le digère ! Le coup de pied au cul, c'est la meilleure des chutes pour une sortie de piste... Comme tu es entouré de monde il ne faut pas craindre de grossir les effets, sinon ça ne passe pas la banquette et c'est le flop ! Montre-moi un peu comment tu ris ?

« — Ici ? Devant tous ces gens ?

« — « Ces gens », comme tu les appelles, se f... éperdument de ce que tu peux faire ! Ils appartiennent presque tous au cirque ! Aussi tu dois te douter que pour les faire rire, il faut se lever de bonne heure ! Mais si, malgré tout, il y en avait un qui se fendait la pipe en te regardant rire, ce serait une excellente note pour toi. Allez, vas-y ! Essaie... »

» Ouvrant la bouche démesurément, je me forçai à rire pendant qu'il m'observait :

« — Pas fameux ! C'est tout ce que tu peux faire ? Sais-tu qu'il n'y a rien de moins drôle qu'un comique qui n'est pas comique ? Je t'ai observé l'autre jour à Binden et hier soir à Wirbourg où tu as remis ça avec les Espagnols... La première fois ça a marché parce que tu incarnais le clown triste, mais hier quel désastre ! Tu as compris que lorsqu'on se familiarise avec la tristesse on cesse d'être drôle... Par contre le rire, si c'est bien fait, ça ne lasse jamais ! C'est nécessaire à l'homme... Recommence en agrandissant encore davantage ta bouche... C'est moins mal ! Avec le maquillage elle pourra donner l'impression d'être énorme... Ce qui te sauve ce sont tes dents qui sont bien plantées et longues. Il n'y a rien de plus misérable qu'un clown édenté : sa bouche rappelle l'entrée d'un tunnel, et c'est lugubre un tunnel ! Sans que l'ensemble de ton visage devienne grimaçant, ton rire, lui, doit se rapprocher de la grimace sinon, vu des gradins et avec les dimensions du chapiteau, il ressemblera à un vague sourire : ce qui ne sera pas suffisant. Continue à rire... Décroche-toi carrément la mâchoire ! Voilà ! Ça commence à venir... Mais je ne t'entends pas assez ! Il faut rire fort, très fort ! Comme ça : Ah... ah... ah... ! Hi... hi, hi, hi !

« — Ah... ah ! ah ! Hi, hi, hi ! »

» A bout de souffle, je finis par dire :

« — Je ne peux pas rire plus fort, ni surtout couvrir tout le tintamarre qu'il y a dans cette brasserie !

« — Tu ne peux pas ? hurla *Beppo*. Et moi, qui ai la

moitié de ta taille et de ton coffre, tu crois qu'on ne m'entend pas ? Regarde-les tous : ils se sont tus et retournés pour m'écouter ! Et comme je sais rire, tu vas voir que je vais les faire rire eux aussi... Tiens : ça commence... Les voilà qui rigolent ! Ils ne savent pas pourquoi mais ils se marrent ! Ou plutôt si : ils savent... Je réponds pour eux la joie qui part des tripes et qui ne se contrôle pas... C'est ça, le rire au cirque ! Ça fuse, ça éclate, ça s'arrête et ça reprend... Ça n'arrête plus parce que chaque effet comique a été minutieusement répété, essayé, minuté et mis au point... Quand tu arriveras à déchaîner, toi aussi, une cascade de rires, tu seras devenu un clown ! Pas avant ! Et il faudra que ton rire domine, comme le mien, celui des spectateurs parce que tu dois savoir toujours rester maître de l'ambiance que tu viens de créer. Le rire et les larmes d'un clown, ça se commande à volonté ! Tu as repris ton souffle ? Alors remets ça en ramenant le son du fond de ta gorge... Ça y est, Ernesto ! Ce n'est pas mal du tout... Tu les fais rire, toi aussi... C'est bon ! Continue... Il y a même l'un d'eux qui vient de me demander, dans mon dos, qui tu étais ! C'est bon signe ! Quand on commence à se questionner sur quelqu'un, ça indique qu'un jour cet inconnu deviendra un as ! Repos ! Ça suffit pour le moment... Si on en fait trop, on devient mauvais ! Je te dis d'arrêter, mon petit... Je peux bien t'appeler comme ça : tu pourrais être mon fils... Mais oui ! La différence de taille, ça ne compte plus entre nous. Et paie-moi un autre demi : il n'y a rien qui ne donne plus soif que d'essayer d'apprendre la mécanique du rire aux autres... »

» Comment voudrais-tu, bon ami, que j'aie pu oublier une pareille leçon donnée dans une brasserie de Munich ! C'était à me dégoûter du rire pour toujours ! Et pourtant je savais bien qu'il faudrait qu'un jour je parvienne, moi aussi, à faire rire la foule comme ce nain ! Même beaucoup mieux que lui et sans utiliser les grosses ficelles dont la première était pour lui sa difformité physique... Oui, un nain, ça fait presque toujours rire quand il fait sa première apparition en piste.

Ensuite il devient moins drôle parce qu'on commence à réfléchir sur sa destinée... Au cirque, il ne faut jamais trop réfléchir, sinon on n'y reviendrait plus !

» Mon professeur de rire était déchaîné. Après avoir étanché une fois de plus sa soif, il me dit :

« — Tu paies les demis en vitesse et on file tous les deux au cirque ! A cette heure-ci, qui est celle de la sieste, la piste est sûrement libre. Nous allons l'avoir pour nous seuls... »

» Pendant le trajet il continua :

« — Puisque tu sembles avoir quelques dispositions pour le rire, nous allons maintenant tâter de l'acrobatie... Es-tu souple au moins ?

« — Au lycée je n'étais pas le plus nul en gymnastique et je sais faire les pieds au mur.

« — C'est déjà quelque chose, seulement l'ennui c'est que sur une piste il n'y a pas de mur ! Et la culbute ?

« — Je l'ai souvent faite quand j'étais mioche.

« — Eh bien moi je suis resté petit et je la fais très mal ! C'est probablement parce que je suis toujours trop près de terre... Pour exécuter une bonne culbute, il faut être grand : c'est plus spectaculaire. Et les *flip-flap* ?

« — Qu'est-ce que c'est ?

« — Je te l'apprendrai. Mais dis-toi dès maintenant que quand on les rate, ça fait parfois très mal et que lorsqu'on les réussit, on se croit le dieu du cirque ! »

» Nous étions arrivés sous le chapiteau dont la piste était aussi déserte que vides étaient les fauteuils et les gradins. C'était le silence complet et la première fois où je voyais le cirque sans aucune animation : ce qui le rendait encore plus impressionnant... Je pus mesurer combien il devait être difficile, lorsqu'on était clown ou auguste de soirée dans un spectacle n'attirant pas la grande foule, de faire rire des salles à demi pleines ! Dans un théâtre c'est moins pénible : il y a déjà la rampe dont la lumière aveuglante permet aux artistes de ne pas trop voir le vide des fauteuils et la forme même de la salle évite aux quelques spectateurs présents de constater qu'ils ne sont guère nombreux mais dans un cirque tout le monde se voit autour de la piste ! Quel malaise aussi bien pour les artistes que pour le public !

« — Tu vois ce grand tapis rouge posé sur la sciure au centre de la piste ? dit *Beppo* en s'asseyant sur la banquette. C'est le « tapis de piste » classique qui se révèle presque toujours être le meilleur accessoire de « notre » charivari qui ouvre le spectacle pour « chauffer » la salle tout en la mettant en joie. Maintenant on commence... Retire d'abord ton veston : tu seras plus à l'aise en bras de chemise et à l'avenir, pour répéter, tu feras mieux de mettre un très vieux costume. »

» C'était la deuxième fois en vingt-quatre heures que l'on me conseillait de ménager mes effets personnels : ce qui prouvait que les gens de cirque connaissent le prix des vêtements et exigent une tenue soignée quand ils ne sont pas en piste.

« — Tu te débarrasses aussi de tes chaussures. Aujourd'hui tu travailleras en chaussettes, ou pieds nus si tu préfères, dans la sciure, mais demain tu te débrouilleras pour trouver une paire d'espadrilles qui conviennent mieux à la gymnastique. Car c'est exactement cela que tu vas faire puisque c'est la base même du cirque... Lève les bras... Baisse-les... Un, deux ! Un, deux ! Tu n'as pas l'air trop rouillé pour un amateur... Fais le poirier la tête en bas puisque tu dis savoir faire les pieds au mur... Ce n'est pas trop mal mais il faut rester plus longtemps en équilibre. Regarde-moi maintenant... »

» Il s'allongea sur le tapis qu'il enroula à une vitesse déconcertante autour de son petit corps, puis il le déroula en faisant le mouvement inverse. Lorsqu'il réapparut, il me dit avec défi :

« — Fais-en autant si tu le peux ! »

» A mon tour je roulai mais très mal et pas longtemps pendant que mon moniteur hurlait :

« — Plus vite ! Tiens avec la main droite le bout du tapis, sinon comment veux-tu qu'il s'enroule autour de toi ? Maintenant reviens... Roule dans l'autre sens ! Ça se déroulera automatiquement... Plus vite ! »

» J'étouffais dans le tapis. Quand je réapparus enfin grâce à l'aide de *Beppo* qui me faisait rouler par terre en me poussant à coups de pied, je suffoquais.

« — Il faut absolument que tu saches faire ça ! C'est l'a.b.c. du charivari ! Quand c'est bien ficelé c'est ce qui fait rire le plus les gosses... Passons maintenant à la culbute... Vas-y ! Ça peut aller mais il faut en faire une série à la file et beaucoup plus rapidement ! On va faire la brouette à tour de rôle : ça fortifie les bras et ça les assouplit... Il faut exécuter au moins un tour complet de piste à toute vitesse !... Monte sur cette banquette, debout à côté de moi... Compte comme moi à haute voix : un, deux, trois ! Hop ! Tu sautes dans la piste comme si tu venais de réaliser un exploit extraordinaire... Cela aussi, ça déclenche le rire des moutards, surtout quand on est aligné à cinq ou six sur la banquette !... On recommence ! Un, deux... Hurle plus fort et en même temps que moi... Le public adore ça ! Il compte avec les augustes... Gueuler en chœur et en cadence, ça le défoule... Hop ! Ça y est ! Tu n'entends pas les spectateurs qui pouffent ? On les a fait rire... ou presque ! Même s'il n'y a personne sur les gradins, tu dois toujours t'imaginer que le public est là lorsque tu répètes. Ça change tout : tu t'habitues à sa présence et tu doses tes effets... Sinon, quand tu l'auras réellement autour de la piste, tu te sentiras perdu ! C'est pour cela que c'est mieux de répéter devant des camarades : ça crée l'ambiance et l'émulation... Maintenant, pour te permettre de souffler, je vais t'apprendre à donner et à recevoir des claques... Ça te plaît ?

« — Je ne sais pas encore...

« — Il faudra que ça te plaise ! Un auguste qui ne sait pas recevoir des claques ne sera jamais un bon auguste ! Quand les *Viva Lotta* t'en ont administré à Binden, les spectateurs ont franchement ri ! Eh bien, tu n'as pas remarqué quelque chose de surprenant pendant que tu les recevais ? Elles ne t'ont pas fait mal ! Tu n'as même rien senti !

« — C'est vrai !

« — Ceci pour la bonne raison que la main de ton partenaire n'a fait qu'effleurer ta joue alors que le bruit était fait par un deuxième clown qui frappait dans ses mains exactement en même temps. Ça, on peut le faire aussi à deux... Donne-moi une claque sans me faire mal... Mieux que cela ! Plus nette et plus précise ! Contre la joue... Bien ! Et pendant ce temps-là, c'est moi qui frappe dans mes mains... Ça fait du bruit, hein ? Beaucoup plus que si c'était sur ma joue !... On inverse : c'est moi qui te donne les claques et c'est toi qui frappes dans tes mains... Pour que ça résonne, il faut mettre les paumes des mains en coquilles comme ça... Tu vois ? Frappe maintenant : cela double le bruit de la claque... Encore une fois... Ça y est ! Tu as compris ? T'es pas bête, Ernesto ! Qu'est-ce que j'ai soif ! Et toi ?

« — Je sens que ça va venir...

« — C'est la poussière de sciure qui dessèche le gosier. J'ai toujours dit au Patron que la seule chose qui manquait dans son cirque c'était un bon bar pour les artistes.

« — Il y a la cantine ?

« — Tout ce qu'on y ingurgite est infect et ce n'est pas un bar ! Tout à l'heure, quand ta première leçon sera terminée, on retournera s'envoyer des demis à la brasserie. »

» Je savais déjà que ce serait moi qui les offrirais ! Seulement n'était-ce pas la meilleure façon de payer mes répétitions particulières ? Car il a été merveilleux dans son genre, *Beppo* ! Pendant tout le temps où il m'a fait travailler, il ne m'a jamais demandé un centime ! Et pourtant il a été le véritable artisan de mes débuts : je lui dois d'avoir appris tous les rudiments du métier, ceux qu'aucun artiste de la piste ne peut ignorer s'il veut faire une carrière et ceci quelle que soit la discipline qu'il choisira.

— Qu'est-il devenu, ce *Beppo* ?

— Il est mort depuis longtemps ! On l'a trouvé un matin affalé devant le comptoir d'une brasserie de

Turin... Le Patron avait raison : *Beppo* pouvait être très gentil avec un débutant... Mais revenons à sa première leçon où il continua :

« — Maintenant que ces exercices préliminaires t'ont réchauffé les muscles et mis en appétit de piste, nous allons passer à des choses plus sérieuses... Il est indispensable pour ton « éducation de cirque » que tu saches faire tous les sauts acrobatiques depuis le saut périlleux en arrière simple — qui porte en italien un nom résumant à lui seul tout un programme : *salto mortale* — jusqu'au *flip-flap* en passant par le saut périlleux cambré, le saut périlleux en avant ou « casse-cou », le saut arabe, le saut périlleux avec demi-pirouette ou pirouette simple et le saut de singe.

« — La pratique de tous ces sauts est-elle vraiment indispensable pour devenir auguste de piste ?

« — Si tu ne les connais pas, tu ne seras jamais un bon clown capable d'inventer des gags visuels qui, eux, feront rire... Avec l'aide de copains du charivari je t'apprendrai tout cela peu à peu mais, comme nous ne sommes que deux aujourd'hui, tu vas commencer par me faire une *rondade.* Si tu y parviens, ce sera déjà très bien pour une première leçon.

« — Une *rondade ?* Qu'est-ce que c'est ?

« — Je suis sûr que tu as fait beaucoup de rondades quand tu étais gamin : c'est ce que tu devais appeler alors « la roue ».

« — Mais oui, je sais la faire... enfin, je savais !

« — Ce n'est ni dangereux ni très difficile et c'est un excellent prélude au saut périlleux qui viendra plus tard... Allez ! Montre-moi tes talents... »

» Eh bien, ça va peut-être t'étonner autant que l'a été ce jour-là *Beppo* : j'ai réussi à faire tout de suite la roue et même un tour de piste complet ! Ce qui est, je crois, une performance ! *Beppo* exultait et hurlait pendant que je tournais :

« — Tu es doué ! C'est sûr ! Rien qu'avec cet exercice-là, tu peux déjà faire naître l'admiration chez les gosses ! Tu as l'étoffe d'un futur auguste... Dès demain on s'attaque au saut périlleux ! »

» Fut-ce la conséquence de ces éloges ou la confirmation que j'étais vraiment né pour faire la roue dans un cirque ? Je voulus éblouir encore davantage mon professeur en tentant un deuxième tour de piste mais, brutalement, mes bras exténués fléchirent et je me retrouvai à plat ventre dans la sciure... Une sciure qui me remplit la bouche et que je n'arrivais pas à cracher ! J'étais encore dans cette position ridicule du nageur débutant qui apprend à terre les mouvements de la brasse papillon quand j'entendis éclater sur les gradins un rire clair qui ne pouvait tromper tellement il était sincère ! Et, en plus, c'était un rire perlé de femme !

« — Tu vois que tu seras bientôt un clown ! s'exclama *Beppo*. Tu as réussi à divertir la Carla ! »

» Carla — c'était bien elle — ne pouvait s'arrêter de rire, répétant dans sa langue ensoleillée *Un buffo... Un buffo !* Ce qui se traduit en français par « Quel bouffon ! ». Oui, l'un des buts que je m'étais fixés se rapprochait puisque j'étais parvenu à la faire rire et ceci sans nullement le vouloir ! Je progressais... Ce qui me donna la force de me relever pendant qu'un dialogue en italien, rapide et dru, s'engageait entre elle et le nain. N'étaient-ils pas depuis longtemps des complices puisqu'ils venaient du même pays ? Quand l'hilarité de la belle commença à se calmer, *Beppo* me dit en allemand :

« — Sais-tu ce que vient de me dire la Carla ? Que si tu réussis à mettre au point cette chute, tu feras un triomphe tous les soirs ! »

» Mettre au point, c'était facile à dire ! Un résultat aussi spectaculaire dans le ratage, ça ne peut pas se reproduire deux fois de suite ! Cela avait été sensationnel parce qu'imprévu comme ma première entrée burlesque à Binden.

« — Elle a dit aussi, la Carla, que jamais elle n'avait encore vu un visage aussi ridiculement comique que le tien quand tu t'es retrouvé par terre ! C'est ta tête qui l'a fait rire... Ce qui prouve, contrairement à ce que je pensais, qu'elle peut devenir clownesque... à condition,

bien sûr, que tu te fasses mal ! Et ça, c'est plus embêtant ! Tu te sens mieux ?

« — Oui...

« — Alors remercie la signorina de ce qu'elle ait su
rire au bon moment : tu as beaucoup de chance que ta
première vraie spectatrice, qui n'a ri qu'à cause de toi
seul et non pas parce que tu étais aidé par les *Viva
Lotta*, ait été une femme de cirque. C'est dans notre
métier que le public est le plus difficile ! Il ne pardonne
rien et ignore le rire forcé ! Il faut que tout, sur la piste,
ait l'air d'être facile, naturel, spontané. »

» Avant même que je n'aie eu le temps d'aller vers
elle, Carla avait enjambé la banquette et me tendait la
main en disant dans un français encore plus ensoleillé
que son rire :

« — Je parle votre langue depuis mon enfance, étant
née à proximité de la frontière française, à Vintimille,
avant d'aller vivre ensuite à Gênes avec ma famille. Je
vous ai vu en piste à Binden.

« — Vous avez surtout pu apprécier mes possibilités
à ma pitoyable sortie de piste d'hier soir !

« — Comment vous appelez-vous ?

« — Ernesto ! s'empressa de dire *Beppo*.

« — Eh bien, Ernesto, cette soirée d'hier vous a
servi de leçon en vous démontrant que le succès est
une récompense rare qui se mérite... D'ailleurs vous
l'avez très bien compris puisque vous n'avez même pas
attendu vingt-quatre heures pour commencer à apprendre le métier. Cela a beaucoup frappé notre directeur
qui m'a expliqué que vous étiez belge et que vous
veniez de l'enseignement : il aime les gens courageux
qui savent prendre une décision et il est convaincu que
vous réussirez un jour... Pour débuter vous ne pouvez
pas avoir de meilleur professeur que *Beppo*... La
preuve c'est que si vous m'avez fait un peu pitié hier
soir, cet après-midi vous m'avez fait franchement rire !

« — Je ne l'ai pas fait exprès mais bientôt, je vous le
promets, j'y arriverai volontairement parce que je commence à réaliser quel doit être le moteur de « mon »
comique : je n'ai droit qu'aux malheurs !

« — Qu'est-ce que vous vous racontez tous les deux ? », demanda en allemand *Beppo* un peu agacé.

« — Rien que d'excellentes choses sur toi !

« — Alors nous allons fêter ça à la brasserie... Tu viens, Carla ?

« — Non. Je veux être en pleine forme pour la première de ce soir.

« — Dommage ! Ernesto et moi essaierons de nous consoler de ton absence... Tu viens, mon élève ?

« — Je te rejoins...

» Alors qu'il s'éloignait, je ne pus résister à l'envie de poser à « mon Italienne » une petite question :

« — Serait-ce indiscret de vous demander pourquoi une artiste de votre classe n'a pas craint de perdre son temps en venant assister à ce que je n'oserai même pas appeler les premiers balbutiements d'un apprenti auguste ?

« — C'est très indiscret, Ernesto, mais je vais quand même vous répondre : j'avais une furieuse envie de reparler français !

« — Une dernière question : vous aimez ce prénom d'Ernesto dont m'a gratifié *Beppo* ?

« — Pour un auguste il convient assez bien... C'est moins dur que Ernst.

« — Et Ernest, mon vrai prénom ?

« — Ça, je ne sais pas encore... Je ne vous connais pas assez ! Pour le moment, il me ferait plutôt sourire... A bientôt ! »

» Elle s'enfuit avec cette même grâce légère qu'elle avait quand elle faisait son entrée en tutu d'écuyère. Pour une première prise de contact, je ne pouvais pas rêver mieux : elle m'avait parlé parce que je l'avais fait rire ! Donc mon instinct ne m'avait pas trompé : cette Italienne exhalait trop la santé et la joie de vivre pour pouvoir être séduite par un vrai pleurnichard. Il lui en fallait un faux qui ne prenait une mine déconfite que sous l'avalanche d'avatars comiques... Maintenant, c'était certain, j'étais fait pour elle !

» Ce que je dis là était mon opinion toute personnelle ! Elle fut vite modifiée par les premiers mots de

*Beppo* qui m'attendait, déjà installé devant le comptoir de la brasserie :

« — Tu l'as entendue, la Carla, quand elle a prétendu qu'elle voulait être en forme ce soir ? Tu parles ! C'est pour son prince !

« — Quel prince ?

« — Son ami, ou son protecteur, si tu préfères. »

» Le chapiteau me serait tombé sur la tête que mon visage ne se serait pas décomposé davantage ! Je ne devais plus ressembler qu'à un clown triste.

« — Qu'est-ce qui t'arrive ? demanda *Beppo*.

« — Il m'arrive... Alors, comme ça, la Carla a quelqu'un ?

« — Heureusement pour elle ! Ce serait dommage qu'une aussi belle fille n'ait pas trouvé amateur.

« — Et c'est vraiment un prince ?

« — Tout ce qu'il y a de plus authentique... et russe avec cela ! Le prince Alexys Skirnof, cousin du tsar à ce qu'on dit... C'est bien simple : dans le genre on ne peut pas faire mieux ! Il a une de ces allures ! Et chic type avec cela ! Généreux comme un boyard... A chaque fois qu'il vient au cirque, il fait porter des bouteilles de champagne à tous les artistes dans chaque caravane.

« — Même aux valets de piste ?

« — Ce ne sont pas des artistes. Ils ne le deviennent que s'ils réussissent à sortir de leur uniforme, ce qui, j'espère, t'arrivera... Tu ne bois pas ton demi ?

« — Non. Je suis trop ému.

« — Par ta première leçon ? Demain on se retrouve ici comme aujourd'hui pour se mettre en forme et ensuite on remet ça sur la piste... Je peux le boire, ton demi ?

« — Il est à toi... Dis-moi : la Carla a cet ami russe, elle n'est pas mariée ?

« — Pas folle ! C'est une fine mouche... Le patron lui a un peu tourné autour ainsi que beaucoup d'autres dans la troupe, mais elle n'a rien voulu savoir !

« — Tu crois que son prince l'épousera ?

« — Ça, c'est une autre histoire ! Ces grands de la terre ça papillonne et ça préfère protéger les artistes, qu'elles soient écuyères ou danseuses, plutôt que de leur donner leur nom! Tu imagines la Carla en princesse Skirnof à la cour du tsar ou ailleurs?

« — Elle a de l'allure...

« — Sous le chapiteau, mais dans un palais?

« — Je la verrais plutôt avec quelqu'un de son métier qui l'aimerait...

« — Rien ne prouve que le prince ne l'adore pas! En tout cas, il lui est très fidèle... A chaque fois que nous restons plusieurs jours dans une grande cité, il rapplique; ce n'est pas un personnage pour petites villes... D'ailleurs tu le verras certainement ce soir : il réserve toujours le même fauteuil au premier rang, à peu près là où tu étais hier.

« — L'un des fauteuils que j'ai boulonnés?

« — Les fauteuils sont faits pour tout le monde à condition que l'occupant ait payé! Tu repéreras vite Skirnof parce qu'il applaudit et rit très fort à chaque blague que nous faisons. C'est très élégant de sa part, puisqu'il connaît par cœur toutes nos cabrioles, de s'enthousiasmer à ce point en donnant l'impression de nous voir pour la première fois! A moi il ne manque jamais de réserver un clin d'œil : c'est à ces tout petits riens que l'on reconnaît un Monsieur! Chez lui ce petit signe veut dire : « *Beppo*, nous sommes déjà de vieux amis. » Tout le monde l'aime dans la maison! Et il nous fait l'honneur de venir toujours magnifiquement chamarré : comme toi, il sera en uniforme, mais le sien sera blanc.

« — Tu ne m'en veux pas si je retourne au cirque?

« — Quelle corvée vont-ils encore te donner?

« — Je ne sais pas... Peut-être étriller les chevaux ou ratisser la piste? De toute façon, je ne suis pas inquiet : *Herr* Schumberg me trouvera vite une occupation!

« — C'est le métier qui rentre! A ce soir.

« — Je voudrais te remercier pour ta gentillesse. Grâce à toi j'ai déjà appris beaucoup de choses.

« — Si on ne s'aide pas chez nous, on ne mérite pas d'appartenir à un cirque... Et puis, je te le répète : tu es doué!

« — Si tu savais ce que tu me fais plaisir en disant cela !

« — Qui sait ? Peut-être qu'un jour ce sera toi, à ton tour, qui me rendras service ? »

» Après avoir payé la nouvelle tournée — n'était-ce pas la meilleure façon de prouver ma reconnaissance ? — je me retrouvai dans la roulotte-dortoir où les ronflements avaient cessé puisqu'il ne s'y trouvait plus personne. J'essayai à nouveau mon uniforme : il avait deux rangées de boutons dorés qui brillaient, mais pas de médailles comme celui du prince et il était bleu... La couleur du rêve ! Le seul ennui était que nous serions une vingtaine à la barrière à porter le même ! Dans le lot, Carla ne pourrait même pas me remarquer.

— Plouf, ce même soir ce furent tes débuts de valet de piste ?

— Tu n'as pas idée comme on voit le spectacle d'un tout autre œil lorsqu'on fait partie de la barrière ! J'étais le dernier de ma rangée : encore le dernier comme au défilé ! Apportant les tapis, les planchers, les appareils des équilibristes, les ballons des jongleurs, les tabourets des ours et des chiens savants, les remportant ensuite... Le plus pénible fut le montage du filet des « volants » et surtout celui des grilles de la grande cage ! Rude métier ! J'avais les mains en sang... Et ça fonctionnait à coups de sifflet stridents dispensés par le *ringmaster* olympien qui voyait tout ! Cela ne m'empêcha pas, entre chaque transport de matériel, d'observer celui que je considérais déjà comme étant pour moi un redoutable rival : le prince...

» Il était assis au premier rang, face à l'entrée des artistes, souriant, applaudissant, sûr de lui et, il faut bien le reconnaître, magnifique dans son uniforme blanc ! Il incarnait le grand seigneur alors que je n'étais que l'humble valet en livrée... Pendant tout le numéro de Carla il ne cessa de la dévorer des yeux tout en donnant l'impression de la couvrir de sa haute protection. Ce fut d'un pénible pour moi ! Mon humiliation atteignit son paroxysme à la fin du numéro quand

*Beppo* remit à « ma » divine, triomphante sous les bravos, une gigantesque corbeille d'orchidées envoyée par le Russe alors que ma mission se limitait à ramener le cheval à l'écurie... Comme si ce n'était pas à moi qu'aurait dû être dévolu l'honneur d'offrir les fleurs rares à « mon » aimée! Ce privilège, je ne l'aurais que quand moi aussi je ferais partie de la bruyante troupe des augustes et surtout lorsque j'aurais un nez rouge et serais méconnaissable sous un grimage! Je sentais qu'il faudrait, pour pouvoir m'approcher réellement de l'Italienne en piste et devant une salle pleine, que mon vrai visage disparaisse! Le droit de se montrer au naturel devant la Beauté n'était réservé qu'au prince Skirnof... Quand donc viendrait le moment inoubliable où j'abandonnerais l'uniforme du valet de piste pour les sublimes défroques de l'auguste?

» A la fin de la représentation je connus cependant une toute petite compensation après tant d'obscurité : pendant la parade finale précédant le salut des artistes, je portais le drapeau belge. Je ne sais pourquoi je l'ai choisi ce soir-là de préférence au drapeau français, qui était disponible lui aussi et dont aucun bareiter polonais, tchèque, hongrois ou allemand ne voulait! Peut-être en souvenir de ma bonne ville de Liège?

» Après le spectacle, caché dans la nuit du cirque, je vis mon rival gravir le petit escalier de la caravane de Carla et y pénétrer sans même frapper à la porte : c'était la preuve qu'il s'y savait chez lui... Et je vécus une attente qui me parut être un siècle! Enfin ils réapparurent : débarrassée de son tutu d'écuyère et emmitouflée dans une cape de satin blanc dont la légèreté s'accommodait de la tiédeur de la nuit en lui donnant une silhouette de Colombine, Carla se laissa conduire, s'appuyant amoureusement sur le bras de son protecteur, jusqu'à un coupé noir à cocher encocardé et attelé de deux alezans pouvant aisément rivaliser avec ceux de la calèche du baron von Wiesenthal. Je crois que le claquement de la portière se refermant dut me faire le même effet que celui d'une balle que l'on reçoit en plein cœur! Et quand l'équipage s'éloigna au trot, j'eus l'impression que la blessure commençait à saigner. Ce que l'on peut être bête, mon bon ami, quand on vit l'aube d'un amour!

— Mais non, mon Plouf, puisqu'on est sincère!

— Ce qui te semble le plus étrange, n'est-il pas que, tout en ayant déserté le monde des vivants, je continue à rester amoureux de Carla? Il est vrai que dans l'Eternité, ça prend une tout autre dimension: le désir charnel ne compte plus.

— Peut-être est-ce pour cela que ça dure? Après le départ de la voiture, tu es retourné dormir dans la roulotte 31?

— J'ai erré dans le cirque qui s'endormait peu à peu... Les unes après les autres, les lumières des caravanes s'éteignirent. Seuls, de temps en temps, le barrissement rauque d'un éléphant ou la plainte d'un fauve captif rappelaient que la vie continuait à exister dans la ville de toile plantée sur la grande place. Tantôt je marchais, tournant en rond comme si j'étais encore en piste, tantôt je me laissais tomber plus que je ne m'asseyais sur une caisse, ou même sur une botte de paille destinée à l'écurie, souhaitant de toutes mes pensées le retour de Carla... Dans les parages, l'horloge indiscrète d'une église eut l'impudence de ponctuer les heures et même les demi-heures de mon chagrin!

» J'essayais bien de me rassurer moi-même en me disant qu'après tout ce prince n'avait peut-être fait qu'inviter Carla à souper, comme cela devait souvent se passer pour une grande artiste, et qu'il la ramènerait bientôt à la caravane qui était son domicile. Mais, au fur et à mesure que le temps s'allongeait, mes illusions s'effritaient... Je dus me rendre à l'évidence: Carla ne revenait pas et ne rentrerait peut-être que demain en fin d'après-midi pour la représentation du soir! Lentement, mais sûrement, un autre sentiment tout nouveau lui aussi pour moi commença à s'immiscer dans mon cœur: la jalousie. J'en faisais l'apprentissage comme j'avais commencé à faire l'après-midi celui du métier de clown... Pour la jalousie aussi je devais être très doué! Ce fut encore *Beppo* qui me le fit remarquer quand je le rejoignis à la brasserie avant ma deuxième leçon :

« — Tu en fais une tête! Qu'est-ce qui t'arrive?

« — Rien!

« — Ne mens pas, Ernesto! Il y a quelque chose qui t'ennuie... Si tu ne me le dis pas à moi, qui veux-tu qui t'écoute ici! Ils ont tous leurs ennuis... Cette nuit même, dans notre caravane des augustes, *Alfredo* — c'est le grand maigre qui est vêtu d'un costume à grosses rayures dans le charivari et qui porte une perruque verte — voulait se suicider.

« — Pourquoi?

« — Il en a assez! Ce qui peut se comprendre : voilà trente ans qu'il fait l'auguste de soirée sans avoir pu mettre un centime de côté! Je te l'ai dit : c'est un métier de misère si on n'arrive pas à émerger. Bien sûr, il sait faire rire à sa manière, *Alfredo*, parce qu'il est dégingandé et qu'il a une drôle de démarche... Seulement ses moyens sont très limités : il n'est pas bon acrobate, ni musicien, ni très intelligent... Aussi en a-t-il par-dessus la tête! J'ai eu un de ces mals à le calmer! Mais ce n'est que provisoire : je ne me fais pas d'illusion! Un jour ou l'autre, il se tuera.

« — Et toi, *Beppo*, ça ne t'est jamais arrivé d'avoir une pareille envie?

« — Moi? Mon seul véritable ennui a été d'être nain! Depuis que j'ai réalisé que je ne pourrais rien y changer j'ai fini par en prendre mon parti et même par utiliser ce handicap pour vivre. Aussi je ne m'en fais plus du tout! Toi, tu as la chance de ne pas être un *Alfredo* : tu es jeune, tu n'es pas bête, tu es même instruit... Tu as un avenir formidable devant toi! C'est pourquoi tu n'as pas le droit de faire une tête pareille! Qu'est-ce qui se passe?

« — Je suis amoureux...

« — De Carla? Je l'avais déjà compris hier. Et je t'ai observé pendant la représentation.

« — Tu as eu le temps malgré tes entrées comiques?

« — Et malgré le charivari! Oui... C'est parce que tu

as vu le prince Alexys que tu es comme ça ? Je t'avais prévenu qu'il ne manquait pas de charme... Mais, tu sais, avec une fille comme la Carla, ça ne veut rien dire ! Ce n'est pas une écervelée ! N'oublie pas non plus qu'elle est italienne et que les filles de mon pays ne se donnent généralement que pour le bon motif ! A mon avis, il y a trop longtemps que ça dure, cette idylle... Et il y a eu beaucoup d'entractes ! Je te le répète : il ne vient lui rendre visite que quand nous sommes dans les grandes villes. Le reste du temps il vit dans le château qu'il s'est fait construire sur la Riviera.

« — Il a même un château ?

« — Pourquoi n'en aurait-il pas ? N'est-ce pas normal pour un prince ?

« — Ou pour un baron...

« — Peut-être... En tout cas, un château n'est pas fait pour une écuyère de cirque ! Et Carla le sait très bien ! Si j'étais à ta place, au lieu de broyer du noir je tenterais ma chance... Tu as bien vu qu'hier tu as réussi à la faire rire pendant la première leçon : c'est déjà un bon point de marqué. Car si elle connaît très bien l'art de sourire devant le public pendant toute la durée de son numéro, je ne l'avais encore jamais vue rire en dehors du travail. Grâce à toi, c'est arrivé : tu peux être fier ! L'essentiel, si tu veux faire sa conquête, c'est que tu deviennes, toi aussi, un artiste.

« — Ça, je l'ai très bien réalisé ! C'est même la principale raison pour laquelle je suis entré dans ce cirque.

« — S'il n'y avait que ce motif, tu pourrais faire ta valise ! Mais j'ai l'impression que tu as aussi pris goût au métier ?

« — C'est vrai.

« — Alors en piste pour la deuxième leçon ! Ça va être plus dur aujourd'hui... On va s'attaquer au saut périlleux en arrière simple qui est plus dangereux. Si on retombe perpendiculairement sur la nuque, une fracture de la colonne vertébrale est toujours possible... Si cela t'arrivait, tu pourrais dire adieu au cirque, à Carla et à beaucoup d'autres choses ! C'est pourquoi j'ai demandé à deux camarades du charivari, *Charley* et *Celino*, de venir t'aider... On y va?

« — Si tu savais ce que tu peux me réconforter!

« — C'est normal puisque moi aussi j'aime le métier! Je n'aime même que lui! Il faut être comme moi, Ernesto : les femmes, ça passe au deuxième plan. »

» Arrivé sur la piste, nous y trouvâmes *Charley* et *Celino* qui me parurent être des messieurs très sérieux sans leur maquillage.

« — Le saut que tu vas apprendre, reprit *Beppo*, se décompose en trois temps... Tu dois commencer par t'élever verticalement grâce à une détente des jarrets; ensuite, quand tu seras arrivé au plus haut point de ta montée, tu grouperas tes jambes en faisant le geste de saisir tes genoux des deux mains et tu donneras en même temps un coup de tête en arrière; enfin, ayant tourné, tu dégrouperas les jambes pour revenir au sol en station droite. Tu as compris?

« — Je ne parviendrai jamais à faire tout cela!

« — Tu y arriveras ainsi qu'à réussir tous les autres sauts! Ce qu'il faut, c'est le vouloir! Au travail! »

» Après m'avoir passé autour de la taille une ceinture qu'ils tenaient de chaque côté, *Charley* et *Celino* m'aidèrent à exécuter le premier temps : ce qui ne se fit pas sans mal! Comme tous les débutants je voulais tourner trop tôt... Mes deux aides m'obligèrent à bien monter perpendiculairement et à demander le mouvement de rotation au coup de tête et au ballant des bras. La leçon dura trois heures : j'étais exténué et mes aides en nage.

« — Ça suffit pour aujourd'hui, déclara *Beppo*. Si on lui en fait trop faire ce sera du mauvais travail. On remettra ça demain et, pour « nous » revigorer, on va tous se désaltérer. »

» *Charley* et *Celino* avaient aussi soif que *Beppo* : ce fut un carrousel de demis sur le comptoir. Une troisième, puis une quatrième leçon suivirent, entièrement consacrées au même exercice. Le troisième temps me sembla plus facile, le dégroupage des jambes étant instinctif. Le quatrième jour, je savais faire un saut périlleux en arrière simple. Carla, beaucoup trop accaparée par son prince charmant, n'avait pas assisté à mes progrès ! Je ne la revoyais que le soir pendant son apparition dans le spectacle. Le prince était toujours là, de plus en plus enthousiaste, mais je ne me sentais déjà plus tout à fait un valet de piste puisque je ne redoutais plus le saut périlleux ! Quand nous quittâmes Munich, après les trois semaines, je savais ! J'étais également capable de faire le saut périlleux en arrière « tracassé » et le saut périlleux en avant appelé aussi « le casse-cou »... *Beppo* l'avait bien dit : j'étais doué !

» La tournée nous emmena dans une longue suite de petites villes du genre Binden et Wirbourg où nous ne donnions qu'une seule représentation. Que de démontages et de remontages ! Que d'embarquements et de débarquements en gare ! Que de courbatures aussi après les leçons de *Beppo* et de ses acolytes ! Que de demis ingurgités dans toutes les brasseries se trouvant à proximité du cirque ! Mais quelle satisfaction aussi de savoir que le prince Skirnof ne serait pas là, le soir, installé dans son fauteuil ! Je ne le revis que deux mois plus tard à Francfort, assis à la même place... Seulement, entre temps, les choses avaient sensiblement changé pour moi.

» D'abord pour le métier : j'avais ajouté à mes connaissances acrobatiques — grâce aux leçons de *Beppo* et à l'aide tout aussi précieuse de *Charley* et de *Celino* — le saut arabe, le saut périlleux avec demi-pirouette et même avec pirouette entière... Et surtout le célèbre *flip-flap !* Sais-tu au moins ce que c'est qu'un *flip-flap,* toi l'ami des gens du cirque ?

— Pas exactement...

— C'est l'une des plus belles conquêtes de l'homme sur l'acrobatie parce que le mouvement infiniment gracieux fait travailler toutes les parties du corps en développant tous les muscles, aussi bien ceux du tronc que ceux des bras et des jambes. Le *flip-flap* est, en fait, une souplesse arrière faite avec une très grande rapidité et au cours de laquelle les mains viennent toucher le sol au moment où les pieds vont l'abandonner. On peut même l'exécuter sur place en le « tracassant ».

— Ce qui veut dire?

— C'est l'expression consacrée dans le métier qui signifie que l'on se concentre intensément avant l'exécution proprement dite pour laquelle on place les mains sur le sol aussi près que possible des pieds, puis on quitte le sol avec les pieds et, faisant décrire aux jambes un arc de cercle dans l'espace, on les ramène en arrière des mains avant de se redresser à la verticale. Le comble de l'art est de répéter plusieurs fois de suite l'exercice sur une table : j'y parvins au bout de quelques semaines. Veux-tu que je te fasse un *flip-flap* ici pour te montrer exactement ce que c'est?

— Tu ferais cela?

— Ce n'est pas parce que l'on revient de l'autre monde que l'on est ankylosé! Un fantôme c'est beaucoup plus léger qu'un vivant... Le seul ennui, pour te faire une démonstration parfaite, est qu'ici je n'ai pas de table. Et puis tant pis! Je vais le faire à même le sol... Regarde-moi : je me mets en position, je baisse les bras en rapprochant mes mains des pieds et hop! Ça y est! Tu n'as même pas eu le temps de compter jusqu'à trois! Qu'est ce que tu dis de cela, compère? Avoue-le : ça t'épate?

Je n'étais pas « épaté », selon l'expression de Plouf, mais réellement abasourdi : même mort, il ne pouvait pas résister au plaisir de faire des pirouettes! Ne voulant sans doute pas me laisser le temps de réfléchir à certaines bizarreries de l'au-delà, il se hâta de reprendre :

» *Beppo* disait qu'un clown devait avoir de l'agilité et de la légèreté, surtout un clown blanc! Et qu'il me verrait très bien plus tard en clown blanc... Le clown beau parleur qui a de l'autorité et qui sait se faire entendre. Là il se trompait. Pendant quelque temps j'ai fait le clown blanc mais j'étais franchement mauvais! Ce genre de personnage ne s'adaptait pas à ma vraie nature comique qui ne pouvait se révéler que sous une avalanche de catastrophes.

» J'eus droit également à l'école d'intonation suivie des leçons de grimaces, spécialité dans laquelle *Beppo* était passé maître. C'était inouï de voir ce que ce petit bonhomme pouvait faire de ses yeux qui s'agrandissaient démesurément ou se bridaient instantanément, de son nez qui se retroussait ou s'allongeait et de sa bouche qui s'élargissait ou se rapetissait ! Je n'avais qu'à l'imiter : ce que je fis et que je n'ai jamais cessé de faire quand j'ai acquis la célébrité. Cher *Beppo* ! Merci pour tes grimaces...

— Dis-moi, pour parvenir à la perfection de ton numéro, combien de prédécesseurs ou de confrères estimes-tu avoir copiés ?

— Copiés, jamais ! Ce que tu viens de dire là est une injure grave à mon égard. Si tu ne me fais pas immédiatement des excuses, je rentre dans ma tombe et je te laisse tout seul sur ton banc en misérable vivant que tu es !

— Oh non ! Ne fais pas cela, je t'en supplie ! Pardon, Plouf, pardon ! Que deviendrais-je maintenant sans toi ? Reste... Ou tu ne m'as pas compris, ou je me suis mal exprimé.

— J'accepte ton repentir parce que, moi aussi, je m'ennuierais ce soir sous ma dalle sculptée ! Et apprends que ce sont tous les autres qui ont essayé de plagier mon numéro sans pouvoir y parvenir. Plusieurs artistes peuvent faire les mêmes blagues et utiliser les mêmes gags, seulement aucun d'entre eux n'a la même personnalité et c'est là ce qui compte le plus chez un clown : c'est incopiable ! Si j'ai trouvé indigne d'imiter, par contre je n'ai pas hésité à m'inspirer des autres en adaptant les vieux trucs du métier, qui sont presque toujours les meilleurs, à mon propre tempérament. Dans cette profession comme dans toutes les autres, rien ne se crée vraiment ! Tout se transforme en donnant la merveilleuse illusion de la nouveauté.

» A Francfort, je n'étais plus à la barrière : j'avais été incorporé dans la troupe des augustes de *Beppo*, ce qui ne me dispensait nullement de toutes les tâches que je devais remplir quand on ne jouait pas et qui ne me faisait pas gagner un deutsche mark de plus ! Rolf Arkein avait des principes bien ancrés : selon lui moins un artiste ou l'un de ses employés était payé et plus il avait le feu sacré ! Ce qui ne l'empêchait pas d'avoir une certaine estime pour moi, je le sentais... Mais je savais aussi que si j'avais eu le toupet de lui demander de l'augmentation, il m'aurait mis instantanément à la porte ! N'était-ce pas déjà pour moi un immense honneur que de pouvoir appartenir à la troupe du célèbre *Circus Arkein* ? Les honneurs, ça paie.

» Un deuxième avantage fut, pour moi, de changer de domicile roulant : j'avais maintenant le droit de dormir dans la voiture 24 réservée exclusivement aux augustes de piste et dont le confort était tout aussi approximatif que celui de la roulotte 31 ! Mais j'étais en compagnie d'artistes dont certains, tels *Charley* et *Celino*, stimulés par la sympathie que *Beppo* dispensait à mon égard, étaient presque devenus des amis et dont d'autres, tel *Alfonso* qui avait tenté de se suicider, regardaient avec curiosité le phénomène que j'étais et qui rêvait de devenir un grand clown !

— Quelle tête t'étais-tu faite pour te transformer en auguste de soirée ?

— La plus insolite possible ! Pour mon maquillage, *Beppo* et ses camarades m'avaient conseillé. L'important était de ne ressembler à aucun des autres augustes : le piment d'un charivari vient de sa diversité.

— Quand j'ai visité cet après-midi ton salon je ne t'ai pas repéré dans ce rôle d'auguste parmi toutes les affiches qui sont exposées sur les murs ?

— C'est normal : un auguste de piste est rarement seul sur une affiche... C'est un personnage trop anonyme qui incarne le cirque sans avoir le droit d'y briller et qui n'a surtout pas les moyens de se faire imprimer des lithos : ça coûte trop cher ! Ce qui ne veut pas dire que ma tête n'était pas réussie et particulièrement ma bouche. Depuis le début de mes répétitions *Beppo* ne cessait de me dire : « Ce qui m'ennuie un peu, c'est cette bouche qui n'est pas assez grande quand elle s'ou-

142

vre pour rire... Il faut absolument élargir ton rire! »
L'idée me vint alors de peindre de grosses dents et une
fausse lèvre au-dessus de ma lèvre supérieure, à l'emplacement de la moustache, ce qui me donna l'énorme
bouche hilare que j'ai conservée dans le numéro qui a
fait ma célébrité et que tu as vu. En tout cas je te
garantis que personne ne pouvait me reconnaître en
piste! Et je plaisais... Parfaitement, mon cher! Carla,
qui m'ignorait quand elle me croisait dans le cirque
alors que je n'étais pas maquillé, ne manquait jamais
de m'adresser un sourire et même quelques mots gentils quand j'étais caché sous mon grimage. Un jour où
elle attendait, assise sur son cheval et derrière le
rideau, le moment de son entrée en piste, elle me
confia même :

« — Mon grand ami, le prince Skirnof, m'a dit hier
soir qu'il trouvait votre silhouette très originale et que
vous apportiez quelque chose de nouveau dans la
troupe des augustes.

« — Le prince a dit cela?

« — Il m'a même demandé qui vous étiez.

« — Et que lui avez-vous répondu?

« — La vérité : que vous veniez de Belgique et que
vous aviez appartenu à l'enseignement.

« — Je n'ai fait qu'y passer... Mais qui vous l'a dit?

« — Tout le monde le sait dans le cirque! Vous igno-
rez donc que l'on vous y a surnommé, presque depuis
le jour de votre arrivée, « le Professeur »?

« — A votre avis, c'est péjoratif?

« — Plus maintenant puisque vous réussissez à faire
rire. »

» Si le moment d'entrer en piste n'était pas venu
pour Carla, je crois bien que je lui aurais baisé la main
pour la remercier de ce qu'elle venait de dire : n'étais-je
pas sur le chemin de la gloire puisque je commençais à
faire rire avec mes sauts acrobatiques burlesques, mes
galipettes et mes grimaces? Par contre, ça ne m'en-
chantait que médiocrement d'amuser le prince mon
rival! Et puisqu'il ne me prenait que pour un bouffon,
il verrait au prochain intermède comique de quel bois

je me chauffais ! Quand le moment vint, je grimpai sur la banquette juste devant son fauteuil et lui adressait un double pied de nez en tirant la langue la plus longue que j'aie jamais réussi à exhiber ! Eh bien, tu le croiras ou pas : le Russe a éclaté de rire ! Mon geste l'a ravi ! N'était-ce pas désarmant un homme qui riait quand on ne cherchait qu'à être mal élevé à son égard ? Ce double pied de nez n'était pas d'une très grande inspiration comique ! Le *ringmaster* m'en fit la remarque à ma sortie de piste :

« — Ernst ! Ne recommencez jamais ! C'est déplacé et indigne de la réputation du *Circus Arkein*... Si le patron vous avait vu, vous auriez certainement eu droit à un sévère avertissement sur le tableau de la régie. Et pourquoi avoir fait cela juste devant la plus éminente personnalité qui se trouvait dans la salle ?

« — Ce prince m'agace ! Pourquoi vient-il tous les soirs ? Comme il connaît toutes nos blagues, on ne sait plus quoi inventer pour l'amuser ! Aussi ai-je pensé qu'un double pied de nez... N'ai-je pas eu une bonne idée puisque ça l'a fait rire ? »

» Le pire pour moi était que ce prince était follement sympathique à tout le monde et ne manquait jamais de m'applaudir : ce qui me gênait... Et beau avec cela ! Quelle élégance ! Quelle prestance ! Jamais je n'arriverais à égaler son allure... Ma seule ressource, si je voulais séduire Carla, était de m'abriter sous mes oripeaux et sous mon maquillage. Quelle destinée ! Je ne pouvais quand même pas conserver mon nez rouge et mes dents peintes toute la journée ! Que faire pour qu'elle m'aime uniquement pour moi-même, tel que j'étais, et non pas pour le personnage grotesque qui gambadait en piste ? L'ancien petit professeur était en train de devenir jaloux de tout le monde : de lui-même, du prince Skirnof, du trop-plein de succès de Carla, du *Herr Direktor* Rolf Arkein qui avait une aussi belle caravane et une aussi monstrueuse épouse, de *Beppo* même, mon ami qui avait du génie... Ah ! quel grand clown il aurait fait s'il avait eu une taille normale !

» Les seuls dans le cirque qui étaient plus jaloux que

moi furent les *Viva Lotta*, les clowns espagnols, et ce qui était grave : ils l'étaient de moi ! J'ai la conviction que s'ils avaient pu me réserver un mauvais sort le soir où ils me virent débuter dans la troupe des augustes de soirée, ils l'auraient fait ! Ensuite, chaque fois que je ressortais de piste après le charivari, ils m'injuriaient ainsi que *Beppo*, mon professeur, en nous traitant de tous les noms d'oiseaux ibériques qu'ils pouvaient trouver.

« — Ne t'en fais pas, ne cessait de me répéter le nain, un jour on leur réglera leur compte ! »

» Ce qui eut lieu à l'issue de la dernière représentation de la tournée, le 9 janvier suivant, la veille du jour où le cirque rejoignait la banlieue de Hambourg où se trouvait son dépôt. Ce fut, pendant que le cirque commençait à être démonté, une véritable bataille rangée entre l'équipe des augustes et celle des clowns-vedettes qui, en réalité n'étaient même pas des demi-vedettes ! Malgré ses coups de sifflet rappelant ceux de l'arbitre dans un match de rugby, *Herr* Shumberg ne parvenait pas à séparer les antagonistes. Il dut faire appel au patron qui, après être enfin parvenu à ramener le calme et à imposer le silence, dit, de sa voix qui n'admettait pas la réplique :

« — Je suis sincèrement désolé, messieurs, qu'une aussi brillante tournée, qui n'a connu aucun ennui sérieux, se termine par un pugilat aussi lamentable ! C'est indigne de la réputation de mon cirque ! N'oubliez jamais que lorsqu'on a l'honneur d'être un artiste, on se doit de savoir conserver sa dignité. Rentrez dans vos caravanes respectives : je ne veux plus ni vous voir ni vous entendre. Demain, quand nous serons arrivés au dépôt, je prendrai les décisions qui s'imposent pour que de pareils faits ne se renouvellent pas ! Bonsoir, messieurs.

» Les décisions de Rolf Arkein étaient toujours sans appel. Quand le cirque repartit deux mois plus tard, après avoir fait son indispensable toilette annuelle, les *Viva Lotta* ne faisaient plus partie de la troupe, pas plus que *Beppo* !

— *Beppo*, ton ami ?

— Mon professeur et ami, oui... Disparu le nain ! Envolé vers le ciel d'Italie ! J'étais bien triste car je lui devais beaucoup... Je ne l'ai jamais revu. Ce n'est que quelques années plus tard, alors que moi aussi j'avais quitté le *Circus Arkein*, que j'appris, par je ne sais plus quel artiste auquel je parlais de lui, qu'il était mort d'une bonne cuite dans une quelconque tournée. Cher vieux *Beppo* !

— Et toi, Plouf, tu avais réussi à échapper aux foudres directoriales ?

— Grâce à l'aide de Carla.

— Non ?

— Quand nous étions à Francfort où son protecteur l'avait rejointe, je fus plus que surpris d'entendre l'Italienne me demander, à l'issue d'une représentation : « Qu'est-ce que vous faites ce soir ? »

« — Rien de spécial, répondis-je.

« — Allez vite vous démaquiller et venez nous rejoindre dans ma caravane. Le prince Skirnof a décidé de vous inviter à souper.

« — Moi ? Mais pourquoi ?

« — Il a, depuis quelques jours, une idée dont il voudrait vous parler et que, personnellement, je trouve assez bonne... Mettez un costume sombre.

« — C'est que je n'ai pas de smoking et encore moins d'habit — à cette époque, bon ami, les gens de qualité soupaient toujours en frac ou en grand uniforme, comme Skirnof — pour vous faire honneur ainsi qu'au prince !

« — Ça ne fait rien, Alexys sait très bien que vous gagnez mal votre vie. La seule chose qui importe pour lui est que vous ayez du talent : il estime que vous êtes le meilleur auguste de soirée qu'il ait vu depuis longtemps.

« — Ce n'est pas possible ?

« — C'est bien simple : vous le faites rire... Il est au comble de la joie quand vous lui tirez la langue.

« — Accompagnée du pied de nez ?

« — Oui. Il dit que ça lui rappelle son enfance...
Allez vite vous changer.

» Je courus à la roulotte des augustes et, pour la
première fois depuis que je travaillais au cirque, j'endossai mon costume noir. Tu sais : le beau, celui qui
m'avait été tellement utile pour les dîners au *Burghoffer* en compagnie du baron et de la baronne ! Quand
*Celino, Charley, Alfonso* & Co me virent me vêtir ainsi,
ce fut un véritable charivari de moqueries :

« — Alors ! « Môsieur » Ernesto est invité à souper
en ville ?... « Môsieur » se rend dans le grand monde ?...
« Môsieur le Professeur » va peut-être faire une
conférence ? »

» Ce fut *Beppo* qui répondit à ma place :

« — Fichez-lui la paix, il a bien le droit de faire ce
qu'il veut !

» Au moment où je sortais de la roulotte, il me
donna une tape amicale dans le dos en me soufflant à
voix basse :

« — Bonne chance ! »

» Parbleu, comme toujours il avait tout compris !
Peut-être même était-il dans le complot de Carla et du
prince ?

» C'était la première fois que, après avoir gravi les
trois marches du petit escalier d'accès, je frappais à la
porte de la caravane de l'Italienne. Mon cœur battait
beaucoup plus vite et plus fort que mes timides toc
toc... La porte s'ouvrit et Carla m'apparut plus lumineuse et plus éclatante que jamais, dans une longue
robe de velours rouge dont la teinte soutenue mettait
en valeur son teint mat et la noirceur de ses cheveux
d'ébène. Le décolleté aussi était habile, permettant de
savourer le galbe des épaules tout en étant assez discret pour masquer les avantages certains de la poitrine.
Elle portait enfin un collier qui — pour un jeune
homme comme moi guère expert en la matière — parut
être fait de rubis sertis de diamants protégeant la
nudité voulue du cou. Ce ne pouvait être là que l'un de
ces cadeaux princiers que les grands seigneurs savaient
et surtout pouvaient encore offrir à cette époque.

« — Je vous trouve très élégant, dit gentiment Carla. Jusqu'à présent, je l'avoue, je ne vous avais remarqué que sur la piste, mais je reconnais maintenant que vous ne manquez pas non plus d'allure en civil... N'est-ce pas votre avis, Alexys ? »

» Car il était là, le prince, tout souriant avec ses yeux bleus et sa moustache blonde tellement fine ! Debout, il m'apparut immense, à moi qui l'avais surtout vu enfoncé dans son fauteuil du premier rang derrière la banquette... C'était un colosse, bien proportionné, sans doute, mais quand même un colosse ! Pendant qu'il me tendait spontanément la main il me dit dans un français dont la résonance slave exhalait beaucoup de charme :

« — Je suis enchanté, non pas de faire votre connaissance puisque je vous ai déjà découvert dans le charivari depuis le premier jour où je vous y ai vu, mais de pouvoir bavarder avec vous. Vous devez savoir que j'aime le contact direct avec les artistes.

« — Prince, tous les artistes du cirque vous aiment.

« — Mon cher Ernesto, vous me faites un réel plaisir en me disant cela ! Et je suis ravi que vous ayez accepté de souper avec nous... Nous partons ? »

» D'un geste qui était trop naturel pour ne pas lui être familier, il jeta sur les épaules de Carla une cape de renard bleu en lui conseillant :

« — Emmitouflez-vous bien ! Il fait très froid ce soir, l'hiver est là. »

» Il avait raison : nous étions au début de décembre. C'était partout l'hiver : aussi bien dehors que dans mon cœur. A l'émerveillement de sortir en compagnie d'une Carla aussi somptueuse et d'un prince d'aussi grande allure se mêlait le désespoir de ne pas être l'auteur des largesses dont profitait la belle : jamais je ne parviendrais à lui offrir une pareille robe de feu, un collier aussi étincelant, des fourrures aussi chaudes ! A moins que... Qui pouvait savoir ? L'idée du prince serait peut-être tellement lumineuse qu'elle me lancerait sur la voie de la grande réussite clownesque ? Voie lactée que je commençais à parcourir quelques minutes plus tard dans l'élégant coupé où j'avais eu le droit de monter. Assis entre l'uniforme du prince et les fourrures de Carla, je m'y sentis très vite à l'aise : décidément, j'étais fait pour les nobles équipages.

» Tu as déjà pu constater, ami, que j'avais une excellente mémoire ! Eh bien, malgré ce don du ciel, je ne me souviens plus du nom du restaurant de Francfort où nous soupâmes... Mais tu peux être certain, connaissant maintenant un peu moins mal le prince, que c'était certainement le meilleur de la ville ! Par contre, ce que je n'oublierai jamais, c'est ce qu'il s'y est dit pendant le repas :

« — Mon cher Ernesto, commença Skirnof, il m'est venu une idée qui va peut-être vous paraître assez saugrenue mais qui n'a pas tellement déplu à ma très chère Carla... Comme toute la grande famille de ceux qui appartiennent au *Circus Arkein*, vous n'êtes pas sans savoir les sentiments d'estime et d'affection très profonds qui m'attachent à notre belle écuyère mais, justement parce qu'il en est ainsi, je n'hésite pas à émettre parfois quelques petites critiques... Qui aime bien châtie bien ! Et je dois reconnaître qu'une jeune femme aussi intelligente que Carla a toujours très bien su l'accepter. Ne discutons pas de son numéro qui est la perfection du genre et dont le succès n'a fait que se confirmer depuis deux années qu'elle l'exécute. Seulement voilà : deux années du même numéro, c'est bien ; trois, ce serait trop ! Rolf Arkein a pour règle de faire chaque année la même tournée, c'est-à-dire de passer dans les mêmes villes à la même époque, avec, bien entendu, un spectacle différent. Il prétend, non sans raison, que lorsque les habitants d'une ville ou d'une région se sont habitués au nom d'un cirque, ils y reviennent. Le seul numéro qu'il ait conservé deux années de suite parce qu'il l'aimait et qu'il le trouvait remarquable, est celui de Carla. Mais, pour la prochaine tournée qui commencera en mars après la pause nécessaire de quelques semaines, il ne pourra pas garder Carla à moins qu'elle ne fasse quelque chose de nouveau. Et comme ça l'ennuie de quitter ce cirque où elle se sent chez elle, il ne reste qu'une solution : créer un numéro équestre très différent. Ce qui ne nous paraît possible, aussi bien à elle qu'à moi, que par l'adjonction d'un partenaire... Si celui-ci travaille dans le genre « sérieux », le numéro ne sera qu'un « pas de deux » équestre : genre déjà beaucoup vu et quelque peu ennuyeux ! Par contre, si le partenaire est un comique qui essaie d'imiter la belle écuyère et qui rate tout sur un cheval après qu'elle-même ait tout réussi, cela risque de devenir un numéro sensationnel ! Qu'est-ce que vous en pensez, Ernesto ?

« — C'est évidemment une bonne idée, seulement il faut trouver ce comique !

« — Nous l'avons : c'est vous !

« — Mais je n'ai que de très vagues rudiments d'équitation.

« — Vous n'en serez que meilleur ! Dans ce genre de numéro où vous aurez le rôle burlesque, il sera beaucoup plus important pour vous de savoir descendre de n'importe quelle façon d'un cheval plutôt que de rester dessus ! Votre véritable entraînement sera d'apprendre à multiplier les chutes sans vous faire mal... Carla et vous devrez offrir au public la vision d'un contraste absolu : plus vous arriverez à faire rire par vos chutes et plus sa beauté et son art seront sublimés !

« — La belle et le clochard...

« — C'est là une très bonne définition du numéro. »

» Ce qu'il me proposait de faire en piste était le reflet exact de ce qui se passait dans la réalité de mon existence depuis que j'étais entré dans le cirque : le ver de terre amoureux qui cherche à imiter et même à surpasser l'étoile dont il est amoureux pour l'éblouir avant de la séduire. C'était tout mon programme ! Comment refuser ? Il restait cependant une objection majeure

« — Pensez-vous, prince, que le Patron serait d'accord pour que nous essayions de monter un tel numéro ?

« — Quelque chose de nouveau ne peut que lui être

sympathique : c'est un homme qui ne craint pas d'aller de l'avant quand il le faut. Et s'il avait encore quelques hésitations, je me charge de les faire disparaître ne serait-ce qu'en lui disant, par exemple, que je prendrai à mes frais le prix d'impression des affiches vantant ce numéro et que je paierai le montant de leur affichage dans toutes les villes où son cirque passera pendant la saison. Ne sont-ce pas là des arguments auxquels un directeur résiste difficilement ? »

» *Herr Direktor* ne résista pas et deux jours plus tard, alors que nous étions encore à Francfort, les répétitions commencèrent sous la haute direction de Rolf Arkein lui-même pour la partie équestre, assisté de *Beppo* pour la partie burlesque. Une fois de plus il fut formidable, celui qui était devenu pour moi « mon *Beppo* »... Il fourmillait d'idées de chutes comiques. A chaque fois que je me relevais sur la piste, il ne manquait pas de dire :

« — Tu vois que ça peut servir à un clown de connaître tous les genres de sauts ! Il y a longtemps qu'un autre, qui n'aurait pas été comme toi à l'école des *flip-flap*, se serait cassé une jambe ou même plus ! Toi, quand tu tombes, on croirait presque que ça te fait plaisir... En tout cas, ça ne te fait pas mal : ce qui est déjà l'essentiel. »

» Pendant tout le temps où nous restâmes à Francfort, le prince venait chaque après-midi assister aux répétitions et ne craignait pas, après que nous avions essayé une nouvelle cascade comique, de donner son avis qui était presque toujours pertinent et qui tournait autour de cette vérité qu'il avait exprimée le premier jour :

« — L'important dans ce genre de numéro où le grotesque singe la beauté, est que la femme reste toujours gracieuse, que le cheval conserve sa noblesse et que l'auguste fasse rire. »

» Tu vois : lui aussi avait compris mon véritable destin en ne me considérant pas comme pouvant devenir un rival possible dans le cœur de l'Italienne.

— Et Carla ?

— Elle n'avait d'yeux que pour lui! Je n'étais une valeur pour elle que dans le travail. Le reste du temps, je ne comptais pas! Je ne me faisais aucune illusion : elle n'avait accepté de m'incorporer dans son futur numéro que parce que Skirnof le lui avait suggéré. Aussi tu peux mesurer à quel point mon angoisse était grande! Si je réussissais dans le numéro, ce serait un fantastique tremplin pour le grand départ de ma carrière mais je perdrais presque sûrement toutes mes chances de plaire dans la vie à celle que j'idolâtrais... Si nous nous étions connus à cette époque qu'est-ce que tu m'aurais conseillé, toi, mon ami ?

— De ne penser qu'au numéro.

— C'est ce que n'a pas cessé de me répéter *Beppo*. Vous vous seriez bien entendus tous les deux! Ce qui m'a sauvé sentimentalement est que Skirnof est reparti pour son château de la Riviera, c'est-à-dire pour ici, quand le cirque quitta Francfort. Nous ne le revîmes plus jusqu'à la fin de la saison qui se poursuivit dans des villes de moindre importance. Nous continuions à répéter tous les après-midi avec Carla. Quelques jours avant la fin de la saison, Rolf Arkein nous confia :

« — Le prince a eu raison : ce numéro devrait obtenir un grand succès. Il est à peu près au point. Ce qu'il lui faut maintenant, c'est le rodage devant le public qui, lui, a un jugement infaillible. Je l'inscris donc au programme de ma prochaine saison qui débutera, comme chaque année, en mars prochain à Hambourg; il s'appellera « *la Belle et l'Auguste* » : ce que je trouve assez poétique... Je pense, chère Carla, que vous allez profiter des huit semaines de repos annuel pour aller voir vos parents à Gênes ?

« — J'ai une telle envie de me retrouver au milieu des miens!

« — Ce qui est tout naturel. Seulement je vous demande de revenir au dépôt au moins une semaine avant notre nouveau départ pour permettre à Ernesto de se remettre dans l'ambiance du numéro.

« — C'est promis.

« — Et vous, Ernesto, pendant ces vacances retournerez-vous à Liège, vous aussi, dans votre famille?

« — Je ne crois pas car je n'en ai guère envie! Mes parents auxquels j'ai annoncé que je travaillais dans un cirque ne sont pas très enthousiasmés par ma nouvelle profession! Il ne faut pas leur en vouloir : ce sont des gens simples et modestes qui auraient préféré de beaucoup me voir entrer définitivement dans l'enseignement et surtout savoir que je professe dans ma ville natale ou tout au moins dans les environs. Pour eux, être les parents d'un romanichel — c'est sous cet angle qu'ils voient tous les gens de cirque — ne les flatte guère! Et encore, je me suis bien gardé de leur révéler que je fais l'auguste! Ils croient que je suis dans l'administration de votre cirque, mais l'auguste qui se roule dans le tapis et qui fait des chutes volontaires de cheval, ils ne comprendraient pas! Tandis que de pouvoir dire à leurs amis ou voisins « *Notre fils Ernest est Professeur dans telle Institution ou tel Lycée* » serait à leurs yeux infiniment plus honorifique! Si ce n'était pas trop vous demander, serait-ce possible, monsieur Arkein, que vous me gardiez au dépôt où je pourrais peut-être continuer à habiter dans l'une des roulottes, n'importe laquelle! Je comprendrais très bien aussi que, pendant cette période où le cirque ne travaillera pas, vous ne me payiez pas en échange du logement assuré... Je pourrais même vous rendre quelques services s'il y avait des travaux d'entretien?

« — Vous nous en rendrez beaucoup, Ernesto, ne serait-ce que pour repeindre les caravanes et le matériel avec l'équipe de garde réduite que je suis obligé de conserver pendant cette période creuse. Je n'ai jamais assez de monde pour tous les petits travaux indispensables. Vous serez payé au même tarif que si vous paraissiez en piste et nourri à la cantine qui ne cesse jamais de fonctionner. Ça vous convient?

« — Merci, Patron.

« — Et comme il y a une piste de répétition qui reste installée en permanence sous un hangar du dépôt, vous pourrez continuer à vous entraîner à la voltige équestre comique. Comme cela, quand Carla reviendra, vous serez en pleine forme. »

» N'était-ce pas déjà sensationnel de pouvoir me perfectionner sans m'occuper de cette maudite question matérielle ! Je conserverais aussi mon traitement de misère : ce qui était mieux que rien. Ma demande d'augmentation viendrait plus tard, quand le numéro aurait fait ses preuves devant le public. Pour le moment, je n'avais que le droit de me taire.

— Et tu es resté seul, mon pauvre Plouf, sans même avoir la consolation de travailler tous les jours avec Carla ?

— Si j'en avais eu les moyens, ce serait moi qui l'aurais emmenée faire un beau voyage en Italie ! Je suis sûr que s'il avait eu lieu, j'aurais fini par triompher ! Le ciel d'Italie favorise les amours...

— Carla n'était-elle pas un peu triste de te quitter ainsi que tous ses camarades de travail ?

— Elle s'en moquait éperdument ! C'est à peine si elle m'a dit au revoir après la dernière représentation. Ses seuls mots furent ceux de quelqu'un qui ne me jugeait que professionnellement : « Profitez de cet entraînement supplémentaire pour améliorer votre dernière descente de cheval en double pirouette : elle peut être plus drôle... On la sent encore trop préparée et on la voit venir : il faut qu'elle ait vraiment l'air d'être tout à fait imprévue... Il est indispensable que le numéro soit parfait le jour de la Grande Première de la nouvelle tournée qui aura lieu à Hambourg ! Ceci d'autant plus qu'Alexys sera là... Il ne faut pas qu'il soit déçu ! Il ne nous le pardonnerait pas ! N'oubliez pas non plus qu'il a promis de payer nos affiches et leur affichage partout. Bon courage ! »

» Il serait encore là, son palatin ! Quand donc m'en débarrasserais-je ? Et par quel moyen ? Je n'en voyais qu'un : me montrer un auguste tellement fantastique pendant le numéro que le prince finirait par être à son tour jaloux de moi, ou tout au moins de mon succès. Je devais être la révélation du nouveau spectacle ! Et quand Carla se rendrait compte que Skirnof m'enviait, elle commencerait à s'intéresser à moi autrement que sur le plan du métier. Elle se dirait : « Tiens, tiens, pour que mon bel Alexys soit jaloux de ce petit Belge, c'est peut-être que ce garçon est quelqu'un ? » Il est indispensable de devenir « quelqu'un » aux yeux de la femme que l'on désire... Tout le cirque m'envierait aussi, le règne des *Viva Lotta* s'effondrerait, ce serait moi et non pas Carla que les gens désigneraient du doigt en voyant la fameuse affiche payée par le prince. Ils diraient : « C'est Ernesto, le fameux pitre qui nous a tellement fait rire ! » L'affiche ? Il fallait aussi que je sois très drôle sur cette litho et pour cela je mettrais à profit la période du dépôt pour me trouver un maquillage encore plus comique : j'agrandirais mes dents peintes, je retrousserais davantage mon nez rouge et je porterais une perruque jaune canari en forme de tignasse... Devant un tel succès, le *Herr Direktor* serait bien obligé de m'augmenter ! Ça viendrait de lui-même sans que je sois obligé de quémander, ce qui est la pire des humiliations ! Quand on est patron d'un cirque et qu'on a la chance d'avoir un grand artiste, on fait tout ce qu'il faut pour le garder en exclusivité sinon il s'en va sous d'autres ciels de chapiteaux ! Il disparaît comme une étoile filante...

— Et ton ami, *Beppo*, qu'est-ce qu'il penserait de ce succès ? Lui au moins ne t'envierait pas : ton succès ne serait-il pas aussi un peu son triomphe à lui ?

— Hélas ! Il ne l'a pas connu puisqu'il s'est fait flanquer à la porte le lendemain même de notre arrivée au dépôt à la suite de la bagarre avec les Espagnols... Il n'a jamais vu mon triomphe ! Peut-être en a-t-il entendu parler dans le cirque italien où il était retourné ? La renommée ou le fiasco, ça court vite dans le monde du cirque où tout se sait par le bouche à oreille des artistes qui arrivent et qui repartent : c'est un peu comme le téléphone arabe ! Aujourd'hui encore, alors que *Beppo* a quitté ce monde longtemps avant moi et repose je ne sais où, je regrette qu'il n'ait pas connu ma réussite... Si seulement je pouvais le retrouver quelque part dans l'au-delà ! Je n'hésiterais pas à refaire pour lui mon numéro, celui qui a fait ma célébrité... Je suis sûr que ça lui plairait! Tu te rends compte : quel honneur ce serait pour moi — et quelle joie! — que d'être applaudi par *Beppo*! Seulement voilà : pour le retrouver il faudrait que je parte d'ici et que j'abandonne pendant quelque temps Carla qui ne peut plus se passer de moi! Je n'en ai pas le courage.

— Le jour où il a quitté le *Circus Arkein*, je pense que vous vous êtes quand même dit au revoir?

— Nous avons pleuré tous les deux en étanchant notre chagrin d'un nombre respectable de demis et, chose curieuse, *Beppo* mit son point d'honneur à payer la dernière tournée en disant :

« — C'est la mienne! Je te la dois bien pour toutes celles que tu m'as offertes et ne t'inquiète pas trop sur mon sort : je n'ai qu'à me baisser — ce qui ne me donne pas grand mal étant donné ma taille! — pour trouver des engagements. Un nain qui fait rire, ça n'a pas de prix! Et ça ne me déplaît pas de retourner dans mon pays où les cirques foisonnent et où on peut jouer en été à la belle étoile tellement le temps y est doux et serein! Tu ne sais pas comme ça peut être agréable de faire des cascades sur une piste en plein air et d'entendre des rires d'Italie! J'en ai un peu assez du gros rire germanique sous un climat brumeux qui n'est pas tellement fait pour moi... Enfin je suis satisfait d'avoir réglé leur compte à ces Espagnols prétentieux, comme je te l'avais promis : ils ne seront plus là pour te jalouser pendant la prochaine tournée où je suis certain que tu auras du succès. Pour toi c'est très important de rester encore chez Arkein où tu vas t'affirmer. Une saison complète au *Circus Arkein* sera pour toi la meilleure des références et te permettra de voir affluer les offres d'autres cirques qui viendront toutes seules.

« — Tu le crois vraiment?

« — A condition que tu écoutes mes derniers conseils... D'abord, quand tu sentiras que tu tiens solidement le succès, change de maison... Il faut acquérir la classe internationale le plus vite possible! Tu n'y parviendras qu'en voyageant de cirque en cirque dans tous les pays. De même qu'un apprenti de n'importe quelle profession fait son tour de France ou d'Italie pour apprendre son métier, tu ne connaîtras à fond le tien que lorsque tu auras fait ton tour de piste mondial. Ça t'obligera à modifier ta façon de faire rire en l'adaptant à la mentalité de races différentes qui ont toutes besoin de rire puisque le rire est une nécessité universelle... Tu as déjà la chance de parler merveilleusement français et allemand. Plonge-toi maintenant dans l'anglais qui t'ouvrira non seulement les portes des cirques anglo-saxons mais aussi celles des pays scandinaves où l'on est friand de ce genre de spectacle. Ce n'est pas à un ancien professeur que j'apprendrai qu'il faut que tu prennes des leçons pour posséder de solides bases linguistiques qui te permettront, si c'est nécessaire, de trouver en piste la réplique percutante qui peut souligner un geste ou une mimique et même sauver une situation qui parfois n'est pas tout à fait drôle.

« ... Deuxième conseil : pendant toute cette saison où tu feras avec Carla ton entrée équestre, tu prépareras dans le plus grand secret un numéro très différent pour la saison suivante. Le secret d'un grand clown ou d'un bon auguste, comme d'ailleurs de tout artiste, c'est de savoir se renouveler et ceci jusqu'à ce que tu arrives à mettre au point le numéro-massue qui fera ta gloire et que tu ne changeras plus parce qu'il se déroulera comme s'il était mû par un mécanisme d'horlogerie. Et même ce numéro parfait devra donner aux spectateurs, à chaque fois que tu entreras en piste, l'impression d'être nouveau : ceci parce que tu y introduiras de toutes petites différences, perceptibles seulement pour les professionnels, qui feront ta véritable originalité. Personne alors ne pourra plus te copier et tu vaudras ton pesant d'or !

« ... Troisième conseil : pour l'acrobatie au sol et la voltige équestre comique tu es pratiquement paré, mais tu dois profiter des semaines de relâche que tu vas vivre pour apprendre les rudiments du jonglage et de l'équilibre sur fil de fer... Mais oui, Ernesto ! Ça accentuera ta légèreté et fera de toi un personnage clownesque qui ne craint pas les lois de la pesanteur. C'est indispensable pour acquérir une silhouette éthérée sans laquelle tu ne seras jamais un bon clown blanc ! Un clown complet, c'est celui qui peut passer indifféremment d'un genre à l'autre : tu dois pouvoir porter avec élégance aussi bien le costume pailleté et l'habit de bonne coupe que les défroques de l'auguste maladroit et balourd.

« ... Quatrième et dernier conseil : il faut que tu apprennes à jouer de plusieurs instruments de musique. Ça ne doit pas t'être très difficile : j'ai remarqué que tu avais l'oreille très musicale. Quels instruments ? Ceux qui étonnent le public qui se dit : « *Tiens, c'est aussi un excellent musicien ce type qui nous fait rire !* » Tu l'obtiendras, cet étonnement, grâce à quelques bonnes gammes sur le clavier d'un piano ou à de langoureux accords sur un violon... L'accordéon aussi peut se révéler très poétique, surtout si l'instrument est petit, donc maniable : un clown, ça bouge tout le temps, même s'il répand des harmonies... Le saxophone s'en rapproche pour émouvoir : c'est un instrument qui ne manque pas d'élégance parce qu'il brille et que le jeu des doigts y est fascinant. Il y a aussi les instruments qui font rire tels que le trombone à coulisse et surtout l'hélicon ! Formidable l'hélicon pour un auguste qui donne l'impression d'être prisonnier d'un serpent cuivré... Voilà, Ernesto, mes petits conseils. Si tu les écoutes et les mets en pratique, je te garantis que tu peux devenir un très grand clown !

« — Tout cela est très joli et certainement vrai, seulement il y a un ennui majeur : je n'ai pas tous ces instruments ni les moyens de me les offrir.

« — Il y en a autant que tu veux dans la roulotte du matériel. Le patron qui t'aime bien et qui, après tout, n'est pas aussi mauvais homme qu'on ne le pense, t'en prêtera pour que tu puisses commencer à faire des fausses notes. Les notes justes viendront plus tard : c'est une question de travail et, comme pour tout ce que tu as déjà appris, de volonté.

« — Mais toi, tu sais jouer de tous ces instruments ?

« — Hélas non ! Il faut dire aussi que je n'ai jamais eu envie d'être musicien. Un nain qui se sert d'un instrument ça fait pitié : on a l'impression que lorsqu'il y aura été de son petit air, il fera la quête...

« — Et qui m'enseignera les premiers rudiments ? Je distingue à peine la clef de fa de la clef de sol !

« — *Herr* Wontz, le chef d'orchestre du cirque. C'est un musicien formidable et complet qui sait se servir de n'importe quel instrument ! Là encore tu as de la chance, il habite Hambourg où je sais qu'il reste chez lui pendant les semaines de relâche. Tu n'as qu'à aller le trouver. Lui, ce qu'il aime, ce n'est pas la bière mais un bon cognac, alors débrouille-toi ! Ainsi ses leçons ne te coûteront pas plus cher que les miennes ! C'est un brave type qui se plaint toujours de ce que les clowns jouent faux : c'est pour cela qu'il ne pouvait pas piffer, lui non plus, les *Viva Lotta*... S'il te voit arriver chez lui, bien modeste et avec une bonne bouteille, il sera content. J'entends déjà ce qu'il te dira avec sa grosse voix allemande : « *Alors, comme ça, monsieur Ernesto, vous voulez faire de la musique ? Mais savez-vous que n'est pas musicien qui veut ?* » Tu acquiesceras, encore plus modeste, et il t'installera à côté de lui devant son piano. Après ? A toi de jouer, confrère ! Ouf ! Ça m'a donné soif, toute cette parlote... A la tienne ! »

» Nous trinquâmes pour la dernière fois. Je sentais que Beppo n'avait plus rien à me dire. Deux heures plus tard j'appris par le *ringmaster* qu'il avait quitté le cirque en emportant ses bagages qui se réduisaient à une valise, comme moi lorsque j'y étais arrivé. Au fond, c'est normal qu'un auguste de piste doublé d'un nain n'ait pas besoin de beaucoup de bagages.

— Et tu es resté seul au dépôt du cirque, ayant perdu ton meilleur ami et celle que tu aimais !

— Je suis resté avec ce que m'avait déjà appris *Beppo* et tous ses conseils qui, je le savais, n'avaient pas de prix... Il y avait quand même Schumberg avec qui je ne frayais guère : lui aussi, dès qu'il m'avait vu commencer à répéter avec Carla, m'avait pris en grippe. Il y avait surtout les Arkein qui, en vrais patrons, surveillaient toute la remise en état de leur cirque et qui surent se montrer compréhensifs à mon, égard. Dès le premier soir, Rolf Arkein me dit :

« — Cher monsieur Bedaine — j'étais assez surpris qu'il m'appelât par mon véritable nom — vous paraissez un peu triste... Je n'aime pas cela et vous n'avez aucune raison de l'être au moment où vous allez quitter l'anonymat d'un auguste de charivari pour travailler en compagnie d'une artiste exceptionnelle. Savez-vous que Carla a la plus grande confiance dans le succès de ce nouveau numéro ? Elle est partie radieuse.

« — Peut-être est-ce surtout parce qu'elle va retrouver sa famille ?

« — Sa famille ? Il y a longtemps que Carla ne la voit plus ! Elle s'est enfuie de chez ses parents, qui sont d'obscurs petits commerçants de Gênes, quand elle avait seize ans. Elle ne voulait pas végéter dans une boutique d'*Olü i Vini !* Et elle a eu mille fois raison ! C'est grâce à cela qu'elle est devenue la belle artiste qu'elle est aujourd'hui. Elle a fait comme vous : elle a suivi un cirque ! C'est la vraie vocation... Vous aussi, vous réussirez, même plus vite qu'elle parce que vous avez une culture plus étendue : ce qui sert toujours, au cirque comme ailleurs.

« — Mais où est-elle donc allée ?

« — Elle ne vous l'a pas dit ?

» Il eut un clin d'œil malicieux derrière son monocle avant de continuer :

« — Ce n'est pourtant un secret pour personne ! Où voudriez-vous qu'elle aille sinon rejoindre le prince Skirnof qui doit l'attendre avec impatience dans son magnifique château de la Riviera française. Je trouve cela très bien. Le prince a beaucoup de charme et l'amour ne se commande pas ! N'est-ce pas normal aussi qu'une belle jeune femme soit amoureuse ? Le contraire ne le serait pas.

« — Vous ne pensez pas que s'il lui arrivait d'épouser ce prince elle abandonnerait le métier ?

« — Nul ne pourrait lui en vouloir, mais cela me surprendrait ! Carla nous quitter aussi vite ? Elle aime trop la vie de cirque... Quant à la voir convoler pour le bon motif avec le prince, permettez-moi d'émettre quelques doutes... Même si elle possède tout le confort et le luxe du monde, elle s'ennuierait très vite loin d'une piste ! »

» C'était la deuxième personne qui me disait la même chose sur Carla. La première avait été *Beppo*. N'était-ce pas l'indication que seul un homme de cirque pourrait faire le bonheur de mon Italienne ? Je serai cet homme ! Les paroles du *Herr Direktor* m'avaient revigoré : une demi-heure plus tard j'étais sur la piste de travail pour répéter le numéro sans Carla mais avec le cheval. Rolf Arkein tenait la chambrière en me donnant des conseils. Quand ce fut terminé et alors que je ramenais le cheval à l'écurie, il me dit :

« — N'oubliez jamais, cher monsieur Bedaine, qu'il n'y a rien de tel dans notre métier que de s'acharner au travail quand on a un peu de vague à l'âme : ça fait tout oublier... Ne me dites rien ! Je ne vous demande pas de confidences sur des choses qui ne me concernent pas.

« — Puis-je quand même savoir, Patron, pourquoi vous êtes le seul dans votre établissement à m'appeler par mon véritable nom ?

« — Je vous répondrai que c'est d'abord par politesse et qu'ensuite ce surnom d'Ernesto ne vous convient pas tout à fait... Nous le conserverons pour le numéro équestre avec Carla, mais quand vous vous serez affirmé comme clown, il faudra trouver un autre nom qui ait une consonance moins latine et qui soit surtout plus court : un nom d'une seule syllabe qui produira comme un choc électrique quand on le prononcera et qui pourra être dit par tout le monde, dans tous les pays, un nom parfaitement international. Ce qui n'ôtera rien à l'authenticité de votre nom de famille : moi j'aime bien Bedaine... Dites-moi, ça ne vous manque pas de ne pas profiter de ces semaines de relâche pour aller embrasser les vôtres ?

« — Je crois préférable pour eux actuellement que

je leur envoie un peu d'argent pour les aider : ils comprennent ainsi que leur fils n'est ni un ingrat ni un feignant. Je préfère qu'ils ne me revoient que lorsque j'aurai acquis un commencement de notoriété. Ce jour-là seulement ils cesseront d'être déçus de ne pas être les parents d'un professeur.

« — Et l'enseignement, ça ne vous manque pas ?

« — Je n'ai plus eu le temps d'y penser depuis le jour où je suis entré chez vous, monsieur Arkein ! Et je ne m'en porte que mieux ! »

» Le lendemain, pourvu de la meilleure bouteille de fine que j'avais pu trouver, je me rendis chez Wontz, le chef d'orchestre, où les choses se passèrent exactement comme *Beppo* les avait prédites. À la fin de la première expérience au piano, celui qui allait devenir mon professeur de musique me dit :

« — Incontestablement, vous avez une bonne oreille... Je pense arriver à faire de vous, sinon un virtuose, du moins un exécutant qui ignore les fausses notes. Le rêve serait qu'un jour vous deveniez aussi brillant avec un instrument de musique que lorsque vous faites des cascades dans le charivari ou des acrobaties équestres. »

» Il fut décidé que je viendrais chaque jour chez lui après le déjeuner — ce qui lui permettrait de m'initier aux sublimes secrets d'Euterpe tout en dégustant mon eau-de-vie — prendre mes premières leçons.

» Continuant à suivre les conseils de *Beppo*, je n'oubliais pas non plus de m'aventurer dans la pratique des autres disciplines acrobatiques : *Celino* — qui, dans sa jeunesse, avait été un excellent funambule — fut mon professeur de fil de fer et *Charley* mon moniteur de jonglage. La chance jouait là encore en ma faveur : n'ayant ni famille ni économies comme beaucoup de leurs confrères, ces deux excellents augustes restaient eux aussi au dépôt du cirque où ils étaient au moins logés et nourris. Ayant pu apprécier le comportement de Rolf Arkein à mon égard, je suis à peu près certain qu'ils ont dû percevoir également leurs salaires pendant cette période creuse.

» Tu vois, ami, que j'ai été fantastiquement occupé pendant les semaines de relâche! Entre les reprises équestres pour le futur numéro, la réparation et la peinture des caravanes, le maintien de la forme acrobatique au tapis, les leçons de musique chez *Herr* Wontz, celles d'équilibre sur fil sous la direction de *Celino* et celles de jonglage contrôlées par *Charley*, je n'ai pas eu le temps de m'ennuyer! Ah! j'oubliais... Je me lançais aussi dans les premiers balbutiements d'anglais avec le dompteur Hall Barnett qui était né à Manchester : cela se passait devant les cages de la ménagerie deux fois par jour, le matin vers 10 heures et en fin d'après-midi quand il surveillait le repas de ses fauves. La langue de Shakespeare était ponctuée par les grognements des tigres et les rugissements des lions : ce qui lui donnait une saveur *bitter-sweet*, ou aigre-douce si tu préfères... Aussi tu peux te douter que lorsque le soir arrivait, je me couchais — après avoir trouvé excellente la soupe de la cantine! — et m'endormais presque aussitôt sans me soucier de l'inconfort de la voiture-dortoir ni des ronflements d'un *Alfredo*, d'un *Charley* ou de tout autre de mes compagnons de misère héroï-comique!

— Je suis sûr que tu rêvais alors à Carla?

— C'est exact. Je la voyais dans le beau château de la Riviera — qui possédait autant de tours que celui du *Burghoffer* — vêtue d'une longue robe brodée d'or rappelant celle de la Belle Aude et coiffée d'un hennin... Juchée sur la plus haute des tours, le donjon, elle attendait, épiant entre deux créneaux le retour de son seigneur et maître : le beau prince russe à la moustache blonde... Et il revenait à la tête d'un escadron de cosaques, franchissant au grand galop le pont-levis qui venait de s'abaisser... Ah! le martèlement des sabots sur le tablier du pont, ressemblant à celui de la calèche du baron von Wiesenthal, combien de fois ne l'ai-je pas entendu dans ces rêves! Et voilà que, brusquement, les choses changeaient... Là-haut, sur le donjon, ce n'était plus la belle dame en hennin et en robe dorée qui envoyait des baisers au paladin qui revenait : c'était une Carla toute simple, toute naturelle, toute brune dans son tutu d'écuyère, qui souriait à un clown au gros nez rouge, aux cheveux verts et aux dents peintes au-dessus de ses lèvres, qui se traînait plus qu'il ne s'avançait, chaussé d'énormes godillots, sur le tablier du pont-levis en jouant de l'hélicon. Il venait, après des années de galipettes sur toutes les pistes du monde, prendre enfin possession de son château et de sa belle.

— Plouf, tes yeux sont pleins de larmes?

— Ami, ce que ça doit te paraître bête un fantôme qui s'attendrit sur l'un de ses rêves terrestres! Passons vite à un autre chapitre...

# LE SUCCÈS

— Plouf, après tes rêves, il y avait le réveil?

— Et l'apprentissage recommençait... Mais un matin, cela se passa une dizaine de jours avant que nous ne repartions pour la nouvelle tournée, ce réveil fut plus gai. Une nouvelle courait déjà dans la roulotte-dortoir, propagée d'auguste à auguste : « *Carla est revenue cette nuit...* » Je bondis de ma litière et courus jusqu'à sa caravane. C'était vrai : les volets, restés clos pendant toute son absence, étaient ouverts!

» Estimant que je serais bientôt son partenaire, je m'enhardis pour gravir les trois marches du petit escalier et frapper à sa porte qu'elle ouvrit en disant, sans même prendre le temps de me dire bonjour :

« — Avez-vous au moins suivi mes conseils en continuant à répéter pendant mon absence?

« — Je n'ai fait que cela et je pense que vous serez agréablement surprise.

« — Je l'espère aussi! Car je peux vous le confier : si je suis rentrée un peu plus tôt que prévu c'est uniquement parce que j'étais inquiète. Il n'y a pas de jour où je ne me disais pendant mon absence : « Est-ce qu'il travaille au moins, cet Ernesto? » Nous allons juger du résultat : j'ai dit au Patron que nous répéterions dès cet après-midi. A tout à l'heure. »

» La porte se referma sans que j'aie été admis à pénétrer dans la caravane. Ne trouves-tu pas que, comme accueil, ce fut plutôt sec? Ce qui m'agaçait le plus était que Carla — qui venait de me faire comprendre une fois de plus que le seul intérêt que j'offrais pour elle était d'être un partenaire burlesque capable de rehausser encore davantage son éclat en piste — paraissait resplendissante. Peut-être était-ce le résultat des quelques semaines de repos? A moins que ce ne fût le fait d'un amour qui s'était épanoui grâce à une vie commune? Ce séjour dans le château n'avait-il pas été marqué par la récompense d'une longue attente? *Beppo* avait eu beau me dire qu'une fille d'Italie comme Carla n'était pas du tout du genre à s'abandonner autrement que pour le bon motif, je n'étais pas tellement rassuré! Il me paraissait douteux que deux êtres jeunes et magnifiques — tout en étant sensiblement plus âgé que moi, le prince faisait encore « très jeune » et avait une prestance qui nimbait sa blondeur d'une réelle beauté — puissent cohabiter sans qu'il se passât quelque chose... Ma jalousie se transformait en tourment : même si elle ne devait jamais le devenir légalement, Carla pouvait bien être bibliquement la compagne de ce Skirnof! Ce que je vais dire va peut-être te paraître assez bête aujourd'hui en un temps où l'on n'attache plus d'importance à rien! Mais tant pis! A l'époque de ma passion naissante, un homme qui était amoureux d'une jeune femme, au point de vouloir l'épouser, n'avait qu'une pensée en tête : que son aimée fût une vraie jeune fille qu'il s'approprierait pour toujours en la rendant femme.

» Et pourtant j'aurais dû me dire qu'étant artiste et séduisante comme elle l'était, Carla avait déjà dû connaître beaucoup d'aventures? Eh bien, pas une fois cette idée ne m'est venue! Mon écuyère m'apparaissait trop éthérée et trop amoureuse de son métier pour avoir pu se commettre avec le premier venu! N'appartenait-elle pas à cette grande famille du cirque où les six mois que je venais déjà de passer m'avaient permis de découvrir qu'il existait encore un réel respect de certaines lois humaines... Seulement voilà, le prince n'était pas n'importe qui! Il avait tout pour lui alors que moi ! Mon inquiétude se transformait en une véritable hantise.

— Enfin, Plouf, tu es loin d'être un niais ! Même si tu n'avais pas encore une très grande expérience amoureuse tu devais bien sentir, à vingt et un ans, si tu te trouvais en présence d'une femme ou d'une jeune fille ?

— Tu oublies que je n'avais pas encore eu alors une véritable conversation ni le moindre tête-à-tête avec ma belle ! Nos rapports s'étaient limités aux quelques paroles échangées le jour où elle avait ri de ma maladresse pendant la première leçon d'acrobatie que m'avait donnée *Beppo,* au souper où le prince m'avait invité et aux mots strictement professionnels lancés au cours des répétitions de notre numéro. Le reste du temps je n'avais pu que rêver d'elle ! Aussi tu peux imaginer en quel état j'arrivai à la répétition !

» Le comble fut que Skirnof était là, attendant de nous revoir travailler sous le chapiteau remis à neuf et qui venait d'être remonté, assis à sa place habituelle ! Il était revenu de la Riviera avec elle ! Mais il serait donc toujours là ? Non content d'assister à toutes les représentations dans les grandes villes que « Sa Seigneurie » jugeait dignes d'Elle, il lui fallait encore les répétitions !

» Béat et souriant, heureux de vivre et d'empoisonner l'existence des autres, il parlait avec Rolf Arkein qui, la chambrière en main et obséquieux devant le plus illustre habitué de son cirque, semblait attendre pour donner le claquement d'envoi du numéro que ce dernier lui ordonne : « *Et maintenant,* Herr Direktor, *que le manège commence !* » Le cheval aussi était là, piaffant dans l'entrée de la barrière et portant, assise en amazone sur sa croupe, une Carla assez nerveuse, seulement vêtue d'un collant de travail. Moi j'attendais en maillot de corps et vieux pantalon, essayant de me faire repérer le moins possible, au dernier rang des gradins. C'était de là que je devais m'élancer, admiratif et enthousiaste, quand l'écuyère aurait fait deux tours de piste au galop, pour l'applaudir bruyamment et entrer également dans le cercle d'or après m'être dressé sur la banquette d'où je retombais en m'affalant dans la sciure.

» La répétition commença et le numéro se déroula sans le plus petit incident ni la moindre interruption, exactement tel qu'il avait été réglé avant les vacances par Rolf Arkein et *Beppo*. Un *Beppo* qui n'était pas là mais dont l'âme — je le sentais — était restée tout près de moi, m'encourageant et me soufflant à l'oreille : « *Vas-y, Ernesto ! Montre-leur, à ces sceptiques, tout ce que tu as appris entre-temps... Le Skirnof va en rester baba ! Quant à Carla, elle sera soufflée ! Ce ne sera qu'à ce moment-là qu'elle commencera à être amoureuse de toi !* » Quand ce fut terminé, la voix gutturale de *Herr Direktor* déclara :

« — C'est assez surprenant pour une première reprise après une aussi longue interruption. » Paroles auxquelles le prince joignit son approbation en me faisant de loin un signe amical du bras droit qui devait vouloir dire : « Mon cher Ernesto, nous nous retrouvons vous et moi en pleine forme ! Avez-vous au moins passé de bonnes vacances ? » Tu parles de vacances pour moi !

« — Maintenant nous allons reprendre le tout pour améliorer, si possible, quelques passages... Carla, êtes-vous prête ?

« — Oui, Patron. »

» A moi on ne me demandait pas si j'étais paré ou pas ! Je devais l'être ! Prêt à tout... Comme il n'y avait pas tellement de choses à améliorer, la deuxième exécution du numéro, puis la troisième se révélèrent aussi correctes que la première.

« — Ça suffit pour aujourd'hui, dit Rolf Arkein. Vous n'aurez plus maintenant qu'à vous entraîner régulièrement en répétant tous les jours jusqu'à la Grande Première publique qui aura lieu le samedi 12, date que j'ai fixée définitivement ce matin. »

» Pendant que nous rejoignions, elle sa caravane et moi la roulotte des augustes, Carla me dit en me regardant pour la première fois avec une certaine curiosité alors que je n'étais pas caché sous mon maquillage :

« — Vous avez fait de gros progrès.

« — Vous trouvez? » répondis-je, intentionnellement modeste. Notre conversation en resta là, mais j'avais quand même l'impression qu'il y avait une légère amélioration dans nos rapports. Ce dont ne pouvaient se douter Carla et son protecteur, c'était tout ce que j'étais en train d'apprendre!

» Dix minutes plus tard, le *ringmaster* entrait dans la roulotte-dortoir pour m'annoncer avec sa solennité coutumière :

« — M. Arkein vient de décider qu'étant donné que vous êtes maintenant dans un numéro, vous cesserez de faire partie du charivari et des entrées des augustes.

« — Pourquoi? Je l'aimais bien ce charivari! Je m'y sentais à mon aise et ça me dérouillait les muscles pour la suite du spectacle.

« — Le patron a raison : il estime que ce serait une erreur de dévoiler votre silhouette comique au public avant votre entrée équestre qui passera dans le programme en deuxième partie, juste après le numéro des volants.

« — Formidable! Une vraie place de vedette!

« — Par contre, comme tous les artistes, vous participerez au défilé de la parade finale.

« — En portant toujours le drapeau belge?

« — Mais non! Porter les drapeaux est une spécialité qui n'est réservée qu'aux bareiters. Vous viendrez saluer en piste en compagnie de Carla.

« — Qui défendra alors les couleurs de mon pays?

« — Un Tchèque ou un Polonais.

« — Aucun n'acceptera puisque personne n'a voulu le faire avant moi!

« — Maintenant c'est différent. Celui qui présentera ce drapeau aura la conviction que vos trois couleurs portent chance : La preuve : n'êtes-vous pas passé très rapidement au rang d'artiste? Il pensera qu'à lui aussi ça pourra lui arriver.

« — Serait-ce trop demander, maintenant que je ne fais plus partie de la troupe des augustes, de loger dans un véhicule un peu plus confortable?

« — Que voulez-vous dire ?

« — Oh ! Je ne réclame pas un palais roulant comme celui de M. Arkein, ni même une caravane du genre de celle de Carla ou d'autres personnes... Je me contenterais de quelque chose d'infiniment plus modeste où j'aurais au moins un coin à moins tout seul... Parce que sincèrement, *Herr* Schumberg, j'en ai assez de cette roulotte avec tous ces dormeurs qui ronflent !

« — C'est là une question à laquelle je ne peux pas répondre. Il faudra vous adresser directement au Patron. Au revoir, monsieur Ernesto.

« — Comment avez-vous dit ? Je n'ai pas très bien compris ?

« — J'ai dit « Monsieur »... Un usage veut qu'au cirque le *ringmaster* s'adresse toujours aux artistes en les appelant monsieur, madame ou mademoiselle.

« — J'aime beaucoup cet usage ! Et vous avez bien dit monsieur Ernesto ? Il n'y a donc plus de Ernst pour vous ?

« — Ernesto est maintenant votre nom d'artiste puisque votre numéro va s'appeler *Carla et Ernesto.*

« — Mais tout cela est merveilleux ! *Auf Wiedersehen, Herr* Schumberg !

» Ami, mes affaires progressaient...

— Raconte-moi maintenant la soirée de ta Grande Première.

— Selon une vieille tradition le *Circus Arkein* avait quitté son dépôt de la banlieue de Hambourg pour aller s'installer sur une vaste place en plein centre de la ville.

— Vous avez effectué ce déplacement en faisant la parade publicitaire ?

— Naturellement, Hambourg y avait tout autant droit que Munich.

— Quelle place occupais-tu dans le défilé ?

— Ce fut la dernière fois de ma vie que j'endossai l'uniforme de valet de piste : je menais par la bride le cheval de notre roulotte-dortoir d'augustes.

— Tu ne faisais donc pas le pitre sur la chaussée avec tes camarades de charivari ?

170

— Non, puisque tout en n'étant pas encore un « artiste consacré », je n'étais déjà plus un auguste de piste! Mais ça ne m'a pas tellement chagriné ce jour-là de marcher en pleine rue à côté d'un cheval : ma voiture, qui portait le numéro 24, n'était plus la dernière! Entre la 24 et la 31 — mon ex-voiture — on comptait six roulottes! J'étais même presque fier : il y avait du monde derrière moi.

» Tu ne peux pas savoir ce qu'a été pour moi cette représentation de Hambourg! Et Dieu sait pourtant si, par la suite, j'en ai connu des Premières dans tous les pays et dans toutes les capitales où je suis passé! Seulement aucune n'égalera celle de Hambourg et ceci pour une raison primordiale : le chapiteau n'y était comble qu'à cause du nom CIRCUS ARKEIN dont la renommée était immense et nullement pour moi ou pour tout autre artiste. Ce n'est que beaucoup plus tard que les gens sont venus dans des cirques ou dans des music-halls pour y applaudir PLOUF la vedette mondiale... C'est là toute la différence!

» Quand on a la chance d'être devenu une super-vedette, on n'a plus aucun mérite... On l'a eu avant, pendant les années où l'on a gravi péniblement les échelons de la renommée. Ensuite le seul effort à faire consiste à se maintenir au niveau de sa réputation en faisant avec le plus de conscience possible le numéro miraculeux qui n'est plus qu'un travail de précision. Et il faut surtout prendre soin de ne pas le modifier, sinon les gens vous le reprochent. Le public veut vous voir, vous revoir et vous applaudir pour les mêmes effets et pour les mêmes blagues — qui sont votre exclusivité puisque vous les avez imaginés et mis au point — qu'il connaît le plus souvent par cœur!

» C'est très étrange cette fidélité du public à l'image qu'il s'est faite d'un artiste : il ne veut pas qu'elle bouge! Devenu célèbre, j'ai été condamné à rester Plouf et à ne plus sortir de ce personnage. Deux ou trois fois, alors que j'étais ainsi au sommet de ma carrière, j'ai été tenté de me renouveler en apportant quelques variantes au numéro. Ah! Quel chahut! Tous les critiques m'ont matraqué et j'ai même été sifflé par un public qui, pourtant, me chérissait... Tandis qu'au temps où je n'étais encore que l'illustre inconnu Ernesto — ce qui était le cas à Hambourg — j'avais le droit, à condition de respecter le thème général du numéro qui était la parodie équestre, de faire pratiquement tout ce qui me passait par la tête! Et plus j'en remettais, plus je faisais rire! L'amateur de cirque, qui est à la fois le meilleur et le plus difficile des spectateurs, sait se montrer indulgent pour un débutant s'il sent que celui-ci en á dans le ventre. Il l'encourage en rêvant de le voir percer... Et si cela se produit, il est très content! Il a l'impression d'avoir fait une découverte avant tous les autres spectateurs! C'est exactement ce qui m'est arrivé le samedi 12 mars à Hambourg — jamais je n'oublierai cette date! — il y a de cela soixante et onze ans... As-tu seulement assisté à la Première d'un grand spectacle de cirque?

— J'ai connu le Gala de l'Union.

— Désastreux! On n'y voit que des amateurs qui nous copient mal! J'ai toujours eu la conviction que si les gens de cirque se mettaient à jouer la comédie, ils seraient infiniment moins mauvais que les comédiens qui s'aventurent sur la piste!

— J'ai assisté aussi au Gala de la Piste.

— Ça, c'est meilleur! Tous les numéros exécutés par des professionnels ont été soigneusement triés. Si nos spectacles réguliers pouvaient être de la même classe que ceux de cette manifestation, donnée au profit d'artistes dans le besoin ou handicapés, le cirque deviendrait le plus beau spectacle du monde! Car, au spectacle qui se déroule sur la piste, il faut ajouter celui de l'élégance de la salle. Il n'y a rien de plus flatteur pour le regard que la vue circulaire d'un cirque où tous les spectateurs sont en tenue de soirée! La forme même du lieu de spectacle permet à chacun de pouvoir admirer ou jalouser ses vis-à-vis placés de l'autre côté de la piste, ce qui n'est pas possible dans un théâtre où tous les yeux restent obligatoirement dirigés vers la scène.

» Tu me croiras si tu veux mais à la Première de Hambourg tous les hommes — à l'exception de Skirnof qui avait revêtu le plus éclatant de ses uniformes blancs; celui-là même que tu as pu voir sur le portrait du fumoir pendant ta visite du château — portaient l'habit et les femmes des robes dont les décolletés permettaient de savourer l'éclat de bijoux qui étaient vrais. Les fourrures aussi étaient admirables! C'était une époque où l'on n'admettait pas le toc... Tout devait être vrai : la qualité de la salle et celle du spectacle. Ça brillait, ça scintillait, c'était la féerie!

» J'avais un trac épouvantable! Ce qui était d'autant plus étrange que je n'avais encore jamais connu cet état d'âme très particulier où une nervosité presque maladive se mêle à l'exaltation et au doute. Même le soir où j'avais franchi la banquette à Binden pour faire la conquête de mes élèves, je n'avais pas eu la moindre appréhension! Il faut dire que j'étais un néophyte et que ce genre d'individu a rarement le trac : son inconscience le fait foncer parce qu'il ne sait pas ce qui l'attend... Ensuite, pendant mes quelques mois de charivari et de reprises comiques avec la troupe d'augustes, je n'avais pas non plus trop souffert du trac : ceci sans doute parce que nous étions nombreux en même temps en piste. L'union fait la force, particulièrement dans le rire qui se transforme vite en contagion. Mais le soir du fameux 12 mars j'avais l'impression que, malgré tout le maquillage qui cachait complètement mon vrai visage, tous les gens que je croisais me voyaient verdâtre de peur! Atroce illusion qui me faisait passer des frissons sur tout le corps! Je n'avais plus qu'une idée : m'enfuir le plus vite possible, loin de cette piste qui était toute proche... J'étais persuadé que j'allais m'y révéler lamentable et que tout ce beau monde élégant me conspuerait avec encore plus d'ironie et de méchanceté que le soir de ma deuxième expérience en compagnie des *Viva Lotta!* Et ce ne serait pas de médiocres clowns espagnols qui pâtiraient de ma nullité mais Carla, l'adorée!

» Une Carla qui — je devais bien le reconnaître —

n'avait pris la décision de modifier son remarquable numéro d'écuyère en y introduisant un personnage burlesque que sous la pression affectueuse et efficace du prince. S'il n'avait pas été là, c'est Carla elle-même qui me l'a confié plus tard, elle n'aurait rien changé et se serait contentée de poursuivre tranquillement sa carrière avec un numéro immuable.

— En voyant les choses avec le recul du temps, estimes-tu que cela aurait mieux valu pour elle?

— C'est là une question que tu pourras lui poser toi-même quand je lui demanderai de sortir elle aussi de sa tombe pour venir faire ta connaissance. Pour moi c'est très délicat de te répondre... La seule chose que je puisse dire est que j'ai la conviction que, si je n'avais pas été incorporé dans le numéro, Carla ne serait jamais devenue mon épouse!

— En somme, c'est à Skirnof que tu dois ton bonheur conjugal?

— D'une certaine façon, oui... Carla aussi le lui doit! C'est la raison pour laquelle, même après sa disparition, il a continué à vivre dans notre intimité.

— J'ai compris cela pendant la visite des lieux en compagnie de la fidèle Esther : le portrait placé à côté des deux vôtres, la chambre de style russe conservée intacte, la salle de bains en marbre rose...

Plouf restait silencieux comme s'il revivait d'étranges souvenirs et, brusquement, il reprit :

— Je sais très bien que pour quelqu'un comme toi, qui n'a pas vécu notre vie, une pareille fidélité à la mémoire d'Alexys doit paraître assez bizarre...

— Surtout s'il a été l'amant de Carla avant qu'elle ne t'épouse!

— Je te trouve bien indiscret! Mais l'indiscrétion n'est-elle pas parfois une preuve d'amitié? C'est pourquoi je réponds maintenant à une question qui, je le sens, te brûle la langue.

Et, perdant la douceur qu'elle n'avait pas cessé d'avoir jusque-là, sa voix se fit plus forte, plus rauque aussi, pour lancer :

— Eh bien non! Skirnof n'a jamais été l'amant de

Carla qui, je te le garantis, n'a connu physiquement qu'un seul homme dans sa vie : ton serviteur ! Comme moi, Carla avait des principes... C'est pourquoi nous avons recommencé à être le plus heureux des couples quand je l'ai retrouvée dans la mort après trois années de séparation. Nous avons pu vérifier que, de notre vivant, nous n'avions fait aucune entorse à notre contrat d'amour. Nous ne nous sommes rien caché.

— Toi aussi tu as su lui rester fidèle jusqu'au bout ?

— Ça t'étonne, n'est-ce pas ?

— Cela me ravit ! Et ça cadre très bien avec l'image de plus en plus nette que je commence à me faire de celui que tu as dû être quand tu étais de ce monde : un homme sincère qui n'a toujours eu que deux passions : « sa » compagne et « son » métier.

— En réalité j'en ai eu trois mais je n'ai pas encore eu le temps de te parler de la troisième : le bricolage...

— Que veux-tu dire par là ?

— En vrai fils d'ouvrier, j'ai toujours été très habile de mes mains. Tu comprendras mieux quand je te ferai visiter mon atelier.

— Le fameux atelier dont Esther m'a parlé... Et qu'est-ce que tu y fabriquais ?

— Des montres de précision.

— Pas possible ?

— Des montres que j'ai faites uniquement pour mon plaisir et pas pour le commerce. La preuve, c'est que je les ai conservées : elles sont exposées dans une vitrine placée dans l'atelier et toutes continuent à marcher.

— Dix ans après ton départ ?

— Marcello a la charge de les remonter tout les huit jours. J'avais prévu cette clause dans mon testament... Il s'acquitte aussi scrupuleusement de sa mission que de l'entretien de mon portrait floral : c'est un consciencieux. D'ailleurs je le surveille, sans qu'il s'en doute ! A chaque fois que je quitte mon tombeau pour faire une petite escapade comme ce soir, je ne manque jamais de passer par l'atelier pour voir si les aiguilles tournent... C'est grâce à cela que le temps ne s'est jamais arrêté dans ma demeure !

— Tu es véritablement le plus étonnant fantôme que l'on puisse rencontrer! Revenons à ton trac le soir de ta Première?

— Plus le moment de l'entrée du numéro approchait et plus il augmentait! De temps en temps je jetais un coup d'œil par la fente du rideau rouge pour voir si tout se passait à souhait sur la piste! Le nouveau spectacle, parfaitement au point et bien dosé par le Patron, se déroulait de moments d'émotion en applaudissements et d'applaudissements en rires dispensés par la troupe des augustes dont *Charley,* mon professeur de jonglage, était devenu la tête de file. Il remplaçait le cher *Beppo...* Ah! ce qu'il pouvait me manquer, celui-là! Lui seul aurait réussi à me faire vaincre mon trac en me disant je ne sais quelle bêtise ou même en clamant de sa voix éraillée : « *Ne t'en fais pas, Ernesto! Ça ira comme sur des roulettes et, quand tu ressortiras de piste, le moment le plus important sera celui où on ira tous s'offrir un verre pour fêter ton succès!* »

» Seulement voilà : il n'était pas là! J'ai dû me débrouiller tout seul avec mon trac.

— Mais il y avait Carla! Elle aurait pu t'encourager?

— Si tu crois qu'elle y songeait! Elle-même était suffisamment angoissée pour ne penser qu'à elle : ce qui était normal puisqu'elle courait beaucoup plus de risques que moi! Elle était déjà connue et applaudie, pas moi! Même si les gens de métier trouvent aux répétitions qu'un numéro est bon, on ne le sait vraiment qu'après son rodage devant le public. Carla n'avait peut-être pas le même genre de trac que moi mais elle était inquiète. Et pourtant! Elle était véritablement ravissante dans le nouveau tutu de tulle bleu qu'elle s'était fait faire pour remplacer celui de son ancien numéro qui était blanc. Etait-ce parce qu'elle allait travailler maintenant avec un partenaire qu'elle avait pris pareille décision? A moins que ce ne fût, une fois de plus, sur les conseils du prince?

» Enfin le grand moment arriva. Pendant que Carla attendait sur son cheval l'instant où le rideau s'ouvrirait pour lui permettre de se lancer au galop sur la piste, je pénétrai moi-même sous le chapiteau par une petite entrée latérale, maquillé et vêtu de mes défroques. Je m'assis le plus discrètement possible, et en essayant de ne pas trop me faire remarquer, sur l'extrémité d'une banquette située tout en haut du cirque, au dernier rang des gradins. Evidemment, mes plus proches voisins, à côté ou devant moi, furent quelque peu étonnés de voir un pareil clochard débarquer dans une telle Grande Première mais très vite, ayant compris le « chut » amical que je leur faisais du doigt, ils devinrent presque mes complices. Dès que Carla eut terminé son deuxième tour de piste, debout sur les pointes et en équilibre sur la croupe du cheval, je me levai en applaudissant à tout rompre et en criant : « *Bravo! Bravo! Bravo! Qu'elle est jolie la demoiselle!* » Et je descendis, sans me presser, de gradin en gradin jusqu'au niveau de la banquette en essayant d'entraîner les différents rangs de spectateurs dans mon enthousiasme de pauvre hère qui n'a rien vu d'aussi beau et qui s'esclaffe d'admiration.

» La silhouette comique, que j'avais fignolée pendant les semaines de relâche, et le rire — que j'avais longuement travaillé, d'abord sous la direction de *Beppo* et, après son départ, en écoutant les conseils de *Celino* et de *Charley* — devaient être très réussis puisque la salle tout entière, qui ne s'attendait nullement à mon intrusion intempestive dans le numéro de grâce et de beauté, partit d'un grand éclat qui déferla du haut en bas et qui ne trompait pas. A cette seconde je compris que j'avais gagné la partie dès mon entrée. Il n'y avait plus qu'à exploiter à fond ce début de succès. « *Quand tu sens que le rire commence à t'entourer,* m'avait dit Beppo, *ne le lâche surtout plus et cramponne-toi après lui avec tous les trucs que je t'ai appris! Le fou rire d'une salle, c'est l'eau bénite des clowns!* » Je te jure que, ce soir-là, j'ai suivi ces conseils tout en prenant soin cependant de ne pas gêner le travail sérieux et ravissant de Carla... Dès qu'elle avait réalisé une prouesse acrobatique sur son cheval, je laissais le public l'applaudir et j'enchaînais aussitôt avec une cascade à terre destinée à attirer l'attention de la belle jeune femme qui, elle, ne devait pas s'intéresser à mes piètres prouesses... Le numéro était le reflet exact de ma véritable situation amoureuse à l'égard de l'Italienne! Comme mes cabrioles et mes pirouettes ne servaient à rien, je courais ridiculement derrière le cheval, sur lequel la grâce triomphait, en tendant une rose dont elle ne voulait pas et en répétant : « *Mademoiselle Carla, je vous aime... Je vous offre mon cœur...* » Le cœur apparaissait en carton, sortant de ma poitrine et remplaçant la rose dans ma main. Carla n'en voulait pas non plus! Comme la rose, le cœur allait se perdre dans la sciure, remplacé aussitôt par un écrin extirpé de l'une des basques de ma vieille jaquette râpée et dans lequel un solitaire, plus gros que n'importe quel bouchon de carafe, brillait de mille feux... Mais c'était peine perdue! Comprenant dans ma pauvre cervelle d'auguste misérable que tous mes efforts tentés jusque-là étaient vains, je sortais de piste en hurlant comme un enfant auquel on a refusé un beau jouet et en pleurant comme savent pleurer les clowns : deux longs jets d'eau, actionnés par une poire en caoutchouc dissimulée dans ma main gauche, giclaient de mes yeux en inondant au passage tous les bareiters en uniforme.

» Cette sortie était voulue pour permettre à Carla d'accomplir pendant un tour complet de piste au galop un équilibre d'une seule main sur la croupe du cheval : exercice rarissime que je n'ai jamais vu réussir par aucune autre écuyère depuis elle! Incroyable prouesse qui se terminait sous un crépitement d'applaudissements justifiés.

» Je réapparaissais, mais cette fois sur un deuxième cheval de voltige qui entrait lui aussi au galop en me portant également debout sur sa croupe, transformé en une écuyère d'un genre assez rare qui avait le tour de taille ceint d'un tutu rose, une poitrine énorme faite de deux ballons gonflés et glissés sous un maillot rose lui aussi, une face d'auguste peinturlurée et hilare surmontée d'une perruque jaune et bombée où était planté un immense nœud papillon rouge, une bouche enfin, démesurée, qui s'élargissait encore dans une grimace se voulant enjôleuse et destinée à tous les beaux messieurs des fauteuils du premier rang.

» C'était à ce moment que le numéro prenait une autre dimension. Mon cheval galopait à quatre mètres derrière celui de Carla : galop à l'unisson merveilleusement réglé par Rolf Arkein qui, ayant décidé de présenter lui-même le numéro, régnait au centre de la piste en maniant sa chambrière en douceur avec ce doigté que seuls possèdent les maîtres écuyers. Alors commençait une alternance d'exercices sérieux et de leurs parodies comiques. Tout ce que Carla réussissait en beauté, je le faisais immédiatement après elle en le ratant sous les rires. Le public comprenait que je voulais faire aussi bien qu'elle, même mieux qu'elle pour l'éblouir, mais que je n'y parviendrais jamais ! Il y avait toujours quelque chose qui clochait : l'un de mes seins en ballon s'envolait dans la salle, l'autre crevait quand je m'affalais sur la croupe du cheval, ma perruque faisait demi-tour sur mon crâne et je me retrouvais aveuglé par le chignon, mon tutu enfin me faisait des infidélités en glissant le long de mon collant couleur chair recouvert de longs poils ! Il me fallait le remonter sans cesse tout en m'efforçant de rester « gracieuse » et cela toujours au galop ! Le numéro continuait à être l'exhibition publique de l'incompréhension existant entre Carla et moi : elle n'était faite que pour triompher et moi seulement pour faire rire !

« Vers la fin, mon cheval, toujours guidé par la chambrière attentive du patron, se rapprocha insensiblement de celui de Carla. Quand ses naseaux ne furent plus qu'à un mètre de la queue de son prédécesseur — et alors que personne parmi les spectateurs ne s'attendait à un pareil exploit — Carla s'envola de la croupe de son cheval et, grâce à un fabuleux saut périlleux en arrière, retomba debout sur celle de ma monture à quelques centimètres devant moi. A cette seconde rare mon rôle essentiel consistait à écarter les bras pour la rattraper ou pour lui éviter le pire, c'est-à-dire la chute grave, si elle manquait l'exercice. Je m'empresse de te dire tout de suite que cela ne s'est jamais produit. Pendant quelques minutes il y eut un silence : la salle restait frappée de stupeur... Moi aussi d'ailleurs ! Seulement pour moi le saisissement était voulu et préparé : il était conçu de telle façon que c'était moi, après la retombée de Carla sur mon cheval, qui m'écroulais sur la piste dans une cascade soigneusement orchestrée. Et pendant que l'écuyère s'engouffrait au galop, toujours debout sur la croupe, dans le couloir de la barrière, je la poursuivais en courant à pied et en criant, désespéré : « *Mademoiselle... Mademoiselle... Vous êtes encore plus belle que tout à l'heure !* » Mais le public ne me laissa pas le temps de terminer cette phrase : une fantastique ovation accueillit notre sortie. Nous revînmes saluer non pas une, mais deux fois, trois foix, dix fois... Hambourg ne voulait plus nous lâcher ! Ce fut à moi, le partenaire misérable, que revint l'honneur de remettre à Carla le bouquet d'orchidées que, selon sa galante habitude, lui avait fait envoyer le prince. Honneur qui, pendant la tournée précédente, avait été réservé à *Beppo* qui devait se hisser sur ses petites jambes pour recevoir le baiser de la triomphatrice. Moi aussi je fus embrassé sur mon maquillage, ruisselant de sueur et où dégoulinaient les fards, par une Carla qui pleurait de joie.

— Et Skirnof, quelle tête faisait-il pendant ce temps-là ?

— J'avais autre chose à faire que de le regarder à ce moment-là ! D'abord, pour la première fois depuis que j'étais chez Arkein, je ne me suis pas préoccupé une seule fois de sa présence pendant toute la durée du numéro ! C'est le bouquet final qui m'a rappelé qu'il devait être là, dans son fauteuil. Pour la première fois aussi, je trouvai merveilleux ce bouquet ! Des fleurs magiques qui avaient obligé Carla à plaquer, malgré elle, et devant des milliers de gens, ses lèvres sur ma joue peinturlurée... Je me fis aussitôt une promesse : la prochaine fois qu'elle m'embrasserait — pourquoi ne serait-ce pas dès demain après notre deuxième appari-

180

tion ensemble sur la piste ? — ce ne serait pas sur ma joue mais sur mes lèvres !

— Ça s'est produit ?

— Non mais j'ai commencé à cesser d'être inquiet... Je savais que tôt ou tard un jour viendrait où « mon » Italienne m'embrasserait sans que je sois grimé en auguste.

— Je comprends mieux pourquoi le samedi 12 mars t'a laissé un souvenir aussi impérissable ! Que s'est-il passé ensuite ?

« — Fait sans précédent depuis le jour où il m'avait accepté dans son cirque, Rolf Arkein nous dit, alors que nous sortions enfin de piste après tous les rappels :

« — A l'issue de la représentation vous viendrez dans ma caravane où nous sablerons le champagne pour fêter un double événement : là Première de cette nouvelle tournée et le triomphe de votre numéro... Bien entendu, ma chère Carla, je vous demande de vous faire mon interprète auprès du prince Skirnof pour le prier d'accepter de se joindre à nous. »

» Un quart d'heure après le défilé final, les invités du patron étaient réunis dans sa somptueuse voiture devant un buffet bien garni préparé avec minutie par une Greta Arkein qui portait toujours ses anglaises de plus en plus oxygénées et une robe du soir vert épinard — couleur chère à l'Allemagne — dont le décolleté généreusement adipeux était un défi à la discrétion ! Mais cela n'ôtait rien à sa gentillesse car, je te le répète, Frau Arkein était réellement ce que l'on appelle une brave femme. Elle allait de l'un à l'autre, minaudant et proposant des assiettes surchargées de *Delikatessen*.

— Les autres artistes de la troupe avaient été également ment conviés chez le *Herr Direktor* ?

— Où aurais-tu voulu qu'il les mette dans sa caravane ? Celle-ci avait beau être grande, il y avait plus de cent artistes dans le cirque ! Par contre, je sus par mes anciens complices *Celino* et *Charley* que tous, sans exception, avaient reçu des bouteilles de champagne offertes par le très grand seigneur qu'était Skirnof et

qui n'avait à mes yeux qu'un seul défaut : celui de cour-
tiser celle qui m'était destinée de toute Eternité. Ayant
moi aussi une dette de reconnaissance à l'égard du
prince, j'étais de plus en plus gêné malgré l'euphorie du
triomphe.

» Rolf Arkein, lui, était satisfait. Ce qui se traduisit
par les nombreux toasts qu'il porta avec sa verve
gutturale :

« — Mesdames, Messieurs, je tiens d'abord à lever
mon verre en l'honneur de notre plus grand ami à tous,
Son Excellence le prince Alexys, qui a eu l'idée de ce
numéro...

» Le Russe, qui ne manquait pas d'humour, souriait
sous sa moustache pendant que nous l'applaudissions
avec la discrétion qui s'imposait pour un personnage
de sa qualité.

« — Je bois maintenant, continua le *Herr Direktor,*
à notre merveilleuse petite fée de la piste, Carla, qui a
eu l'intelligence d'accepter dans son numéro un partenaire dont la présence insolite a renouvelé le genre... »

» Les applaudissements, et particulièrement les
miens furent plus nourris.

« — Je ne peux d'ailleurs pas, poursuivit Arkein, dis-
socier ce partenaire de ce triomphe. Ce soir, mon cher
Ernesto, vous avez justifié cette confiance que j'ai eue
en vous dès notre premier entretien en cessant définitivement de n'être qu'un petit professeur pour devenir
un authentique homme de cirque... »

» Successivement le Patron, son épouse et Carla me
serrèrent la main pour me prouver que l'alliance était
scellée entre nous et que j'étais accepté dans le métier.
Skirnof, lui aussi, me serra la main mais en prenant
tout son temps pour dire :

« — Le soir où vous m'avez tiré la langue et fait un
pied de nez pendant le charivari, j'ai compris que nous
étions devenus des amis... »

» Affirmation qui me laissa pantois. Enfin, devenant
de plus en plus lyrique, la voix du *Herr Direktor* se fit
presque tendre pour dire :

« — Je ne veux pas oublier celle qui a été ma compagne des bons et des mauvais jours, Madame Arkein mon épouse, qui m'a toujours encouragé à persévérer dans notre difficile métier et qui m'a toujours conseillé de penser en être humain avant d'agir en directeur... »

» Là, j'ai applaudi très fort : j'avais une tendresse respectueuse pour cette femme un peu ridicule dont le cœur était aussi gros que sa personne. Enfin, retrouvant sa voix de stentor pour le toast final, Arkein clama :

« — Je lève encore mon verre à la prospérité grandissante du cirque en général et du mien en particulier... Mesdames, Messieurs, au *Circus Arkein!* »

» La réponse en chœur fut « Au *Circus Arkein!* » et nous bûmes tous un champagne qui avait eu tout le temps de tiédir. Avant que nous ne nous séparions, le prince me demanda avec son fair-play habituel :

« — Mon cher ami... Vous me permettez, je pense, de vous appeler ainsi désormais?... Mon cher ami, nous ferez-vous le plaisir de souper avec Carla et moi pour que nous continuions à fêter l'événement? Je n'invite pas M. et Mme Arkein parce que je les connais : ils ont toujours refusé mes invitations en ville! Ils préfèrent rester en tête à tête pour commenter la soirée : ce sont de vrais amoureux! Mais comme je sais, cher ami, que ce n'est pas votre cas puisque vous êtes seul, je me permets d'insister pour que vous veniez.

» S'il avait vu, ce Skirnof, le rouge qui m'est alors monté au visage! Seulement il ne le pouvait pas : j'étais encore maquillé! Il n'avait donc pas compris, ce prétentieux, que je n'avais nulle envie de finir une soirée pareille en sa compagnie? N'étais-je pas déjà largement comblé, ayant reçu mon premier baiser? Que pouvais-je demander de plus pour le moment? Le grimage me rendit service :

« — Prince, je vous remercie infiniment mais j'ai un tel maquillage qu'il me faudra au moins une heure pour m'en débarrasser! Je vous ferais trop attendre et, après les prodigieuses performances physiques qu'elle vient de réaliser, Carla doit mourir de faim... Si vous le voulez bien, ce sera pour un autre soir. »

» Pour la première fois je vis filtrer dans le regard de Carla une lueur de déception : ce qui ne me déplut pas. Eprouvait-elle déjà le besoin de ne plus pouvoir se passer de son partenaire ?

« — Carla et moi, reprit Skirnof, regrettons votre décision mais nous comprenons aussi qu'après l'extrême tension que vous venez de connaître ce soir vous ayez besoin de repos. Si vous le voulez bien, nous nous retrouverons demain après-midi à quatre heures sur la piste.

« — Pour une nouvelle répétition ?

« — Ce serait une erreur, cher ami ! Le numéro est au point. Vouloir l'améliorer serait une hérésie : le mieux n'est-il pas l'ennemi du bien ? Si je vous demande d'être là tous les deux costumés et maquillés, c'est pour la préparation de l'affiche que je vous ai promise. Il faudra aussi que les deux chevaux soient là : ceci pour expliquer à l'artiste qui m'accompagnera et qui est l'un des plus grands peintres affichistes existant actuellement, comment se déroule le numéro dont vous n'aurez qu'à simuler les principales phases. Cet artiste, mon compatriote, arrivera spécialement de Petrograd demain matin. Il ne peut rien me refuser : j'ai eu l'honneur de parrainer, il y a déjà une dizaine d'années, sa première exposition. Demain après-midi il fera votre connaissance et prendra quelques croquis préliminaires avant de voir, le soir, en ma compagnie, l'exécution du numéro devant le public. Ce qui lui permettra de rectifier ses premières impressions. Et, dans quelques jours, il nous présentera une maquette certainement sensationnelle ! Si elle convient, je la ferai aussitôt envoyer à une imprimerie spécialisée dans ce genre de travail, où l'on tirera le nombre d'exemplaires nécessaires pour qu'on puisse la voir sur tous les murs et tous les panneaux publicitaires qui jalonneront cette nouvelle tournée. Malheureusement, nous ne les aurons pas pour ces trois premières semaines de représentations à Hambourg, mais d'ici deux mois elles vous précéderont partout ! Ce qui me semble devoir être plus utile qu'ici où votre réputation est faite depuis ce soir.

184

A demain donc, cher ami, et merci encore, à vous Madame et à votre époux, pour une aussi charmante réception. »

» Après son départ avec Carla je me retrouvai seul en compagnie du couple Arkein.

« — Encore un peu de champagne, monsieur Bedaine ?

« — Vous nous avez déjà tellement gâtés, Patron, que je ne sais comment vous remercier ainsi que Mme Arkein.

« — Le prince Skirnof a eu d'excellentes idées : celles du numéro, de l'affiche... Non seulement c'est un parfait gentleman mais aussi un homme de parole. Il m'a confié qu'il trouvait que vous aviez beaucoup de talent et qu'il pensait que, si vous persévériez, vous iriez très loin.

« — C'est très aimable de sa part, mais enfin il n'est qu'un amateur. Le seul avis qui compte pour moi est le vôtre. Que pensez-vous de moi, Patron ?

« — Toujours la même chose : que vous avez une nature. C'est encore plus important pour la profession de clown que pour n'importe quelle autre spécialité du cirque. Il ne faudra d'ailleurs pas vous en tenir à ce premier succès : vous ne pouvez pas éternellement vous limiter à la parodie équestre. Pour cette tournée ce sera parfait, mais il faudrait trouver une entrée toute différente pour l'année prochaine.

« — C'est exactement ce que m'a dit *Beppo* avant son départ...

« — *Beppo* était un nain de génie qui avait le tort de ne pas pouvoir résister à la boisson : ce qui le rendait parfois agressif et l'entraînait dans des bagarres aussi regrettables que celle qui m'a contraint à me passer de son talent. Je ne pouvais pas ne pas donner un exemple, sinon la discipline de mon cirque se serait immédiatement relâchée ! Et ça, je ne le veux pas ! Croyez bien que je regrette autant que vous ce petit bonhomme... Comme meneur de charivari, il est irremplaçable. Mais parlons plutôt de vous : y a-t-il quelque chose qui vous ferait plaisir ? »

» Si tu avais été à ma place, ami, qu'est-ce que tu aurais fait ? Tu te serais dit : « Quelque chose qui me ferait plaisir, Patron ? Mais, de l'augmentation ! » Depuis le temps que j'attendais ce moment ! Les conditions me paraissaient idéales : le triomphe du numéro, la protection du prince, le sourire complice de la grosse Greta qui semblait me conseiller : « Allez-y ! Parlez, jeune homme ! Dites à mon époux tout ce que vous avez sur le cœur... Vous verrez, malgré l'apparence, c'est un excellent homme qui n'a rien d'un ogre et qui ne dévore pas ses artistes. Il les aime trop ! » Aussi me suis-je risqué :

« — Vous serez le premier à reconnaître, Patron, que depuis le jour de mon engagement je ne vous ai jamais importuné avec des questions d'argent... »

» Le colosse coupa court :

« — Ne me parlez surtout pas d'augmentation ! C'est un mot dont j'ai horreur et qui risquerait de mettre fin à la bonne harmonie de nos rapports... Ce sera moi seul qui déciderai de vous augmenter quand le moment sera venu. Ce soir vous avez prouvé que vous aviez l'étoffe d'un excellent auguste... Seulement en sera-t-il de même demain et les jours suivants ? Sans vouloir vous remettre en mémoire, après ce succès, certains souvenirs qui ne sont pas si lointains, je vous répète que la valeur et la réputation d'un artiste ne s'affirment qu'à l'usage. Donc, nous attendrons un peu pour ce dont vous vouliez me parler...

« ... De plus, contrairement à ce que vous pouvez penser, vous n'avez pas besoin de tellement d'argent en ce moment ! C'est vrai : grâce à moi vous commencez à apprendre sérieusement votre métier. Non seulement vous êtes logé et nourri mais vous avez la chance d'avoir à votre disposition, sans bourse délier, des professeurs d'acrobatie comme *Charley* et *Celino,* un professeur de musique de la classe de Wontz, mon chef d'orchestre — vous voyez que je suis au courant de tout ce qui se passe dans mon établissement ! — la plus ravissante des écuyères pour partenaire, de très bons chevaux de voltige que je mets à votre disposition et

moi-même, votre directeur, pour tenir la chambrière...
Ajoutez à cela l'affichage intensif dont vous allez bénéficier grâce à la munificence du prince et qui va révéler aux foules pendant huit mois la silhouette d'Ernesto! Franchement, jeune homme, qu'est-ce que vous voulez de plus? Peut-être que je débaptise mon cirque pour lui donner votre nom? Ce serait une erreur : CIRCO ERNESTO serait une piètre enseigne en comparaison de CIRCUS ARKEIN! C'est à ce nom magnifique et célèbre depuis plus d'un quart de siècle que vous devez le départ de votre carrière! C'est un honneur qui n'est pas donné à tout le monde que de pouvoir travailler chez moi! Si vous saviez le nombre de lettres suppliantes que m'adressent chaque année des dizaines d'artistes chevronnés pour que je les fasse passer dans mon cirque! Il y en a même qui m'offrent de venir pendant une saison entière sans se faire payer! Ceci uniquement parce qu'ils savent qu'avoir été engagé au *Circus Arkein* est la plus fantastique des références! Sachez que lorsque l'on a travaillé une seule saison chez moi, on trouve des contrats pour cinq années dans tous les cirques d'Europe et même des Etats-Unis! Et vous alliez me demander de l'augmentation! Vous devriez me remercier de ce que je ne vous ai pas laissé le temps de parler, sinon vous auriez commis la plus grosse erreur de votre nouvelle carrière... Et comme je vous aime bien, avant de nous quitter ce soir, nous allons boire une dernière fois avec Mme Arkein à votre avenir... Mon cher Bedaine, *prosit.*

« — *Prosit,* Patron! *Prosit,* madame.

» Je t'avoue avoir eu grand besoin de cette nouvelle coupe de champagne avalée d'un trait pour digérer les paroles que je venais d'entendre... Estimant sans doute que je n'oserais plus jamais revenir sur un sujet aussi épineux, Rolf Arkein reprit d'une voix plus douce :

« — Il y a cependant un droit que vous apporte maintenant, dans notre vie de sempiternels errants, votre qualité d'artiste plébiscité par le jugement infaillible du public : celui d'avoir un logement ambulant digne d'un talent qui s'est affirmé. Immédiatement après votre sortie de piste, j'ai donné des instructions à Schumberg pour que vos effets personnels et tout ce qui vous appartient soient immédiatement transportés dans une véritable caravane. Le fait de continuer à vous faire dormir dans la roulotte des augustes risque-rait de susciter de leur part, même s'ils ont pour vous ce soir de l'admiration comme beaucoup de gens dans mon cirque, certaines rancœurs : ce qui serait normal puisque vous êtes parvenu en quelques mois à vous évader de leur troupe et à faire rire sans avoir besoin de leur présence! Malheureusement, n'ayant pas de caravane disponible où vous pourriez habiter seul, j'ai demandé à l'un de mes plus précieux collaborateurs s'il consentirait à partager avec vous la sienne qui possède deux lits très confortables. Il a accepté aussitôt en me disant qu'il était enchanté de vous accueillir parce qu'il avait pour vous la plus grande estime et qu'il pensait, comme tout le monde ici, que vous pourriez faire un jour un très grand clown.

« — Ce n'est pas, j'espère, *Herr* Schumberg?

« — Pourquoi? Ça ne vous plairait pas de cohabiter avec lui? C'est le meilleur *ringmaster* d'Allemagne!

« — Justement, un homme aussi irréprochable dans son travail ne me semble pas avoir la fantaisie qui me paraît indispensable pour ne pas voyager trop dés-agréablement pendant des mois.

« — Eh bien, rassurez-vous : ce n'est pas lui! J'ai pensé qu'un clown ne pouvait s'entendre qu'avec un musicien. Vous partagerez la caravane avec Wontz qui en est ravi et qui m'a même dit que cela lui permettrait de continuer à vous donner des leçons de musique. Je vous signale qu'il y a un piano dans sa caravane...

« — Patron, vous me comblez! Nos déplacements vont devenir des voyages de rêve!

« — S'il vous arrivait d'organiser des concerts dans votre caravane, essayez quand même, la nuit, de ne pas empêcher vos voisins de dormir! Bonsoir, monsieur Bedaine.

« — Bonne nuit, madame, bonsoir, Patron et... merci! »

» Je ne pensais déjà plus à l'augmentation. N'était-ce pas beaucoup plus important pour moi de pouvoir faire de la musique avec Wontz? Tout irait bien : j'avais beaucoup de sympathie pour lui et il m'aimait à peu près autant que le cognac... Je me précipitai vers mon nouveau domicile où le chef d'orchestre m'accueillit en disant : « On va fêter ça par un duo à quatre mains... Tu sais ce que nous allons jouer? *La Marche des Petits Pierrots*... Ça me paraît tout indiqué. »

— Ta vie était changée?

— Ça ne sentait pas la sueur dans la caravane, Wontz ne ronflait pas, la petite cuisine se transformait à volonté en salle d'eau : il y avait un système de douche assez rudimentaire mais c'était quand même une douche! Je pouvais me laver, me démaquiller et me remaquiller à mon aise en prenant tout mon temps et sans qu'il y ait autour de moi les camarades augustes qui me disaient à chaque fois : « *A ta place, je me ferais le nez plus rouge... Je mettrais plus de blanc gras... J'agrandirais mes sourcils...* » J'en avais assez des conseils des autres! Je voulais bien continuer à prendre des leçons auprès de gens comme Wontz ou, à la rigueur, tels que *Charley* pour le jonglage, mais écouter des minables qui végétaient depuis des années dans un charivari! A propos de leçons, j'ai oublié de te dire qu'en plus de son talent musical, Wontz parlait couramment l'anglais... Alors tu imagines les progrès pour moi! J'apprenais l'anglais en musique! Très vite je ne serais plus Ernesto, mais *The Great Ernesto*. Celui dont le nom éclaterait sur de splendides affiches et dont on parlerait de ville en ville, de bourgade en bourgade, à tous les carrefours, à tous les croisements!... Ernesto qui, pour la première fois depuis qu'il avait été flanqué à la porte du *Burghoffer* par un vilain baron, pouvait enfin dormir dans un lit avec des draps propres et pas sur une sordide couchette! Ris donc, Paillasse! Ah oui! cette nuit-là je me suis endormi en souriant.

— Tu pensais quand même un peu à Carla?

— Même pas ! Je ne pensais qu'à mon confort, oui mon ami ! Pour moi cette caravane, c'était Byzance !

» Après une nuit pareille j'étais en pleine forme pour la séance de pose. Tu ne trouves pas que ça fait très snob cette expression : « séance de pose » ? Si on m'avait prédit — le soir où j'étais à Binden en train de recevoir les jets de farine, les seaux d'eau et les claques des *Viva Lotta* pour éblouir mes deux jeunes cancres — que ça m'arriverait ! C'était la première fois, en somme, que l'on faisait mon portrait... Evidemment un portrait assez spécial, mais c'était quand même moi qui étais sous le grimage et les guenilles d'Ernesto !

» Tout l'état-major se trouvait là : le patron, son épouse, le prince, Schumberg, Wontz, assis au deuxième rang de fauteuils, derrière le spécialiste venu de Petrograd installé, lui, au bord de la banquette. Tous le regardaient prendre croquis sur croquis. Il avait une vraie tête d'artiste, le rapin, avec des rouflaquettes et des longs cheveux dans le cou qui émergeaient d'un feutre noir à large bord. Il ne parlait pas mais, de temps en temps, il faisait des signes qui voulaient dire à Carla, assise sur son cheval et vêtue de son tutu bleu : « Avancez un peu... Reculez... Tournez la tête... Regardez-moi... Redressez-vous. » Ensuite ce fut à mon tour de jouer les modèles. Si tu m'avais vu, barbouillé et godiche avec ma rose en papier à la main que je présentais à la belle qui continuait à me mépriser de toute la hauteur de son cheval ! Je crois bien que je suis resté près d'une heure dans cette position ! Il ne fallait surtout pas bouger sinon le peintre se serait fâché ! Et comme tous les Russes un peu évolués de cette époque, quand il le voulait, il savait très bien parler le français, le barbouilleur ! A un moment il sortit de son mutisme créateur pour dire : « Ce soir, pendant la représentation, j'étudierai le mouvement de votre numéro sans que vous ayez à vous occuper de ma présence, mais pour le moment ce sont vos têtes et vos personnalités que je cherche à saisir, alors regardez-moi. » J'apercevais aussi, dans la demi-pénombre du chapiteau et s'étageant un peu partout sur les gradins, les silhouettes d'artistes et même d'employés qui essayaient de voir, eux aussi, le travail de celui qui avait été amené de si loin par le prince. Des séances pareilles avaient dû être plutôt rares sur cette piste qui n'avait eu pour eux jusqu'alors sa raison d'exister que pour répéter, se faire applaudir ou se casser la figure... Et je pensais, dans mon immobilité de commande, qu'ils devaient tous être en train de se dire : « Quelle veine il a, cet Ernesto, d'avoir réussi à se faufiler aussi rapidement dans un truc pareil ! Bientôt il sera sur une grande affiche... Ce n'est pas à nous que pareille chance arriverait ! Et pourtant chacun d'entre nous pourrait être à sa place en ce moment ! Le métier, nous le connaissons mieux que lui depuis le temps que nous l'exerçons et certains même seraient tout aussi drôles ! Tant mieux pour lui s'il réussit mais pourquoi lui plutôt que nous ? »

» Mon bon ami, ce fut cet après-midi-là, pendant qu'un artiste commençait à « croquer » ma silhouette de fantoche, que je compris l'immense différence qui existe entre les gens de cirque et les cabots qui se donnent en spectacle sur une scène de théâtre, dans un cabaret et sur un écran, grand ou petit. Ils ne jalousent pas le camarade, ils l'envient : ce qui est un sentiment moins veule. Ce n'est qu'à force d'envier le talent — pourquoi ne pas utiliser ce mot ? — ou le succès d'un autre qu'un jour arrive où l'on devient à son tour sublime ! C'est là tout le miracle bienfaisant de l'émulation.

— Mais toi, Plouf, qui avais-tu envié jusque-là pour en arriver à ce premier stade ?

— A vrai dire tout le monde et personne.... Tout le monde parce que je voulais devenir le plus grand des clowns, personne parce que je n'avais pratiquement encore eu aucun point de comparaison pendant ma jeunesse, n'ayant jamais vu une entrée de clowns avant celle des *Viva Lotta* qui étaient médiocres et l'équipe du charivari du *Circus Arkein*... Une bonne équipe sans doute mais il devait en exister beaucoup d'autres ailleurs qui la valaient ou la dépassaient.

— Et *Beppo*?

— Oui, j'avais eu la chance de connaître *Beppo* et surtout de le voir travailler. Malheureusement c'était un nain : impossible de me rapetisser pour faire rire ! Je devais me débrouiller avec ma taille normale... Ses conseils et les leçons d'un *Celino*, d'un *Charley*, d'un musicien comme Wontz et d'un écuyer comme Rolf Arkein m'ont été indispensables mais ils n'auraient abouti à rien si je n'avais pas été habité — sans que je m'en sois même douté avant la soirée de Binden — par cette divinité bizarre et mystérieuse, dieu ou démon, qui vous pousse à franchir l'étrange limite qu'est une banquette de piste. Et puis, ne l'oublie pas, j'étais amoureux...

— Comment s'est passée la deuxième représentation qui a eu lieu le soir même ?

— Encore mieux que la première parce que j'avais un peu moins le trac... Je dis « un peu moins » car je l'ai eu durant toute ma vie de clown ! Même si je devais refaire mon numéro là, dans le parc et pour toi tout seul, je crois que je l'aurais...

— Un fantôme a le trac ?

— Comme un vivant, il a peur de déplaire ! Ceux qui ne connaissent pas cette peur exaltante ne sont pas de vrais artistes ! Pour cette deuxième représentation, le prince était assis à côté du peintre qui continua à prendre des croquis pendant tout notre numéro.

— Et quand Carla t'a donné un baiser sur la joue alors que tu venais de lui offrir le bouquet du prince, comment lui as-tu répondu cette fois ?

— Tu vas me prendre pour un lâche ou pour un timoré... Eh bien, je l'avoue : je n'ai même pas osé l'embrasser et ensuite il en a été de même tous les soirs ! C'est très difficile, quand on est sincèrement amoureux, d'embrasser devant les autres celle qui est devenue tout pour vous... Une sorte de pudeur vous retient et vous interdit de vous exhiber. On veut garder son secret pour soi tout seul.

— Skirnof est resté à Hambourg pendant toute la durée des représentations ?

— Le peintre était reparti mais lui n'en a pas manqué une ! Ce n'est qu'à l'issue de la dernière qu'il m'a dit au revoir en précisant qu'il était dans l'obligation de retourner pour quelque temps à Petrograd mais qu'il était persuadé que lorsqu'il nous retrouverait trois mois plus tard, notre numéro serait la perfection.

— L'annonce de ce départ a dû te combler d'aise ?

— J'avais le champ libre...

— Et Carla ? Elle paraissait attristée à la pensée de cette absence ?

— Pas tellement ! Pendant les premières semaines qui suivirent, la tournée nous emmena dans une multitude de petites villes. Toutes les nuits nous étions sur les routes et le jour, dès que le chapiteau était planté, nous répétions. Ajoute à cela la représentation de chaque soir et souvent les matinées supplémentaires. A minuit nous étions vannés et ne pensions qu'à dormir.

— Ce n'était quand même plus toi qui conduisait le cheval de ta caravane jusqu'à la gare ?

— Tu es fou ! J'étais devenu un artiste.

— Et les montages et démontages ?

— Parfois j'y apportais mon aide pour ne pas perdre une bonne habitude...

— Le matin tu pouvais quand même te reposer ?

— Je continuais mes leçons de musique avec Wontz.

— Ça se passait bien, avec lui, dans votre caravane ?

— Un type sensationnel, ce chef d'orchestre ! Grâce à lui je faisais d'une pierre deux coups : il me donnait ses leçons en anglais !... Enfin, nous nous sommes installés pour deux semaines à Aix-la-Chapelle, ville dont je conserverai toujours un souvenir ému parce que trois événements fantastiques s'y sont passés pour moi.

— Raconte vite !

— D'abord c'est là que j'ai vu pour la première fois l'affiche, commandée par le prince, placardée un peu partout... Ça m'a fait un choc !

— Et à Carla ?

— A elle aussi... C'est *Alfredo* qui est venu frapper aux portes respectives de nos caravanes pour nous l'annoncer à sept heures du matin alors que nous dormions encore. Je te garantis que Carla et moi n'avons pas été longs à nous habiller ! Nous avons couru de la place où était installé le cirque jusqu'à une petite rue voisine où se trouvait une palissade recouverte de « notre » affiche multipliée en une douzaine d'exemplaires avec nos noms imprimés en grosses lettres rouges sur fond jaune CARLA BARDONI et ERNESTO surmontés de la mention *Pour la 1ʳᵉ fois au monde* et suivis de l'appellation choisie par Rolf Arkein *la Belle et l'Auguste*. Si tu savais l'effet que ça peut produire de se voir ainsi placardé à tous les vents pour les passants qui s'arrêtent en vous contemplant dans la reproduction fidèle du grand moment de votre numéro. Les deux chevaux galopaient sur l'affiche en se suivant le long de la banquette mais celui de tête avait perdu l'écuyère en tutu bleu qui tourbillonnait dans l'espace avant de retomber sur le deuxième où l'auguste au gros nez et au tutu rouge tendait les bras vers l'étoile qui lui tombait du ciel. Une affiche réussie...

— Pourquoi ne se trouve-t-elle pas dans la collection qui orne les murs de ton salon ?

— Pour deux raisons : d'abord je n'ai jamais pu retrouver un exemplaire de cette litho qui a été faite il y a soixante ans et ensuite ce n'était pas mon nom définitif de PLOUF qui s'y trouvait mais celui très provisoire d'ERNESTO qui n'a duré que deux saisons.

— Dès la troisième tu t'es appelé Plouf ?

— Oui, quand, suivant en cela les conseils de *Beppo*, j'ai quitté le *Circus Arkein* pour faire un numéro tout autre.

— Toujours avec Carla ?

— Sans Carla... Mais n'anticipons pas !

— Ne trouves-tu pas que c'est un peu dommage qu'une telle affiche où Carla et toi étiez tous les deux réunis n'ait pas été conservée pour passer à la postérité ?

194

— Oh tu sais! La postérité se soucie assez peu qu'un pareil numéro ait pu exister! Quant à mes héritiers, les neveux de Carla, s'il n'y avait pas eu la clause réservataire que j'ai pris soin de faire mettre dans le testament qui leur a permis d'hériter de nous, il y a longtemps que les affiches que tu as vues dans le salon, les portraits de Carla et de moi, mon portrait floral et même notre tombeau auraient disparu pour leur permettre de vendre plus facilement la bâtisse! Le seul portrait qui aurait peut-être eu quelque chance d'échapper à l'anéantissement aurait été celui de Skirnof...

— Quelle drôle d'idée! Pourquoi?

— Je connais mes neveux : ce ne sont que d'obscurs petits-bourgeois qui n'étaient pas plus fiers d'avoir pour oncle et tante des gens du cirque que mes parents d'avoir donné le jour à un auguste! La seule chose qui les a toujours intéressés était la pensée d'être riches un jour grâce à nous... Par contre le portrait d'un prince Skirnof aurait pu faire très bien dans leur arrière-boutique. C'est flatteur, un bel officier en uniforme : le temps aidant, leurs voisins de quartier auraient pu finir par croire que c'était l'un de leurs ancêtres! Mais, de toute façon, ils n'auraient jamais pu être aussi heureux que Carla et moi en train de nous rassasier la vue de « notre » affiche... Tellement heureux que, sans nous préoccuper des badauds — qui d'ailleurs ne pouvaient absolument pas faire de rapprochement entre l'écuyère tourbillonnante ou l'auguste hilare de l'affiche et ces deux anonymes du trottoir qui s'extasiaient devant elle — nous nous embrassâmes.

— Comme en piste : sur la joue?

— Comme des amoureux : sur la bouche! Oui, il nous avait fallu l'affiche et la rue pour y arriver... Ce fut merveilleux!

— Quelle journée faste, Plouf! votre affiche, le premier vrai baiser...

— Ce n'est pas tout! Quand je revins dans ma caravane, je ne savais plus où j'en étais. J'avais envie de sauter, de danser, de voler! Je planais...

« — Elle te plaît cette affiche? demanda Wontz.

« — Elle est admirable! C'est la plus belle du monde! Elle a déjà fait un miracle... Si tu savais comme je suis heureux! J'ai presque envie de chanter.

« — Ce n'est pas utile pour un clown. Ce serait même plutôt déconseillé : un clown qui chante, c'est grotesque! Mais puisque je te sens ce matin dans d'aussi bonnes dispositions nous pourrions peut-être, maintenant que tu te débrouilles très convenablement au piano, commencer le violon?

« — Le violon? Magnifique, Wontz! C'est l'instrument qui incite le plus à l'amour... Tu as raison : commençons tout de suite! »

» Ce fut aussi pénible pour mon professeur que pour les voisins des autres caravanes! Au bout d'une heure de grincements, Wontz me dit :

« — Ça suffit pour aujourd'hui, sinon tu te dégoûterais vite de cet instrument qui ne souffre pas la médiocrité et je n'aurais plus envie de continuer les leçons. Permets-moi aussi de te donner un conseil : si tu es réellement amoureux, attends un peu avant d'offrir une sérénade à ta belle. Elle ne te le pardonnerait pas!

« — C'est promis. »

» Brusquement une idée germa dans ma cervelle enfiévrée :

« — Dis-moi, nous restons à Aix-la-Chapelle pendant plusieurs jours?

« — Ça t'ennuie?

« — Cela m'enchante! Nous sommes tout près de Liège, ma ville natale, où habitent mes parents... Si je les invitais à venir un soir à une représentation? J'ai tant de choses à leur faire voir et à leur dire! Maintenant que je suis affiché et que je suis dans un bon numéro, ils vont être éblouis! Ils ne se doutent même pas que je suis devenu ERNESTO, un artiste presque célèbre...

« — Téléphone-leur.

« — Ils n'ont pas encore les moyens d'avoir le téléphone mais ça viendra bientôt grâce à leur fils! Je vais leur écrire et joindre un mandat à ma lettre pour qu'ils puissent payer leurs frais de déplacement. Ce ne sont pas les trains qui manquent entre ici et Liège! Il faut qu'ils viennent samedi prochain parce qu'ils ne travaillent pas le dimanche. Comme ça ils pourront dormir le lendemain en rêvant à toutes les merveilles qu'ils auront vues... Car ils n'ont jamais été au cirque! Tu ne trouves pas que c'est formidable pour un enfant qui a grandi de pouvoir offrir une représentation de cirque à ses parents et d'être lui-même sur la piste pour les amuser? Je vais leur faire réserver deux fauteuils, les meilleurs : ceux qu'occupaient le prince et son peintre à Hambourg. Ensuite, après le spectacle, je leur offrirai un souper ici, dans cette caravane... Ils vont être ébahis! Ils ne sont sûrement jamais entrés dans une caravane. Bien entendu, toi aussi tu seras mon invité ainsi que Carla : c'est normal que je la leur présente puisqu'elle est ma partenaire. Ça ne t'ennuie pas si je donne cette petite réception?

« — Mais non, voyons! On organisera même un souper en musique! Tu te mettras au piano — ça va les stupéfier de te voir jouer! — et je prendrai le violon : ça vaudra mieux que l'inverse!

« — Maestro, tu es le meilleur des amis! J'ai envie de t'embrasser toi aussi.

« — Pourquoi, moi aussi?

« — Je ne sais pas : une idée comme ça... Aujourd'hui il faut que j'embrasse tout le monde!

« — Même *Herr* Schumberg!

« — Même lui si ça lui fait plaisir!

« — Tu as beaucoup changé, Ernesto. »

» Ce fut un samedi inoubliable! J'avais prévenu tout le monde de la venue de mes parents : Carla, Rolf Arkein, *Celino, Charley...* enfin tous ceux qui étaient mes amis. Si le prince avait été là, je crois que je l'aurais bien invité, lui aussi! Maintenant je ne craignais plus rien : le baiser devant l'affiche était ma garantie. Pendant l'après-midi j'avais fait des achats de victuailles et même de champagne pour recevoir ceux auxquels je devais tout puisqu'ils m'avaient élevé dignement malgré leurs difficultés quotidiennes d'existence.

Wontz m'avait aidé pour donner un petit air de fête à notre domicile roulant. Et comme je voulais laisser à mes parents la surprise de me revoir non pas tel que j'étais quand j'avais quitté Liège pour la Bavière, mais en Ernesto triomphant sur la piste, je m'étais arrangé avec le chef du contrôle — où étaient déposés leurs billets d'entrée dans une enveloppe portant leur nom : *M. et Mme Jules Bedaine* — pour qu'ils soient accompagnés jusqu'à leurs fauteuils par une ouvreuse, qui était d'ailleurs la femme de l'un des trapézistes, sachant le français. Ni mon père ni ma mère ne parlaient allemand.

» Elle avait la mission de leur offrir un programme de ma part auquel j'avais joint un petit mot dont je me souviens encore du texte par cœur : « *Chers parents, ne m'en veuillez pas si je ne vous ai pas accueillis à l'entrée du cirque, mais comme je suis maintenant un artiste, il nous est interdit de nous mêler au public en dehors des nécessités du spectacle. Nous nous verrons après la représentation : je vous recevrai dans « ma » caravane où nous souperons ensemble et où vous me direz votre impression sur ma nouvelle profession. Comme vous ne pourrez sûrement pas me reconnaître sous mon maquillage et mon déguisement, je passe sur piste dans le nº 14 du programme qui est annoncé sous ce titre : « CARLA BARDONI et ERNESTO, la Belle et l'Auguste, fantaisie équestre ». Ernesto, c'est moi... Maman, ne t'inquiète surtout pas quand je tombe de cheval : je ne me fais pas mal. Pardonnez-moi de vous avoir menti en vous faisant croire par mes lettres que je travaillais dans l'administration du Circus Arkein. En réalité j'y fais le clown, ce qui est beaucoup mieux à mon avis ! Je sais aussi que vous n'avez encore jamais été au cirque, ni vu de clown ailleurs que sur des affiches... Tout à l'heure vous allez en connaître un en chair et en os : ce sera votre fils Ernest devenu Ernesto qui vous aime et qui ne va jouer que pour vous en essayant de vous faire rire.* »

» J'avais un trac fou ! Peut-être encore plus grand que celui de la Première de Hambourg... Tu ne peux pas savoir ce que c'est pour un enfant, qui a choisi une carrière artistique sans leur demander leur avis, de jouer pour la première fois devant ses parents! Allaient-ils être déçus et furieux ou émerveillés et heureux? Applaudiraient-ils ou seraient-ils gênés d'avoir donné la vie à un pareil hurluberlu en haillons?

» Caché derrière le rideau de piste, j'observais en entrouvrant sa fente la salle qui se remplissait... Les seules places qui m'intéressaient étaient celles qu'allaient occuper mes parents... Enfin je les vis, accompagnés de l'ouvreuse qui leur remit le programme et mon message. « — Tu les vois? dis-je à *Charley* qui regardait avec moi par la fente. Mon père occupe le fauteuil réservé au prince quand il est là... Maman est à sa droite... Comment les trouves-tu?

« — Ton paternel a une bonne tête de Belge, répondit *Charley.* Ce doit être un brave homme tout rond.

« — Et maman?

« — Ta mère? Elle a l'air intimidée.

« — Mets-toi à sa place! Te rends-tu compte de ce que cette soirée représente pour eux? Ils n'ont encore jamais mis les pieds dans un cirque de leur vie et ils y viennent pour y voir leur fils unique!

« — Tu es un verni, Ernesto... Moi aussi j'aurais bien voulu offrir une soirée pareille à mes parents. Malheureusement je n'ai jamais su qui ils étaient... »

— Et Carla? Elle les a regardés, elle aussi, par la fente du rideau?

— Elle m'a seulement demandé quand elle est arrivée sur son cheval après l'entracte pendant le numéro des volants qui précédait le nôtre : « Vos parents sont là? »

« — Oui! » Je n'ai pas osé lui avouer : « Mon père occupe le fauteuil du prince Skirnof. »

» Elle me demanda encore :

« — Qu'est-ce que vous ressentez à l'idée de passer dans quelques minutes devant eux?

« — Ça me grise et ça m'inquiète : je rêve de les étonner et j'ai peur de ne pas leur plaire.

« — S'ils vous aiment, Ernesto, ils trouveront que vous êtes le plus grand artiste de la soirée.

« — Et vous, Carla, vous est-il arrivé d'être dans la même situation que moi ce soir et de jouer devant vos parents ou des gens de votre famille ?

« — Ma seule famille est le cirque. Depuis que je me suis enfuie à seize ans de chez moi, je n'ai jamais revu les miens et je ne le regrette pas ! Je sais que j'ai encore une sœur qui vit dans la banlieue de Gênes mais je ne connais ni son mari ni sa fille.

« — Alors pourquoi avoir dit devant moi au patron, la veille de votre départ en vacances, que vous aviez une impérieuse envie de vous retrouver avec les vôtres ? »

» Surprise par ma question, elle eut une courte hésitation avant de répondre : « — Rolf Arkein connaît ma vie qu'il a très bien comprise : il n'y a qu'une personne qui ait pour moi un peu de sympathie...

« — Mais tout le monde vous aime, Carla ! Comment pourrait-il en être autrement ?

« — Je plais, c'est vrai... Mon travail en piste plaît également mais de là à être aimée !

« — Peut-être cherchez-vous trop loin, ou trop haut ?

« — Je n'aime que ceux qui imposent le respect.

« — Comme le prince ?

« — C'est un excellent ami qui m'aime, je le sais, à sa manière...

« — Après la représentation Wontz et moi donnons un petit souper dans notre caravane pour y accueillir les miens... Me feriez-vous l'honneur de vous joindre à nous ? Je suis sûr que mes parents seraient très fiers et très heureux de faire votre connaissance.

« — Croyez-vous que ce soit bien utile ? Ça leur suffira amplement de me voir en piste.

« — Carla ! Il y a une très grande différence entre le personnage que l'on est en piste et celui qui existe dans la vie !

« — Pour moi il n'y en a pas. »

» La voix du *ringmaster* nous rappela à la réalité du métier :

« — Attention Carla! Ça va être à vous!... Qu'est-ce que vous faites-là, Ernesto? Vous devriez déjà être là-haut assis sur le dernier rang des gradins au milieu du public... Courez! Dépêchez-vous! »

» Les applaudissements saluaient la sortie des trapézistes. L'orchestre de Wontz changea de rythme : à la valse lente et à l'accord de sortie des volants avait succédé l'ouverture de *Cavalerie légère* sur laquelle Carla faisait son entrée au galop.

— Et toi, Plouf, tu étais déjà en haut du cirque attendant que Carla ait terminé son deuxième tour de piste pour l'applaudir en criant : « *Bravo, bravo, bravo! Qu'elle est jolie la demoiselle!* »

— Je jouais pour mes parents.

— Quelle a été leur réaction?

— Au début, quand ils m'ont vu en Ernesto, ils ont été ahuris pendant quelques instants. Je sentais qu'ils se demandaient si c'était bien moi. Mon père écarquillait les yeux et ma mère était toute pâle... Et puis, brusquement, quand le public a commencé à rire, ils ont fait comme lui. Le rire, c'est contagieux... C'est magique aussi : ça ne laisse pas le temps de réfléchir.

— Et toi?

— Dans le secret de mon cœur je crois bien que j'avais envie de pleurer de joie mais je n'en avais pas le temps! Il fallait que le numéro aille vite et je devais rire, moi aussi, en fendant ma grande bouche peinte jusqu'à mes oreilles.

— Qui étais-tu à cette seconde? Un clown ou un enfant?

— Les deux... Mais j'étais plutôt Ernest Bedaine, né à Liège, qui faisait une bonne blague à sa famille!

— Quand le numéro a été terminé, tes parents ont applaudi?

— Ils n'en avaient pas la force : je les sentais comme pétrifiés, écrasés même par les applaudissements des autres... Ils donnaient l'impression de se tasser dans leurs fauteuils, de se faire tout petits, presque humbles, comme si le succès leur était destiné. Leur Ernest, c'était eux deux! Je ne leur ai pas demandé ce qu'ils avaient ressenti à ce moment-là mais je pense que cela a dû être quelque chose du genre : « Mais nous ne savions pas que notre fils pouvait faire rire! Le sacripant! Pendant toute sa jeunesse il nous a caché sa gaieté! Il est vrai qu'à la maison, chez nous, il n'avait pas tellement de raisons d'être gai... » Comment pouvaient-ils deviner aussi que j'étais amoureux fou de ma partenaire? L'amour, ça transforme un homme.

— Tu n'as quand même pas pu offrir ce soir-là à Carla le traditionnel bouquet d'orchidées puisque le prince n'était pas là?

— Dès le lendemain du départ de son soupirant pour la Russie, j'avais trouvé un truc pour pallier ce manque : je courais ramasser dans la sciure la rose en papier dont elle n'avait pas voulu quand elle était sur son cheval et je la lui présentais. Comme elle dédaignait une fois de plus mon humble offrande, je n'avais plus qu'à en faire profiter une spectatrice du premier rang qui, elle, était ravie et riait avec toute la salle. Ce soir-là ma mère fut cette spectatrice : quand elle prit la fleur, sa main tremblait et ses yeux étaient remplis de larmes.

— De joie?

— D'amour pour son fils... A la parade finale, et en plein accord avec Carla, je suis entré dans la troupe des augustes en portant le drapeau belge pendant que l'orchestre de Wontz attaquait *La Brabançonne* en l'honneur de mes parents! J'ai cru que ma mère allait s'évanouir d'émotion! Quant à mon père il n'a pas pu résister : le vieux sentiment patriotique que tout Wallon porte en lui se réveilla et il se mit debout, au garde-à-vous, regardant passer le défilé sur la piste. Ses voisins le dévisagèrent d'abord avec surprise mais, en bons Allemands qui résistent difficilement à l'attrait d'une marche militaire — qu'elle soit de chez eux ou d'ailleurs — ils firent comme lui. Bientôt tout le premier rang, puis toute la salle furent debout : on n'avait jamais vu, ni entendu ça à Aix-la-Chapelle! *Herr*

Schumberg, apoplectique et fou de rage, me bondit dessus à ma sortie de piste en hurlant :

« — *Ach!* Etes-vous devenu complètement fou, monsieur Ernesto? La patron va être très mécontent! On doit toujours respecter la bonne ordonnance du spectacle... Vous deviez saluer le public en compagnie de Carla comme tous les soirs et laisser un bareiter porter ce drapeau comme c'est prévu sur le tableau de la régie! Et l'orchestre qui a joué l'hymne national d'un autre pays dans un cirque allemand et en territoire allemand! Mais c'est une injure pour notre public germanique!

« — *Herr* Schumberg, ce public n'a pas eu l'air de tellement se formaliser...

« — Parce qu'il est correct, mais c'est un véritable complot entre vous et *Herr* Wontz! Je vais être dans l'obligation de faire un rapport à M. Arkein qui, tel que je le connais, prendra certainement des sanctions immédiates et... »

» Il ne put terminer sa phrase. Rolf Arkein en personne, surgi de je ne sais où, lui coupa la parole :

« — Il n'y aura pas de sanctions, *Herr* Schumberg! J'aime assez une salle entière qui se met debout à la fin d'une représentation : c'est une sorte d'hommage qu'elle rend aux artistes et aussi à la direction du cirque pour le plaisir qu'ils ont su lui apporter... Je me demande même si, au lieu de faire jouer par l'orchestre un *Au revoir et merci* classique et banal, je ne ferais pas mieux d'imposer carrément notre hymne national comme le font depuis longtemps les Anglais avec leur *God Save The Queen* après toute représentation dans un théâtre lyrique, un music-hall ou un cirque : les spectateurs sont obligés de se lever. Une salle debout tous les soirs et de ville en ville, ce serait grandiose pour le *Circus Arkein!* Je verrai cela demain avec Wontz... Vous pouvez disposer, Schumberg. »

» Puis se tournant vers moi :

« — Alors, monsieur Bedaine, pensez-vous que vos parents aient été satisfaits de leur soirée?

« — Je crois, Patron, qu'elle a dû être l'une des plus

belles de leur vie! Mais vous-même pourriez le leur demander si vous acceptiez, ainsi que Mme Arkein, de venir partager dans notre caravane le souper que M. Wontz et moi avons préparé pour recevoir mes parents.

« — C'est là une très aimable invitation à laquelle Mme Arkein sera aussi sensible que moi-même, mais elle pensera comme moi qu'il est préférable de vous laisser seul avec les vôtres : vous devez avoir tellement de choses à vous raconter après une aussi longue séparation! Bonne soirée, monsieur Bedaine. »

» J'arrivai à la caravane en même temps que mes parents, conduits par l'ouvreuse qui avait reçu la consigne de les guider dans le dédale de la ville ambulante.

» Revoir ses parents qui ne vous ont connu qu'un même visage alors que l'on est méconnaissable est un privilège qui n'est laissé qu'aux comédiens ou aux clowns. Ni mon père ni ma mère n'osaient m'embrasser. Ils avaient d'ailleurs raison : ils auraient été barbouillés. Les premières paroles de mon père furent :

« — Alors, comme ça, c'est bien toi ? »

» Il y avait encore un doute dans l'intonation.

« — Oui, Père. C'est bien moi, Ernest... »

» Ma mère ne disait rien. Elle souriait.

« — Ça vous a plu, le cirque ? »

» A cette époque, ami, même dans les familles les plus modestes — ce qui était notre cas — on vouvoyait ses parents. Etait-ce mieux ou moins bien qu'aujourd'hui ? A vrai dire, je n'en sais rien... Personnellement, à l'exception de mes parents auxquels j'ai toujours dit « vous » par respect filial, j'ai pris l'habitude, dès ma jeunesse, de vouvoyer les gens que je connaissais peu ou que je n'aimais pas et de tutoyer mes amis dont tu es depuis cette nuit.

» Mes deux invités regardaient tout dans la caravane avec une curiosité admirative : la banquette confortablement rembourrée sur laquelle ils s'étaient assis et qui, la nuit — comme celle qui lui faisait vis-à-vis — se transformait en lit; les petits rideaux enjolivant les fenêtres; le piano droit dont le couvercle du clavier était relevé comme si l'instrument n'attendait plus que l'artiste; un guéridon sur lequel étaient posés un saxophone et un violon; la penderie masquée par un rideau rouge; le lavabo et sa glace devant laquelle je me démaquillais à toute vitesse pour faire disparaître leurs derniers doutes et leur permettre de retrouver leur rejeton tel qu'il était lorsqu'il vivait avec eux; la table surtout, qui était dressée entre les deux banquettes, recouverte d'une nappe brodée — que Wontz avait sortie d'un placard pour la circonstance — d'une vaisselle ne manquant pas d'élégance et de couverts argentés — tout cela appartenait au maestro car moi je ne possédais rien ! — les roses, des vraies celles-là, qui apportaient leur éclat et leur fraîcheur dans un vase en cristal posé au centre de la table... C'était charmant et ça sentait le propre. On aurait presque cru qu'il s'agissait d'un souper d'amoureux... Les amoureux étaient là : mes parents. Mais il y avait trois couverts... Pourquoi pas quatre ? Où était Wontz ? Je le sus par sa carte de visite qu'il avait déposée sur la serviette pliée du troisième couvert, le mien, après y avoir griffonné ces mots : « *Cher Ernesto, je crois que ce soir il est préférable que je découche pour ne pas rompre votre intimité familiale. Je vais en profiter pour faire la bombe à votre santé. A demain.* »

» Cher maestro ! Lui aussi, comme Carla, comme Rolf Arkein, comme tous dans le cirque, avait compris que les Bedaine avaient besoin de se retrouver entre eux... Dans la petite cuisine, le souper attendait : c'était Wontz qui l'avait préparé pendant l'après-midi avec une sorte de tendresse après m'avoir dit :

« — Laisse-moi faire, gamin ! Tu n'y connais rien ! La cuisine, comme le violon, c'est un art qui n'est pas fait pour les apprentis... Va plutôt acheter quelques roses : ta mère doit les aimer. »

» J'étais bouleversé par tant de délicatesse qui se cachait sous la rudesse apparente de cet Hambourgeois qui savait, comme pas un, conduire un orchestre à la baguette et qui s'attendrissait devant une bouteille de cognac. J'étais ennuyé aussi : sans sa présence, comment agrémenter le souper de musique comme nous l'avions prévu? Evidemment, je pourrais toujours pianoter quelque chose si mes parents me le demandaient, mais la soirée aurait été tellement plus belle si Wontz avait été là jouant du violon ou du saxo!

» Démaquillé et débarbouillé, débarrassé aussi de mes oripeaux de piste, redevenu normal et presque civilisé au sens où le commun des vivants l'entend, je pus enfin embrasser mes parents après avoir débouché la première bouteille de champagne :

« — Et maintenant à table! Les émotions, ça creuse. »

» Oui, ami, tous les trois nous avions faim et soif de tout! Nous mangeâmes, nous bûmes, je jouai du piano pendant que mon père dégustait un cigare — lui qui n'en fumait jamais pour raison d'économie — et que ma mère savourait un alcool doux. Nous fûmes heureux.

« — C'est fou ce que tu as appris de choses dans ce cirque! me dit ma mère : l'acrobatie, l'équitation, le piano...

« — Je commence aussi à bien me débrouiller en anglais.

« — Même l'anglais, Ernest! Mais à quoi tout cela va bien pouvoir te servir?

« — A devenir un grand clown!

« — Tu crois vraiment que c'est une profession? me dit mon père qui sortait du mutisme béat où semblait l'avoir plongé l'arôme du cigare.

« — C'est plus que cela, Père! Pour moi, c'est la plus grandiose des vocations!

« — Mais l'enseignement? Tu nous avais pourtant quittés pour aller donner des leçons de français en Bavière?

« — C'est moi qui ai reçu la leçon un certain soir, mais ce serait trop long à vous raconter.

« — Et tu es heureux en menant cette vie-là?

« — Si je le suis? Mais regardez-moi tous les deux! Est-ce que je donne l'impression d'être malheureux? Bien sûr, ce n'est pas encore la richesse, mais ça viendra bien plus vite que si j'étais resté professeur ! Et ce jour-là...

« — Qu'est-ce que tu feras ?

« — J'achèterai un grand château avec des tours dans lequel vous viendrez vivre avec moi. Vous ne travaillerez plus, ni l'un ni l'autre.

« — Et notre domicile de Liège ?

« — Les trois pièces ne sont même pas à vous ! Vous les quitterez sans regret.

« — Ne plus habiter Liège ? Jamais ! dit mon père en se levant. Maintenant il est grand temps de nous sauver si nous voulons prendre le train qui nous déposera dans notre ville à six heures.

« — Mais, Père, demain, c'est un dimanche où vous ne travaillez pas. Vous n'aimeriez pas rester à Aix-la-Chapelle et ne repartir que dans l'après-midi ?

« — Et où coucherions-nous ?

« — Ici : ces deux banquettes peuvent se transformer instantanément en excellents lits. Mon ami Wontz, qui partage cette caravane avec moi, ne rentre pas ce soir et moi, pour une nuit, je m'allongerai sur le tapis entre vous deux. Je n'en mourrai pas ! Il m'est arrivé, dans ce cirque, de dormir dans des voitures infiniment moins confortables !

« — Ce diable de garçon cherche à nous tenter, pas vrai la Mère ?

« — Ernest, ton père a raison : c'est plus sage pour nous de rentrer chez nous. En arrivant ici nous avons constaté que la gare était toute proche.

« — Ça ne vous dirait rien de coucher pour la première fois de votre vie dans une caravane ?

« — Oh ! Tu sais... Ton père et moi sommes des sédentaires ayant nos petites habitudes. Notre logement de Liège n'est pas très luxueux mais, depuis le temps, nous avons fini par nous y habituer... Bonsoir, mon chéri. Tu nous a très bien reçus.

« — Le cigare était fameux ! ajouta mon père. On se revoit quand ?

« — Je ne sais pas : tout dépendra de l'itinéraire de la tournée mais je continuerai à vous écrire régulièrement pour vous donner des nouvelles... Ah! Ceci est pour vous... »

» J'avais préparé une enveloppe où j'avais glissé en deutsche marks le reste de mes économies et je l'enfouis dans la poche du veston paternel.

« — Mais tu es fou, Ernest! Ça va te manquer...

« — Absolument pas puisque je sais que bientôt je serai riche!

« — Tu es bien payé au moins pour ce que tu fais?

« — Ça commence... Mais ça ne pourra que s'améliorer.

« — Sincèrement, tu n'as pas de regrets? Parce que même si ça te disait maintenant de plaquer tout et de revenir avec nous à Liège, on peut toujours te loger et te nourrir en attendant que tu retrouves une place dans l'enseignement. Tu sais bien que tu es chez toi à la maison.

« — Je le sais, Père, mais je n'ai aucun regret. Quant à l'enseignement, il n'en sera plus jamais question! C'est moi qui suis à l'école des clowns.

« — Laisse-le, Jules! intervint ma mère. S'il est content comme ça pourquoi changerait-il de profession? Quand on fait et élève un enfant, c'est pour qu'il soit heureux plus tard. Nous partons?

« — Je vous accompagne jusqu'à la gare. Emportez cela, Mère.. »

» C'étaient les roses que j'avais retirées du vase.

« — Tu crois que je peux?

« — Tu les mettras sur « notre » table de Liège où nous avons pris tant de repas ensemble.

« — Le repas n'était pas toujours très brillant! Je faisais ce que je pouvais...

« — Tu as été une admirable maman. »

» Avant de sortir de la caravane elle se retourna pour la regarder une dernière fois avant de dire :

« — Sais-tu que c'est charmant? Maintenant que je connais l'endroit où tu habites, je pourrai me dire tous les soirs avant de m'endormir : « Cette nuit Ernest doit être quelque part en Allemagne en train de faire rire les gens et, quand ce sera fini, il rejoindra son apparte-

208

ment ambulant où il s'endormira en pensant peut-être à nous ? »

» Le trajet entre la place où se trouvait le cirque et celle de la gare ne fut pas long. Dans une rue, placardée sur un mur, il y avait notre affiche. Mon père me dit en s'arrêtant pour la contempler :

« — Je l'ai déjà vue tout à l'heure en venant lorsqu'il faisait encore jour et elle m'avait intrigué. J'ai même dit à ta mère : « C'est ça, le cirque ? Après tout, ce n'est peut-être pas ennuyeux ? »

« — Ceci prouve, Père, que c'est une bonne affiche.

« — Elle donne envie d'aller voir ce qui se passe sous votre grande tente... Seulement si on m'avait dit que le gugusse au nez rouge, debout sur le deuxième cheval, était mon fils Ernest, je ne l'aurais jamais cru ! Pourtant j'aurais dû faire un rapprochement : Ernest... *Ernesto...* Entre nous, fiston, tu as eu raison de ne pas conserver ton prénom français pour ton numéro.

« — Père, ce que vous venez de dire là est étrange : vous aussi trouvez qu'Ernest ne serait pas bon pour la piste ?

« — Ça, je n'en sais rien ! Ce qui m'ennuierait, ce serait que cette affiche soit répandue dans les rues de Liège au cas où ton cirque y viendrait... Ça risquerait d'être mal vu de nos voisins de quartier... Je crois déjà les entendre disant : « Vous ne savez pas ? Le pitre de l'affiche, c'est Ernest, le fils des Bedaine. »

« — Mais ils ne pourraient pas me reconnaître !

« — Qui sait, fiston ? Quand il s'agit de médire, les gens devinent tout ! Ce que je te dis là n'empêche pas que si tu pouvais nous faire parvenir l'une de ces affiches, ça me ferait un rude plaisir ! Je la fixerais avec des punaises sur le mur de notre chambre, face au lit. Ça faciliterait nos rêves... »

— Tu leur as envoyé cette affiche ?

— Non, parce que je voulais devenir un beaucoup plus grand clown que l'auguste Ernesto ! Je ne leur en expédierais une que lorsque je serais célèbre sous un autre nom.

— Plus tard tu leur as fait cadeau de l'une des affiches de Plouf ?

— Je ne l'ai pas pu. Quand je suis devenu Plouf, ils étaient morts.

» Tu ne peux pas savoir, ami, comme j'étais triste en revenant seul de la gare. Je suis repassé devant l'affiche qui me faisait presque honte.

— Pourquoi ?

— Mon père et ma mère n'avaient vu sur cette litho qu'un « gugusse » sans même penser aux efforts qu'il m'avait fallu faire pour avoir le droit, et même l'honneur, d'être ainsi livré en pleine rue à la curiosité des foules. Pour moi qui avais voulu les étonner c'était plutôt désespérant !

— Il y a des gens qui ne comprennent rien au cirque, Plouf !

— Tu dois avoir raison : ils ne m'ont même pas dit un mot de satisfaction sur l'ensemble du spectacle ! Aussi me suis-je juré cette nuit-là que, tout en continuant mon devoir de fils en les aidant financièrement, je ne les convierais plus jamais à venir m'applaudir. Tu me demandais s'ils m'avaient vu en Plouf, mais c'est heureux que ce ne se soit pas produit : ils n'auraient peut-être même pas ri !

— Ils ont pourtant ri quand Ernesto faisait ses blagues ?

— Oui, mais ils l'ont vite oublié ! C'est drôle : il y a des gens qui ne sont pas faits pour rire... Je suis né dans une famille triste ! Parlons d'autre chose.

» Heureusement je retrouvai un peu de sérénité lorsque j'eus franchi l'enceinte du cirque : je m'y sentais chez moi. C'était devenu mon domaine. Et cependant, à une heure aussi tardive les caravanes étaient endormies... Toutes à l'exception d'une seule : celle de Carla ! A mon grand étonnement, elle n'avait même pas pris la peine de tirer ses rideaux et la lumière filtrait à travers les vitres de ses petites fenêtres. Une lumière qui me sembla être assez chaude pour me réconforter le cœur... Qu'est-ce qui pouvait bien se passer dans la caravane de ma belle dont ce n'était pas du tout l'habitude de veiller aussi tard? Le prince n'était pourtant pas là? A moins qu'il ne fût revenu de sa Russie à l'improviste? Peut-être aussi Carla recevait-elle des amis?

» Je m'approchai tout doucement de l'escalier : aucun bruit de conversation ne parvenait de l'intérieur. Pourquoi ai-je eu, cette nuit-là, le toupet ou le courage de frapper à sa porte à une heure pareille? Sa voix ensoleillée répondit : « Entrez! » Le verrou intérieur n'était même pas mis. J'ouvris et je la vis, emmitouflée dans une robe de chambre rose et assise dans un fauteuil placé de telle façon au fond de la caravane qu'il lui permettait de surveiller la porte. Et comme je m'arrêtai, interdit, sur le seuil, elle me dit en souriant comme le jour où elle m'avait parlé après ma première répétition sous la direction du nain :

« — J'étais sûre que vous viendriez me voir ce soir...

« — Pourquoi?

« — Parce que vous avez besoin de quelqu'un qui vous réconforte. Si *Beppo* était encore là, ce serait lui que vous auriez été trouver... J'ai vu vos parents pendant la représentation et observé leurs réactions pendant votre numéro.

« — Vous avez pu?

« — L'habitude... Ils ont fini par rire, bien sûr, comme tout le monde, mais on sentait qu'ils étaient un peu crispés. Ils riaient surtout par crainte de se faire remarquer par leurs voisins s'ils étaient restés impassibles et peut-être aussi pour vous faire plaisir... Je pense avoir fait preuve de lucidité en n'allant pas souper dans votre caravane : eux et moi ne nous serions pas compris... Ils sont certainement très estimables mais, comme tous les artistes qu'ils ont vus passer sur la piste ce soir, j'ai la conviction de n'être toujours à leurs yeux qu'une « femme de cirque » au sens le plus péjoratif du mot... Je vous ai vus passer tous les trois devant ma caravane pendant que vous les reconduisiez à la gare : vous n'aviez pas l'air tellement heureux, mon pauvre Ernesto! Qu'est-ce qui s'est passé?

« — Vous avez raison : ils n'ont rien compris à la vie du cirque et au métier de clown.

« — Cela vous étonne? Ma famille aussi a été comme eux : c'est pourquoi je n'ai jamais eu envie de la revoir! Vous m'imiterez j'en suis certaine, et ce sera très bien! Vous continuerez à correspondre de temps en temps mais à distance. L'éloignement atténue le manque de compréhension et enjolive même les séparations...

« — Je veux bien vous croire, Carla, mais ce n'est pas très gai, quand on sent que l'on a enfin trouvé le chemin du succès, de ne pas se sentir soutenu moralement par ceux qui devraient être les premiers à le faire. Ce soir, je l'avoue, je me sens très seul.

« — C'est pour cela que vous êtes venu frapper à la porte de l'unique habitation du cirque où il y avait encore de la lumière et vous avez bien fait! Savez-vous pourquoi, mieux que personne, je peux comprendre votre désarroi? Moi aussi je suis seule.

« — Ce n'est que provisoire! Le prince sera bientôt de retour.

« — Qu'est-ce que ça changera? Il n'est pour moi qu'un ami, dont la générosité naturelle ne peut résister à l'envie de faire des cadeaux : tantôt c'est un bijou, tantôt un manteau de fourrure, parfois aussi — comme il vient de le faire — un affichage publicitaire qui valorise mon nom d'artiste mais nos relations ne vont pas plus loin!

« — Pourtant je croyais...

« — Quoi? Intelligent comme vous l'êtes, seriez-vous aussi borné que tous les autres dans ce cirque qui sont persuadés qu'il est mon amant? Il y en a même qui chuchotent qu'il veut m'épouser! Alexys, épouser une écuyère de cirque? On voit bien qu'ils ne le connaissent pas! Il ne se mariera pas plus avec moi qu'avec une danseuse ou une princesse de son rang... C'est l'incarnation même du vieux garçon endurci et égoïste qui ne pense qu'à lui-même.

« — Egoïste, le prince? Pourtant vous-même disiez tout à l'heure que sa générosité...

« — Ce n'est qu'une générosité de parade qui l'arrange, qui rehausse son prestige, qui lui concilie l'estime et l'amitié de ces gens de condition modeste dont les Grands de la terre, ou ceux qui se croient tels, ont tant besoin ! Me croiriez-vous si je vous disais qu'il aime se montrer avec moi dans des restaurants ou me faire présider dans son château de la Riviera les fabuleuses réceptions qu'il y donne ? Ça l'amuse que l'on dise autour de lui : « En ce moment, c'est l'écuyère italienne qui a ses préférences mais bientôt ce sera le tour de la ballerine russe... » Pourquoi croyez-vous qu'il est actuellement à Petrograd ? Pour changer, pour varier son menu féminin... Je ne me fais aucune illusion ! Je sais qu'il me reviendra dans quelque temps et que ce seront de nouvelles sorties après le spectacle, agrémentées de nouveaux cadeaux... A quoi tout cela me mènera-t-il ? A rien !

« — Mais enfin, Carla, vous êtes amoureuse de lui ?

« — Il me plaît parce qu'il est beau, brillant, despotique et envié de tous, mais je ne l'aime pas d'amour... C'est flatteur aussi pour une Carla Bardoni, simple écuyère de cirque, de pouvoir se montrer en compagnie d'un cousin du tsar ! Ça fait également partie de ma publicité mais ce n'est pas cela qui m'apporte le bonheur.

« — Justement, le bonheur, comment le concevez-vous ?

« — Pour moi ? Dans le cirque et par le cirque ! C'est le seul monde où j'aime vivre et où je me sente vraiment chez moi... Je ne peux plus le quitter ! Si vous saviez comme je suis heureuse dans ma caravane... Infiniment plus que dans un château princier ! Ce que je vais dire va sans doute vous paraître assez saugrenu, mais le seul être avec lequel je pourrais vivre, à la rigueur, dans un château devrait être un homme de cirque.

« — Vous pensez sérieusement ce que vous venez de dire ?

« — Oui.

« — Alors, Carla, je suis cet homme ! Quelques

semaines déjà avant de vous connaître je rêvais de posséder un château et, le soir où je vous ai vue pour la
première fois à Binden, j'ai rêvé de vous avoir pour
compagne. Un jour viendra où je vous offrirai ce château !

» Elle éclata de rire, de ce rire transalpin qui me
revigorait le cœur en l'inondant de soleil. Déjà je ne
pensais plus à la visite de mes parents : c'était comme
si je venais de trouver brusquement un autre foyer. Et
j'étais enchanté qu'il fût ambulant ! Puis le rire cessa.
La bouche entrouverte, elle me regardait comme
aucune femme ne l'avait encore fait... Et son regard se
voila.

« — Carla, ce que je viens de dire vous a fait de la
peine ?

« — Non, puisque j'ai ri... Ce que vous ne pouvez pas
savoir, c'est qu'Alexys ne m'offrira jamais son château !

« — Cela vous plairait ?

« — Il y a beaucoup de tours...

« — Beaucoup de tours ? C'est exactement ce qu'il
nous faut ! Quand je serai riche, je l'achèterai au prince.

« — Croyez-vous que l'on puisse s'enrichir dans
notre profession ?

« — Oui, à condition de devenir le plus grand clown
du monde ! Le monde a besoin de clowns... Je saurai
devenir ce clown si vous restez auprès de moi.

« — Voilà une bien grande promesse !

« — Comprenez-moi : un prince c'est comme un cirque, ça passe...

« — Tandis qu'un clown, ça reste ?

« — Ça n'a pas besoin d'éblouir puisque ça doit
faire rire... Il peut donc rester auprès de sa compagne
même si celle-ci n'a plus l'âge d'être écuyère.

« — Embrasse-moi comme tu l'as fait dans une rue
devant notre affiche...

« — Je peux enfin te le dire : Carla, je t'aime...

« — Tu ne me diras plus jamais « vous », Ernesto ?

« — Plus jamais ! Mais toi, vas-tu t'obstiner à continuer à m'appeler Ernesto alors que ce n'est que mon
nom de piste ?

« — Je ne sais plus... Je n'aime pas beaucoup Ernest! Il faudra trouver un nom plus court... »

» Ce fut cette nuit-là que Carla devint ma femme, dans sa caravane. Comment voudrais-tu que pareil événement puisse se passer ailleurs pour des gens du voyage?

Plouf avait fait cette confidence avec cette simplicité tranquille dont il ne s'était jamais départi depuis qu'il était venu me rejoindre sur le banc.

— Ta vie a été transformée?

— Nos deux vies! Nous avions notre secret que nous étions bien décidés à ne livrer à personne! Plus que partout ailleurs les nouvelles, bonnes ou mauvaises, se propagent vite dans un cirque : elles y tournent en rond. Quand je revins le matin dans ma caravane, Wontz y était, ayant déjà mis de l'ordre et fait la vaisselle.

« — Il ne fallait pas, Wontz! C'était à moi que ce travail incombait.

« — Ça m'a occupé pendant que je me disais : « Mon ami Ernesto a bien fait de finir la nuit avec ses parents... » Alors, ils ont été contents?

« — Enchantés!

« — Je le vois à ton visage : tu es radieux... Tu ne m'en veux pas trop pour mon absence d'hier soir?

« — Je t'en suis reconnaissant.

« — Où avez-vous été après le souper?

« — Un peu partout : je leur ai fait visiter la ville...

« — En pleine nuit? Mais ils n'ont rien pu voir!

« — Oh! tu sais! S'ils n'avaient pas eu d'imagination, ils n'auraient pas pu fabriquer un futur clown. Et toi, qu'est-ce que tu as fait?

« — Je te l'ai dit sur le mot que je t'ai laissé : la bombe! J'ai une de ces g... de bois! Si on faisait un peu de musique? Cet après-midi nous ne pourrons pas puisqu'il y a la matinée du dimanche.

« — Excellente idée, Wontz.

« — Tu te mets au piano ou au violon?

« — Au violon ! Ce matin je ne pourrais pas jouer d'un autre instrument. »

» Les journées passèrent, et les nuits... C'était fantastique d'être à la fois le partenaire et l'amant de Carla ! Nous étions liés : le numéro n'en prenait que plus d'éclat... J'étais également de plus en plus angoissé quand elle exécutait son saut périlleux final de cheval à cheval au galop : j'avais peur pour elle, peur de la perdre si l'accident stupide se produisait. Et je lui disais :

« — Peut-être pourrions-nous trouver une autre fin de numéro qui serait moins dangereuse pour toi ? »

» Mais elle répondait :

« — Tu es fou, chéri ! C'est ce qui produit le plus d'effet et sois tranquille : il ne se passera rien. Je sais aussi que tu es toujours là derrière moi, debout sur le deuxième cheval, prêt à me rattraper...

» Connaissant moi-même et mieux que personne mes propres possibilités, ce dernier argument me paraissait assez peu convaincant ! Aussi décidai-je de suivre les conseils de *Beppo* et de Rolf Arkein en commençant à préparer une entrée comique toute différente dans laquelle Carla courrait beaucoup moins de risques puisqu'on n'y trouverait plus de chevaux permettant de faire le terrible saut. Car il n'était pas question dans mon esprit de paraître désormais en piste sans elle. Nous étions déjà trop unis pour travailler l'un sans l'autre.

» Le principe de base de ce nouveau numéro — qui nécessiterait peut-être un an pour être mis au point et que, de toute façon, nous ne pourrions présenter qu'à la prochaine tournée — serait le même que celui qui faisait le succès de l'entrée équestre : la beauté et la grâce de Carla mises en valeur par le contraste avec la laideur et la maladresse d'Ernesto. Et pourquoi ne pas remplacer les chevaux par des montures d'acier, c'est-à-dire par des bicyclettes ? Je fis part de mon idée à mon professeur de jonglage *Charley* qui m'avait dit avoir appartenu dans sa jeunesse à un numéro d'acrobates cyclistes.

« — Existe-t-il, lui demandai-je, des numéros cyclistes comiques ?

« — Il y en a, bien sûr, tout ayant déjà été plus ou moins inventé au cirque, mais ils sont assez rares.

« — Si nous tentions d'en préparer un, toi et moi ?

« — Pour toi si ça te fait plaisir, répondit *Charley*, mais moi je suis trop vieux !

« — Comprends-moi : je fais appel à ton aide uniquement pour répéter... Quand le numéro commencera à prendre forme, je demanderai à Carla de te remplacer. Je ne voudrais pas l'ennuyer avant, et lui réserver la surprise... Autrement dit, jusqu'à ce qu'elle accepte de répéter ce numéro, ce sera toi qui interprétera le personnage sérieux accomplissant des prodiges sur sa bicyclette alors que moi, toujours grimé en auguste j'accumulerai chute sur chute sur un invraisemblable vélo comme j'en fais actuellement en tombant de cheval. Qu'est-ce que tu en penses ?

« — On peut toujours voir... »

» C'était tout vu ! Le surlendemain nous commencions à travailler l'après-midi sur des vieilles machines trouvées dans la roulotte aux accessoires, cette providence des artistes dans la misère. Plus tard « quand j'aurai de l'argent » — c'était le leitmotiv qui revenait le plus souvent dans ma bouche — je ferai pour Carla l'acquisition d'une superbe bicyclette de piste bien nickelée et possédant toutes les possibilités de démontage en cours de numéro. Pour moi, je serai certainement dans l'obligation de me faire fabriquer un vélo à surprises, entièrement truqué, dont les axes de moyeux auraient la possibilité d'être décentrés. Je me voyais déjà en train de faire rire aussi bien les foules par les chutes de bicyclette que par celles de cheval.

» Un jour où nous étions en train de répéter, Carla nous surprit :

« — Qu'est-ce qui vous prend à tous les deux ? Vous avez abandonné le jonglage pour la bicyclette ?

« — Nous avons l'intention de combiner les deux, répondit vivement Charley. C'est très spectaculaire, le jonglage à bicyclette ! Et puis il faut qu'Ernesto sache tout faire sur la piste : on ne sait jamais ce qui peut arriver. »

» Carla s'éloigna sans répondre mais le soir elle me dit dans sa caravane :

« — Tes plus grandes qualités, chéri, sont l'entêtement et la persévérance... Au lieu de te contenter, comme tant d'autres l'auraient fait, d'avoir du succès dans notre numéro actuel, tu cherches à faire autre chose. J'ai l'impression que, dans notre métier, tu seras toujours un éternel insatisfait ! C'est pourquoi un jour ta réussite sera fulgurante. Tu me plais de plus en plus... »

» Confidence qui était très agréable à entendre. D'ailleurs, peu à peu, Carla me faisait toutes ses confidences... Ce fut ainsi que j'appris que Skirnof avait commencé à lui faire la cour trois années plus tôt alors que le *Circus Arkein* était à Baden-Baden au moment de la grande saison. Le prince, qui n'en avait nul besoin, y faisait une cure toute relative qui l'ennuyait mortellement et la venue du cirque avait transformé son existence. Le soir même Carla recevait, à la fin de son numéro, son premier envoi d'orchidées. Depuis ça n'avait plus cessé : les fleurs rares étaient l'indication que l'admirateur chamarré se trouvait dans la salle. Si elle n'avait pas été très discrète devant les autres, cette cour princière s'était révélée tellement platonique dans l'intimité que Carla en était presque arrivée à se demander si son auteur attachait quelque importance aux rapports physiques avec une femme. Ce qui semblait lui convenir le plus était une présence féminine à ses côtés et en public.

» Moi aussi je faisais mes confidences à celle qui, de jour en jour, devenait davantage ma compagne et je n'hésitais pas à lui expliquer que je voudrais bien être augmenté par Rolf Arkein : ce qui me permettrait d'acquérir les bicyclettes spéciales dont j'avais besoin et qui coûtaient très cher. Je n'osais quand même pas ajouter : « Quand j'aurai ces bicyclettes je pourrai progresser rapidement sous la direction de *Charley* et je te jure que l'année prochaine tu ne risqueras plus ta vie à

chaque représentation sur des chevaux lancés au galop !
C'est de ta faute : maintenant je tiens trop à toi ! » Faire
comprendre à Carla, qui avait la passion de son art
équestre, qu'un jour prochain viendrait où j'exigerais
qu'elle changeât de spécialité, était au-dessus de mes
forces. C'eût été dangereux aussi pour notre liaison qui
n'en était encore qu'à ses débuts : peut-être m'aurait-
elle quitté ?

« — Sois sans souci, dit-elle, au sujet de ton augmentation. Je vais en parler à Arkein en faisant valoir
la plus-value certaine que ta présence comique a
apporté à mon numéro. Et comme c'est un homme
juste, sachant reconnaître le beau travail, il fera un
effort. »

» Le vieux dicton « *Ce que femme veut, Dieu le
veut* » se révéla vrai une fois de plus. Trois jours plus
tard, le *Herr Direktor* me convoquait dans sa caravane
pour m'annoncer que mes appointements mensuels
étaient triplés. Ce n'était pas encore le Pérou, mais
c'était un commencement de justice. L'année prochaine
ce serait encore mieux.

» Depuis quelques jours, j'étais très excité à l'idée
que le *Circus Arkein* se rapprochait de Binden où il
donnerait, comme l'an passé, une unique soirée... J'allais retrouver la petite ville de mes premiers exploits
sur piste et surtout le *Burghoffer* des Wiesenthal !
Mais, cette fois, je verrais d'en bas le château colossal
qui dominait la vallée et qui continuait à me faire
rêver... Je serais sous ce champignon coloré que j'avais
aperçu un matin du haut de ma chambre de précepteur
et qui avait été la cause principale de mon changement
radical d'existence !

» Certes, je n'aurais ni le temps ni surtout le courage
de monter jusqu'à l'entrée du *Burghoffer* pour me présenter sur le tablier du pont-levis en disant à l'abomi-
nable majordome : « Coucou ! C'est moi le petit précepteur qui viens vous revoir... Comment vont ces chers
Wiesenthal ? Le baron joue-t-il encore de son monocle
entre ses doigts ? La baronne est-t-elle toujours aussi

charmante? Et les héritiers, mes amis Eric et Dietrich, ont-ils continué à apprendre le français? » Cela ne se passerait pas et ce serait bien dommage! Par contre si un miracle se produisait! Pourquoi Eric et Dietrich, se souvenant de la soirée mémorable que nous avions passée tous les trois ensemble, ne reviendraient-ils pas, accompagnés d'un autre précepteur plus sérieux que moi, pour voir le nouveau spectacle de ce *Circus Arkein* pour lequel ils avaient déjà manifesté un tel engouement? Ne serait-ce pas fantastique?

» Un spectacle où il n'y aurait plus les vilains *Viva Lotta* qui faisaient d'aussi méchantes blagues au petit prof de français mais où mes anciens élèves découvriraient un autre clown qui, lui, était très gentil et qui se contentait de tomber de cheval de mille et une manières... Un dénommé Ernesto auquel le baron aurait eu bien du mal à donner des conseils de noble et pure équitation dans son manège privé du *Burghoffer!*

» Dès que nous ouvrîmes les fenêtres de la caravane, débarqués du train au petit jour dans la gare de Binden que je connaissais par cœur après y avoir attendu une année plus tôt le départ du tortillard qui me conduirait à Wirbourg pour retrouver le *Circus Arkein,* je montrai à Wontz les tours du château, perché sur son nid d'aigle, en lui disant :

— C'est là où j'habitais quand j'ai pris la décision de devenir un clown... »

» Il n'en crut pas ses yeux. Carla, à qui j'avais déjà raconté mon séjour au *Burghoffer,* me demanda un peu plus tard :

« — Où était ta chambre?

» Après avoir compté, je pus lui dire :

« — Entre les deux grosses tours que tu vois il y a deux rangées de fenêtres : j'habitais au second étage. En partant de la tour de gauche, c'est la troisième...

« — C'est là où tu as rêvé pour la première fois de moi?

« — Oui! Je t'avais vue la veille au soir dans ton ancien numéro, mais j'étais très triste : quand j'ai ouvert cette fenêtre, le cirque avait disparu en emportant mon rêve.

« — Et moi, si je m'étais doutée la veille que l'hurluberlu qui se faisait copieusement arroser par les Espagnols serait l'homme de ma vie ! Et ces jeunes élèves que tu aimais bien, ça te ferait quelque chose si tu les revoyais ce soir assis à peu près aux mêmes places... Toi tu les reconnaîtrais, mais eux ?

« — Sûrement pas ! Ou alors ça indiquerait que mon grimage est déplorable ! Si je n'avais pas prévenu mes propres parents quand ils sont venus à Aix-la-Chapelle, par un mot joint au programme que je leur ai fait offrir, ils ne m'auraient même pas repéré ! Alors, tu penses : Eric et Dietrich...

« — C'étaient leurs noms ?

« — Oui : ces deux gamins adorablement insupportables mais qui ne manquaient pas de cœur... On verra ce soir. »

» Ils vinrent, ami ! Ce qui prouvait que le souvenir de leur dernière soirée passée avec M. Ernest Bedaine était resté impérissable dans leur mémoire ! Quand je les aperçus à travers la fente du rideau, avant mon entrée, j'en eus les larmes aux yeux... Et tu sais qui les accompagnait, me remplaçant sur le fauteuil placé entre les deux leurs ? L'ignoble majordome !

— En livrée ?

— En civil. Il cherchait à se donner des allures de gentleman alors qu'il ressemblait à un policier d'une mauvaise brigade mondaine ! Dire que c'était à ce genre de serviteur obséquieux que le baron confiait ses fils et donnait sa confiance alors qu'il me l'avait retirée parce que j'avais réussi à les faire rire ! Eh bien, je tenais ma vengeance... Elle serait grandiose ! Je me surpasserais, voulant faire rire mes jeunes amis — les seuls vrais que j'avais eu au *Burghoffer* — comme ils n'avaient encore jamais ri et certainement beaucoup plus que ne les avait fait rire feu Ernest Bedaine ! Et au moment du salut final de toute la troupe, je réapparaîtrais en portant cette fois le drapeau français et j'irais me planter devant eux en leur disant en français : « *Bonjour Eric, bonjour Dietrich...* » Puis je m'adresserais au major-dome en lui demandant en allemand : « *Vous êtes leur nouveau précepteur ? Je les plains !* »

— Et tu l'as fait ?

— Comme je viens de te le dire ! Je n'ai jamais vu de ma vie de jeunes garçons écarquiller des yeux pareils ! Quant au cerbère, j'ai cru qu'il allait avoir une congestion.

» Quand nous sortîmes de piste, Rolf Arkein me demanda :

« — Ne sont-ce pas les jeunes gens avec qui vous étiez quand vous avez participé, ici même à Binden, au numéro des *Viva Lotta ?*

« — Ce sont eux, Patron... mes anciens élèves. Je suis enchanté; ils n'ont pas cessé de rire sans pourtant me reconnaître; ce qui prouve que mon maquillage est réussi.

« — Etes-vous certain qu'ils n'ont pas reconnu votre voix pendant le numéro, quand vous avez crié à Carla : « *Bravo, bravo ! Qu'elle est jolie la demoiselle !* »

« — Non car je le dis en allemand... Ils ne l'ont retrouvée que lorsque je leur ai dit *bonjour* en français et prononcé intentionnellement leurs deux prénoms *Eric* et *Dietrich* à la française... Cela leur a brusquement rappelé les moments où une voix leur disait avant chaque leçon : « *Maintenant Eric, Dietrich, il est grand temps pour vous de conjuguer dans un français correct les verbes « avoir » et « être »...* »

« — Ce qu'ils faisaient, monsieur Bedaine ?

« — Très mal, monsieur Arkein !

« — C'est pourquoi vous avez bien fait de venir au cirque ! »

» Je n'ai jamais revu Eric et Dietrich von Wiesenthal. Il est vrai aussi que je ne suis pas revenu à Binden. S'ils vivent encore aujourd'hui ils doivent être devenus de très vieux messieurs auxquels je souhaite d'avoir autant d'allure qu'en avait le baron leur père. Et je me demande si au cours de leur existence ils ont tellement eu envie de retourner au cirque ? N'ont-ils pas été hantés par la pensée que s'ils y voyaient un clown ou un auguste qui savait les faire rire, celui-ci ne manquerait pas de leur dire en pleine piste : « *Eric, Dietrich, vous ne me reconnaissez pas ? Je suis Ernest Bedaine...* »

» Le lendemain ce fut la représentation à Wirbourg, ville que je retrouvai — comme Binden — identique à elle-même. Nous étions installés à nouveau sur la *Grosseplatz* et l'après-midi je ne pus résister au plaisir de m'asseoir sur le banc où j'avais attendu, une année plus tôt, l'arrivée du *Circus Arkein*. Je pus y contempler à nouveau ses affiches hautes en couleur et prometteuses de rêve qui étaient placardées sur des panneaux tout autour de l'esplanade. C'était à peu près les mêmes affiches standards propres à n'importe quel cirque à l'exception cependant d'une seule : celle de **CARLA** et **ERNESTO** dont la facture, plus moderne et surtout beaucoup plus vivante, tranchait nettement dans le lot. C'était en la comparant aux autres que l'on pouvait réaliser que Skirnof ne s'était pas trompé dans le choix de son compatriote qui l'avait exécutée : il s'était adressé à un véritable artiste. Ce qui me ravissait était que notre affiche avait remplacé celle des *Viva Lotta* et, sans faire pour cela preuve d'orgueil, j'étais bien obligé de reconnaître en toute objectivité que la tête et la silhouette de l'auguste Ernesto étaient infiniment plus comiques sur une affiche que celles des Espagnols disparus. Mais ce n'était quand même pas encore ce que je voulais... Quand j'aurais mis au point le numéro cycliste que je préparais pour la prochaine saison, je modifierai la tête d'Ernesto : il conserverait son gros nez rouge, ses dents peintes sur la lèvre supérieure et son immense bouche qui se fendait jusqu'aux oreilles lorsqu'elle riait, mais la perruque de cheveux jaunes ébouriffés serait remplacée par un faux crâne dénudé luisant sous les lumières de la piste et dont la partie basse, à hauteur des oreilles et du cou, serait cerclée par une demi-couronne de bouclettes vertes. Je pensais que ce serait plus drôle. Progressivement je me rapprochais du Plouf que tu as applaudi... Quant à l'affiche de l'entrée équestre de CARLA et ERNESTO, elle n'aurait plus sa raison d'être le jour où le numéro n'existerait plus. Il en faudrait une nouvelle sur laquelle évolueraient les cyclistes.

» Le lendemain matin nous entrions en fanfare dans Munich pour le séjour annuel de trois semaines.

— Où étais-tu placé cette fois dans le défilé triomphal ?

— Immédiatement derrière les sonneurs de trompe et à califourchon sur la croupe du deuxième cheval de voltige qui trottait à côté de celui de Carla assise en amazone, et comme moi sans selle.

— Tu n'étais pas en civil mais en Ernesto ?

— Tout ce qu'il y a de plus Ernesto et Carla dans son tutu bleu : le couple où, comme toujours, la belle souriait et l'affreux faisait des grimaces !

— Quelle ascension pour toi en une année !

— Je reconnais que je n'étais pas trop mécontent... Traverser Munich dans de telles conditions n'était pas désagréable. N'avais-je pas tout ? La semi-vedette, l'amour et l'admiration des foules ? Seulement j'étais trop fier de ma petite personne pour me souvenir que c'est presque toujours quand on se croit au faîte de la gloire que la situation se détériore...

— Qu'est-ce qu'il y a eu ?

— Le soir même, quelques minutes avant que nous n'entrions en piste, le *ringmaster* me dit : « M. Ernesto, n'oubliez pas à la fin de votre numéro de remettre à Carla le bouquet pendant que l'on vous applaudira. » Le bouquet ? Ça recommençait après quatre mois de répit pendant lesquels tout le monde s'était très bien passé des orchidées ! Si je les offrais à nouveau, ces fleurs maudites que j'avais appris à détester, cela signifiait que le prince serait là, revenu de Petrograd ! Je me précipitai vers la fente du rideau : il n'y avait aucun doute ! Alexys Skirnof, revêtu de son uniforme blanc, avait retrouvé son fauteuil ! Je revins en courant vers Carla qui s'apprêtait à monter sur son cheval :

« — Sais-tu qui est dans la salle ?

« — Alexys... Il m'a fait porter un mot en fin d'après-midi pour m'informer de son retour et m'inviter à souper ce soir avec lui après la représentation.

« — Il a eu ce toupet?

« — Pourquoi du toupet? Il ignore, comme d'ailleurs tous ceux qui nous entourent ici, que nous sommes devenus amants.

« — C'est vrai. Mais alors, qu'est-ce qui va se passer?

« — Rien.

« — Comment rien? J'espère au moins que tu vas refuser d'aller à son souper?

« — Je ne peux pas lui faire ça, chéri! Ce serait une impolitesse qu'il ne mérite pas après toute la gentillesse dont il a su faire preuve à mon égard pendant trois années et tous les cadeaux qu'il m'a faits... N'oublie pas non plus que c'est à lui que nous devons notre association et la merveilleuse affiche... Toi aussi, Ernest, tu dois lui avoir de la reconnaissance...

« — De la... J'en ai, bien sûr! Seulement entre la gratitude et le laisser souper seul avec ma femme — parce que maintenant tu es ma femme! — il y a une marge...

« — Peut-être va-t-il également t'inviter?

« — Je n'accepterais certainement pas! Ce serait indécent de ma part! Tu nous vois maintenant tous les trois autour d'une table en train de fêter « nos » retrouvailles? Mais ce serait très gênant, Carla, aussi bien pour toi que pour moi!

« — Pas pour lui puisqu'il ne sait pas... C'est là l'essentiel! Donc je dois continuer à me montrer gentille avec lui... Tu comprends, mon amour? Je t'adore! »

» La voix tonitruante de Schumberg hurla:

« — Vite, Ernesto! Qu'est-ce que vous fichez? Vous allez manquer votre entrée! Courez pour grimper sur les gradins! Et vous, Carla? A cheval! Au galop! »

» Le numéro commença.

» Tu ne peux pas savoir ce que fut pour moi cette première à Munich ! Je ne sais même pas comment je suis arrivé à faire rire la salle ! Pendant que j'étais sur le cheval ou que je me roulais dans la sciure j'avais envie de crier au Russe : « *F... le camp ! Carla n'a plus besoin de toi ! Elle a trouvé maintenant un vrai mari et ce n'est pas toi !* » Il était là, vautré dans son fauteuil, riant et applaudissant... C'était d'un pénible ! Le pire a été le moment de la remise du bouquet qui était encore plus volumineux que les autres comme si Skirnof cherchait à racheter par ce présent éphémère sa longue absence... C'est bien simple, ami, je ne peux plus voir les orchidées ! Tu as remarqué, d'ailleurs, qu'il n'y en a nulle part dans ce château, ni dans la composition de mon portrait floral.

— Ce sont des fleurs trop fragiles ; elles n'auraient pas tenu vingt-quatre heures sur ta pelouse !

— Qui sait ? On voit bien que tu ne les connais pas ; ce sont des traîtresses ! C'est grâce à elles que Skirnof a pu faire croire à Carla qu'elle était aimée alors qu'elle n'était pour lui qu'un jouet de plus.

— Ne t'énerve pas, Plouf ! Conserve ce merveilleux calme que tu as su garder jusqu'à présent pour me raconter ton passé.

— Tu as raison, l'énervement, c'est aussi malsain pour les vivants que pour les fantômes... Et ça ne sert à rien ! La preuve en est qu'après la représentation j'ai été gonflé d'orgueil quand Skirnof nous a dit, à Carla et à moi : « Dans son genre, votre numéro est devenu de l'art pur ! Il ne me paraît pas possible de faire mieux... Ma fierté est immense d'en avoir été l'inspirateur... C'est même très curieux : à force de travailler ensemble, vous êtes arrivés à une sorte d'harmonie dans la grâce et dans le rire. » Qu'est-ce que tu veux dire après cela, sinon : « Merci ! » Et, comme l'avait pressenti Carla, il m'a demandé de souper avec eux...

— Qu'as-tu répondu ?

— J'ai failli dire oui mais Carla m'a regardé d'une étrange façon. Ses yeux semblaient vouloir dire : « Ne viens pas avec nous, Ernesto, je t'en supplie! Dans l'état où je te sens ce soir, tu vas sortir des bêtises pendant le repas et peut-être même t'emporter! Ce qui déclencherait l'irrémédiable et nous avons encore besoin de l'appui d'Alexys... Laisse passer cette soirée : demain tu auras retrouvé ton calme et nous aviserons... Va dormir, mon chéri. » Aussi ai-je répondu, presque minable : « *Je crois, prince, qu'après une aussi longue séparation Carla et vous serez plus heureux sans moi.* » Oui, mon ami, j'ai été jusqu'à dire ça! Tu sais pourquoi? Uniquement parce qu'aimant Carla à la folie, j'avais peur qu'elle ne me reproche d'être stupidement jaloux! Et je les ai vus partir au clair de lune, dans le beau coupé... Je suis resté là, comme un imbécile, n'osant même pas rejoindre ma caravane où Wontz, voyant ma triste figure, n'aurait pas manqué de me poser des questions auxquelles je n'aurais pas pu répondre. J'ai erré dans le cirque comme cela m'était déjà arrivé l'année précédente. La nuit était chaude, favorisant toutes les rancœurs et toutes les folies... Pendant des heures, rongé d'inquiétude, j'attendis le retour de Carla qui ne revint pas... Tout ce qu'elle m'avait dit sur l'absence totale de relations physiques entre elle et Skirnof, et que j'avais pu moi-même vérifier le jour où elle était devenue mienne, toute la confiance que j'avais placée en elle, tous mes projets d'avenir, tout s'effondrait! Mais quand, hébété de chagrin et mort de fatigue, je revins m'allonger enfin dans ma caravane où Wontz dormait, ma décision était prise : je n'attendrais pas vingt-quatre heures avant de placer Carla devant l'alternative de choisir le Russe ou moi. Ensuite, celui qui resterait pour compte devrait disparaître!

» Elle ne revint qu'à 3 heures de l'après-midi pour la répétition de routine pendant laquelle nous n'échangeâmes pas un seul mot. Tu ne peux pas imaginer ce que c'est que de travailler dans de pareilles conditions! On observe les moindres gestes et les plus petits ratages du ou de la partenaire pour laisser éclater la colère... On en arrive presque à se haïr, à souhaiter même l'accident qui empêchera l'autre de continuer à triompher... On devient un véritable monstre, c'est affreux! Mais il n'y eut pas le moindre incident, tellement nous étions tendus l'un et l'autre.

» Quand ce fut terminé, et après qu'elle fut descendue de cheval, je lui dis simplement :

« — J'ai à te parler. » Il faut croire que le ton de ma voix n'admettait pas la réplique puisqu'elle ne répondit pas.

» Quand nous fûmes dans sa caravane et que la porte fut refermée, j'éclatai enfin :

« — Tu te f... de moi? »

» Très calme, elle répondit :

« — Tu sais très bien, Ernesto, que j'ai horreur que l'on me parle ainsi...

« — Tu préfères sans doute la conversation du prince?

« — Elle a au moins le mérite d'être celle d'un homme bien élevé.

« — Je ne le suis peut-être pas, moi qui ai eu l'élégance de vous laisser aller souper comme de vieux amants qui viennent de se retrouver?

« — D'abord je t'ai déjà dit qu'Alexys n'était pas mon amant et qu'il ne le serait jamais! Mon amant, c'est toi! Tu le sais! Nous avons parlé... Ou plutôt il a parlé! Tu connais Alexys : bavard comme il est, il n'a pu résister au plaisir de me raconter tout ce qui lui est arrivé en Russie... Il a même vu quatre fois le tsar!

« — Ça nous fait une belle jambe! Et tu l'as écouté comme ça sans avoir sommeil?

« — Non, parce que c'était passionnant... C'est maintenant, je l'avoue, que j'ai sommeil.

« — Sans doute parce que tu es avec moi?

« — Sois gentil! Et laisse-moi : je vais essayer de dormir jusqu'à l'heure de la représentation pour être en pleine forme.

« — Et recommencer à souper avec lui?

« — Et avec toi! Oui, il m'a fait comprendre qu'il

serait très vexé si tu refusais à nouveau, ce soir, son invitation.

« — Je n'irai pas !

« — Tu iras, Ernesto, parce que tu lui dois le départ de ta carrière et pour faire plaisir à ta femme.

« — Ma femme ? Tu n'es pas encore ma femme ! Tu ne le seras que lorsque nous serons passés devant le maire... Justement, c'est pour cela que je voulais te parler : la situation actuelle ne peut plus durer. Ou nous nous marions immédiatement, ou nous nous quittons !

« — Nous nous quittons.

« — Quoi ?

» J'en restai interloqué : elle était toujours calme.

« — Ah ça ! Tu es folle ?

« — Je crois être, au contraire, tout à fait lucide... Tu me plais infiniment, et nous nous entendons parfaitement, aussi bien dans notre numéro que dans le lit. Nous avons les mêmes goûts et, l'un et l'autre, la passion de notre métier... Tu peux être certain que, s'il nous arrivait de rompre, je ne chercherais pas d'autre amant ! Mon travail m'occupera assez pour que je puisse me passer d'un homme et puis, que ça te plaise ou non, j'aurais toujours la ressource inestimable de pouvoir compter sur l'amitié d'Alexys : c'est beaucoup, pour une femme, l'amitié d'un homme d'une telle qualité ! Mais ce qu'il faut que tu te mettes bien dans la tête, c'est que je ne deviendrai légalement ta femme que le jour où tu seras vraiment célèbre et, comme tu ne cesses de le répéter toi-même, « *le plus grand clown du monde* » ! Je me refuse à porter le nom d'un obscur artiste... Le jeune Ernesto fait d'excellentes choses, seulement il n'existe que parce qu'il a la chance d'être le partenaire de la belle Carla Bardoni qui était déjà très connue dans le métier et qui a bien voulu t'entraîner dans son sillage ! Sinon, il n'était rien du tout et aurait risqué de continuer à végéter dans l'anonymat des augustes d'un charivari. Maintenant, également grâce à Carla à qui son prince ne peut rien refuser, le petit Ernesto parade même sur une affiche ! C'est très heureux pour lui, mais un tel état d'euphorie pourrait ne pas durer... Pour prouver à celle qu'il aime qu'un jour viendra où il aura l'envergure et le poids que toute femme raisonnable se doit d'exiger d'un époux, il faudra que ce charmant garçon devienne quelqu'un par lui-même. Autrement dit, il devra faire ses preuves et les preuves, dans le cirque, se traduisent par le succès que l'on fait soi-même... M'as-tu comprise?

« — Mieux que tu ne crois! Puisque tu estimes que je ne suis qu'un « élément rapporté » dans ton numéro, dès ce soir tu le feras sans moi... Maintenant, si tu estimes que tu ne peux pas travailler seule, tu auras toujours la ressource de t'adresser au prince pour qui ce sera certainement une joie de me remplacer! Un prince, ça sait monter à cheval... Quant au costume, son bel uniforme remplacera très avantageusement mon vieil habit râpé! Pour ce qui est du maquillage, je pense qu'il n'en a nul besoin! Sa mâle beauté compensera ma laideur voulue... Il n'a pas besoin non plus de faire rire aux éclats : son sourire, embusqué derrière sa moustache, suffira... Il entraînera tous les cœurs féminins dans la foulée du galop et, comme toi-même tu sais faire la conquête de tous les hommes, votre numéro sera un triomphe!

« — Tu as fini?

« — Je continue et après je pars!

« — Pour aller où?

« — N'importe où je serais mieux qu'ici puisque je ne verrais plus Skirnof!

« — C'est à croire que tu as quatre ans! De toute façon tu ne peux pas partir...

« — Pourquoi?

« — Si tu le faisais, tu ne pourrais plus jamais travailler dans un autre cirque! On n'a jamais vu un artiste qui abandonne son numéro en plein succès pour des raisons sentimentales, surtout quand cet artiste a un partenaire. Ça ne se fait pas! Si l'on veut vraiment partir, on prévient au moins trente jours à l'avance et on attend que le remplaçant soit bien en place.

230

« — C'est pour cela que mon idée du prince-écuyer n'est pas tellement mauvaise !

« — Tu lui en veux donc tant que cela ?

« — Oui, parce que j'ai l'impression que tu ne peux pas te passer de lui !

« — Pas plus que de toi maintenant, chéri... Chacun à votre manière, vous m'êtes indispensables tous les deux : toi pour l'amour et le travail, lui pour l'amitié et la publicité... Ne trouves-tu pas que ces quatre éléments se complètent très bien ? Alors, tu soupes avec nous ?

« — Je ne sais pas... »

» En quittant la caravane de Carla, je courus à la roulotte des augustes :

« — Où est *Charley* ?

« — Comme d'habitude, répondit *Celino,* tu le trouveras à la brasserie. »

» Cette brasserie située sur la place et où j'avais reçu de *Beppo* ma première leçon de rire un an plus tôt ! Comme le nain, *Charley* — devenu à son tour grand chef du charivari — était accoudé au comptoir devant un verre. Mais chez lui les demis dégoulinants de mousse étaient remplacés par ce qu'il appelait « les petits coups de blanc ».

« — Dis-moi, *Charley,* qu'est-ce que tu penses du numéro que nous préparons ?

« — Si on avait les deux bonnes bicyclettes — la belle bien nickelée pour Carla et la tienne avec le moyeu truqué — au lieu des vieilles qu'on a dégotées dans le matériel d'Arkein, tu pourrais presque le présenter en public après huit jours d'entraînement. Je crois que ça collerait...

« — Tu es capable de garder un secret ?

« — Quand je ne suis pas saoul, oui.

« — Alors, fini les petits blancs, mon vieux ! Ce sont les derniers que tu bois.

« — Tu es dingue ?

« — Moins que tu ne le crois !... Ça te dirait de faire le numéro avec moi ? Tu remplacerais Carla...

» Il ouvrit une bouche démesurée, me regardant sans comprendre.

« — Suis-moi, *Charley*... Tu ferais le cycliste sérieux et moi l'auguste comme cela a toujours été prévu.

« — Mais comment serais-je habillé ? Il me faudrait un genre d'habit ou de smoking pour que je sois élégant ? »

» *Charley* en habit ? Ce n'était pas possible ! Et puis, tout en ayant une assez grande taille, il n'était pas très bel homme, ni assez jeune ! Il n'y aurait surtout plus l'atout majeur du contraste entre ce qui est beau et ce qui est laid... Et s'il était grimé, lui aussi ? On ne verrait plus toutes ces petites taches graveleuses qui lui recouvraient le visage et qui n'étaient pas très jolies à regarder ! Lui laisser le maquillage d'auguste qu'il avait pour le charivari ? Il ne pourrait plus exécuter des exercices sérieux et deux augustes ensemble sur des bicyclettes, ça risquerait de ne pas faire rire du tout ! Il n'en fallait qu'un : moi ! Comme *Charley* n'était pas du tout maladroit — c'était un très vieux routier du métier — il risquerait aussi de me couper tous mes effets comiques... Il fallait que je sois le seul à faire rire ! Mais, par contre, s'il se barbouillait toute la figure de blanc gras et paraissait en clown blanc, revêtu d'un magnifique costume pailleté ? Il risquerait de paraître presque beau ! Il avait la silhouette et sa voix était bonne : une voix qui sait commander et gourmander l'auguste gaffeur.

« — Pourquoi ne ferais-tu pas le numéro en clown blanc ? On n'a certainement encore jamais vu ça : une entrée de clowns cyclistes !

« — *Charley et Ernesto*, ça ne vaudra quand même pas *Carla Bardoni et Ernesto* !

« — Ce n'est pas sûr... Nous n'avons encore jamais vu Carla sur une bicyclette puisque je ne lui ai pas dit que je préparais ce numéro sous ta direction en pensant à elle... Il n'est pas non plus du tout certain qu'elle accepterait... Elle aime tellement briller sur un cheval ! Tu l'imagines sans cheval ? Le tutu qu'elle porte avec tant de grâce, ça convient à une écuyère mais est-ce très esthétique sur une bicyclette, même si c'est le plus beau vélo du monde ? Pour une jolie femme, ça ne vaut quand même pas un cheval !

« — Je ne veux pas me mêler de ce qui ne me regarde pas, mais qu'est-ce qui se passe pour que tu me fasses une telle proposition ?

« — Rien de spécial. J'en ai simplement assez de travailler chez Arkein; j'ai envie de changer d'air, et toi ?

« — Oh moi ! Si je l'avais pu, il y a longtemps que je serais parti, avec ce que je gagne dans cette taule ! Seulement pour ça il aurait fallu créer un nouveau numéro et, seul, je n'en aurais pas eu le courage ! Il me fallait un partenaire jeune comme toi qui me remonte le moral et qui en veut...

« — Eh bien ça y est, *Charley;* on l'a, le numéro !

« — Et mon costume pailleté ? Ça coûte cher, tu sais !

« — J'aurai assez.

« — Note bien que ça ne me gênerait pas tellement d'être un clown blanc... Je l'ai déjà fait il y a une quinzaine d'années.

« — Formidable ! Mais tu as donc tout fait ?

« — Tout ! Et même trop ! C'est pour cela que j'en suis là : au néant... Tu as raison, mon petit, de vouloir te cantonner dans « l'auguste ». C'est ton genre, ça te convient.

« — Tu crois qu'on pourrait trouver ici les bicyclettes ?

« — Tu parles ! Il y a à Munich l'un des plus grands fabricants de matériel de cirque qui existent. Il suffit d'y aller... et de payer !

« — Il pourrait aussi te fournir ton costume de clown blanc ?

« — Sûrement.

« — Alors c'est enveloppé. On y va demain. Si on se décide à partir une fois qu'on sera parés, où ira-t-on ?

« — De toute façon, pour bien nous roder, il faudra débuter dans un petit établissement. Ici c'est trop grand, trop important ! Et Arkein ne voudra pas de nous... Tu penses ! Deux artistes qui bouleversent le programme qu'il a élaboré pour toute sa saison ! Pour lui ce sera de l'indiscipline... C'est lui qui choisit ses numéros un par un et ce ne sont pas les numéros qui s'imposent à lui !

« — Ce seront quand même, lui et sa femme, les deux seules personnes que je regretterai dans cette grande baraque.

« — Et Wontz ?

« — Tu as raison : pour moi Wontz s'est vraiment montré un ami. Lui aussi, comme *Beppo,* m'a appris une foule de choses...

« — Tu ne crois pas que ça lui plairait, à *Beppo,* l'idée qu'on va peut-être se mettre ensemble ?

« — Certainement : il m'a dit qu'il ne fallait pas m'éterniser ici.

« — Et Carla, tu ne la regretteras pas ?

« — Elle, c'est autre chose... Malheureusement, ce qui flanque tout par terre c'est qu'elle se croit faite pour être courtisée par des princes !

« — Pourtant, elle n'a toujours dit que du bien de toi.

« — Elle le peut. Je ne l'aide pas dans son numéro ?

« — On reconnaît tous ici que tu te débrouilles comme un as.

« — Alors ? Ce qui est ennuyeux aussi avec Carla, c'est qu'elle n'aime que les hommes qui paraissent lui être supérieurs...

« — C'est normal, Ernesto. Une femme ne peut aimer qu'un homme qu'elle admire... Disons qu'elle t'aime bien, ce n'est pas si mal !

« — Evidemment, si un jour je devenais un très grand, un immense artiste dont elle aurait besoin au lieu d'être le gugusse qui ne sert qu'à mettre son talent en valeur, tout changerait ! Mais je n'ai pas d'inquiétude : je serai ce personnage ! Alors là, je te promets que l'Italienne filera doux ! Mais motus, *Charley*... Pas un mot à personne de ce qu'on vient de se dire, et surtout pas à Carla !

« — Promis, Ernesto. »

» Ami, l'offre que je venais de faire au vieux *Charley*

234

va peut-être te paraître un peu moche, mais elle était nécessaire! J'avais besoin d'agir tout de suite pour me remonter le moral... Sinon je n'aurais plus été qu'une loque que Carla aurait manœuvrée à sa guise et dont elle se serait servie aussi bien pour son numéro que pour son plumard quand elle en avait besoin! Heureusement que j'ai eu la réaction immédiate!

» Le soir, le numéro se déroula normalement mais, chose curieuse, pour la première fois je fis mon travail consciencieusement et sans le moindre enthousiasme. Depuis la conversation que j'avais eue avec mon complice *Charley,* je pensais à autre chose : mon esprit était ailleurs... Je me voyais déjà sur ma bicyclette burlesque et lui, superbe, en clown blanc. C'était peut-être plus facile de travailler avec un homme : on devait moins risquer les sautes d'humeur ou les caprices. Enfin je n'aurais pas, à chaque fois que nous passerions en piste dans une ville de quelque importance, l'insupportable présence du Russe!

» Il était là, attendant l'instant qui, pour lui, devait être le plus divin de sa soirée et pendant lequel il se délectait : celui où le misérable Ernesto remettrait à la triomphante Carla les fleurs que lui-même, le noble prince Skirnof, lui faisait porter. Je ne sais pas ce qu'il me prit quand un bareiter me tendit, comme chaque soir, le bouquet...

» Au lieu de l'offrir à mon tour à ma partenaire, je me précipitai vers Skirnof assis de l'autre côté de la banquette et lui lançai le paquet d'orchidées en pleine figure avant de m'enfuir en courant vers la barrière. Au moment de mon geste insensé, j'avais entendu un «, oh! » de saisissement ou d'indignation dans la salle suivi d'une immense clameur vite couverte par l'orchestre de Wontz, toujours prêt à sauver la situation.

» Je courus jusqu'à ma caravane où je m'enfermai pendant que le spectacle continuait sous le chapiteau, bien décidé à ne pas reparaître en piste au moment du salut final. Je m'attendais à ce que le *ringmaster,* Rolf Arkein ou Carla elle-même vinssent me relancer avant

235

ce final, mais personne ne parut. Je restai seul, ruminant les raisons qui venaient de me faire agir et, finalement, je n'en trouvai qu'une : je ne pouvais plus supporter la présence, même très épisodique, du prince dans la vie de Carla. Et il en aurait été de même pour tout autre rival que lui. J'étais devenu fou de jalousie. Je me réjouissais aussi − ce n'était pas un très joli sentiment, je le reconnais ! − à la pensée que Skirnof avait dû se sentir couvert de ridicule quand il avait été submergé par le flot d'orchidées ! Et Carla avait dû être folle de rage en voyant le cadeau qui lui était destiné atterrir sur l'uniforme chamarré de son admirateur. Je regrettais presque d'être parti sans avoir contemplé la scène dont le comique avait dû être certainement irrésistible. Le public, lui, n'avait probablement rien compris à moins qu'il n'ait pensé que c'était une blague supplémentaire ajoutée à notre numéro ?

» Je réalisai que la représentation venait de prendre fin quand je vis les artistes rejoindre leurs caravanes respectives. Mais aucun d'eux ne vint frapper à ma porte, je compris alors que j'étais devenu l'objet d'une réprobation collective. Le petit « professeur », dont tout le cirque avait apprécié et même encouragé la rapide accession au rôle d'auguste-vedette, n'était plus qu'un pestiféré : un étranger indigne de continuer à faire partie de la troupe de l'illustre *Circus Arkein* ! N'avait-il pas commis un crime de lèse-majesté en se moquant, devant le public, du plus noble spectateur de l'établissement ? Il s'était montré également un ingrat en remerciant d'aussi ignoble façon celui auquel il devait le lancement de sa carrière et son affichage ! Je n'avais pas lieu d'être fier et je te jure que je ne l'étais pas, seul, isolé dans ma caravane ! Je m'attendais presque à être lynché par les camarades de travail.

» Enfin le loquet de la porte, toujours fermée à clef, remua et une voix cria de l'extérieur :

« − Je voudrais quand même rentrer chez moi ! Ouvré, Ernesto ! »

» C'était l'ami Wontz auquel je ne pouvais pas ne pas ouvrir : dans cette caravane il était chez lui. Un Wontz qui se borna à me dire pendant qu'il se versait une rasade de cognac :

« — Tu as fait du joli ! »

» Après avoir bu d'un trait, il me regarda en face :

« — Qu'est-ce qui t'a pris ?

« — Je ne sais pas... Ou plutôt si, je sais : je suis très malheureux, Wontz ! C'est épouvantable ce que j'ai fait, n'est-ce pas ?

« — C'est surtout idiot ! Tout ça, à cause de Carla ? »

» Et comme je baissais la tête sans répondre :

« — Mais, bon sang, qu'est-ce qui t'a pris de t'amouracher de cette Italienne ? On voit bien que tu es novice dans la maison et que tu ne la connais pas ! Elle est jolie, d'accord... Même mieux que cela : elle est belle ! Et après ? Il existe de par le monde des milliers d'autres belles filles et d'Italiennes si c'est ce type de femmes que tu aimes... Si tu m'avais parlé de ton histoire au lieu de jouer les cavaliers seuls, comme tu le fais lorsque tu fais l'andouille sur ton cheval, je t'aurais affranchi, gamin ! Je t'aurais dit : « Ne touche pas à cette fille-là : c'est une vraie pimbêche ! » On a tous tourné plus ou moins autour mais on a vite compris... Il n'y a que le prince qui continue parce que lui, ça l'amuse, qu'il s'en fout et qu'il n'a rien d'autre à faire... Alors elle en profite pour se faire cajoler ou pour se pavaner dans les grands restaurants, ou dans son château pendant les semaines de relâche.

« — Mais je l'aime, Wontz ! Et cela depuis la première minute où je l'ai vue...

« — Tu l'aimes... L'embêtant pour toi, comme pour tous ceux qui ont essayé de s'aventurer avant toi, c'est qu'elle n'aime que son métier et elle-même ! Si elle s'affiche avec le Skirnof, c'est parce que ça lui est utile... Si elle t'a laissé t'approcher d'elle c'est parce que tu l'aides dans son numéro. Le reste, c'est-à-dire le sentiment, ça ne compte pas pour elle !

« — Et le plaisir ? »

» Interloqué, il remplit un deuxième verre avant de dire :

« — Sans blague ? Tu veux dire qu'elle et toi ?

237

« — Oui, Wontz.

« — Ça alors! Eh bien, tu peux dire que tu dois être l'un des premiers à avoir réussi!

« — Je suis le seul.

« — Chapeau, Ernesto! Voyez-vous ça : le petit prof! Ça sert la culture... Alors, comme ça, vous êtes amants?

« — Elle aussi m'aime.

« — Pas autant que toi, sinon elle ne serait pas partie seule avec le Skirnof hier soir.

« — J'étais invité moi aussi mais je n'ai pas voulu sortir à trois; étant donné ce qu'il y avait entre Carla et moi, je trouvais cela déplacé.

« — Tu as peut-être bien fait, après tout... Maintenant je comprends mieux ce qui s'est passé dans ta tête tout à l'heure...

« — Qu'est-ce qu'il a fait du bouquet, le Skirnof?

« — Il a eu le bon réflexe : il s'est levé, a enjambé la banquette et l'a offert lui-même à Carla.

« — En l'embrassant?

« — Non, en lui baisant la main... C'est un seigneur!

« — Oui... Pas moi!

« — Toi? Tu n'es plus qu'un pauvre type qui s'est mis dans de drôles de draps... Tu pleures?

« — Je te dis que je suis malheureux, Wontz!

« — Je le vois... Ecoute : voilà ce que je ferais si j'étais à ta place... Pas ce soir, parce que tout ça c'est trop frais, mais demain je commencerais par me renseigner sur l'hôtel où habite le prince et j'irais lui faire des excuses.

« — Ça, jamais! Il m'a trop écrasé depuis des mois avec ses orchidées qui coûtent une fortune!

« — Et à Carla, tu lui en ferais?

« — Elle est trop orgueilleuse, elle les refusera.

« — C'est possible et après, sans faire d'histoires ni de bruit, je m'esquiverais... Je disparaîtrais dans la nature pendant quelque temps.

« — Mais il faut que je travaille?

« — Avec tout ce que tu as appris ici pendant un an, tu pourras travailler n'importe où! Tu connais l'a.b.c. de l'acrobatie, de la voltige équestre, du jonglage, du fil de fer, tu te débrouilles de mieux en mieux au piano ou avec un violon, tu es un musicien né; maintenant, le saxo, la clarinette et tout le saint-frusquin, ça viendra vite... Enfin, et c'est le principal, tu sais faire rire les gens! Donc il n'y a pas de problème, je ne suis pas inquiet pour tes engagements futurs...

« — Mais Carla?

« — Tu penses encore à elle avant de penser à toi? Ça doit donc être vrai que tu l'aimes... Eh bien précisément, Carla, il faut que tu lui manques, qu'elle ait besoin de toi pour autre chose que pour son numéro ou même pour la bagatelle! Il faut qu'elle rêve de toi quand tu n'es pas là, qu'elle souffre elle aussi, qu'elle pleure comme toi tout à l'heure, qu'elle se rende compte que c'est une chance fantastique d'avoir dans sa vie quelqu'un qui l'aime et qui comprend sa profession, qui travaille avec elle et même pour elle, qui veut réussir pour la gâter et lui offrir tout ce qu'elle veut et même un château si c'est ça qui la fascine quand elle va chez son Russe!

« — Arrête, Wontz! Tout cela je me le dis depuis le premier jour où je l'ai vue!

« — Il faut surtout qu'elle mesure la différence qui existe entre toi qui as eu le courage de devenir un Ernesto et son pantin galonné qui n'a pour seul mérite que d'être l'héritier de ses ancêtres.

« — Elle est partie souper avec lui?

« — Je ne sais pas s'ils en avaient tellement envie l'un et l'autre mais, après ton action d'éclat, il fallait bien sauver les apparences... Maintenant on va dormir, la nuit porte conseil. »

» Encore une nuit, ami, où j'ai eu du mal à trouver le sommeil! Et pourtant le cadre de la caravane était agréable et le lit confortable... Je ne sais trop si j'ai imaginé ce que j'ai vu alors ou si je l'ai rêvé mais en tout cas je me souviens de tout... J'arrivai d'abord à l'hôtel où habitait Skirnof qui fut long à me recevoir parce qu'il n'était pas encore réveillé, le Grand Seigneur! Une voix intérieure, qui ressemblait étrangement à celle de Wontz mais qui était peut-être celle de ma conscience, me répétait sans cesse : « *Ce que tu as fait hier soir, Ernesto, n'est pas digne de toi. Il faut réparer...* » Cette voix m'agaçait ! Enfin la porte du petit salon, voisin de la chambre où j'attendais, s'ouvrit et Alexys Skirnof parut, vêtu d'une robe de chambre de velours couleur bordeaux et sur laquelle ses armes princières étaient brodées en fil d'or, à gauche, à hauteur de la pochette. Je l'entendis me demander :

« — *Comment avez-vous l'outrecuidance de venir me rendre visite, après ce qui s'est passé hier ?*

« — *Prince, que puis-je faire pour réparer ?*

« — *Dans mon monde, monsieur, un pareil affront ne se répare que par les armes... Comme je suis l'offensé, j'ai le choix de ces armes. Je ne vous ferai ni l'honneur ni la honte de me décider pour l'épée, cette arme noble entre toutes : l'honneur d'être transpercé par moi, la honte de ne même pas savoir tenir correctement votre arme ! J'opte donc pour la roulette russe... Vous connaissez sans doute ?*

« — *Hélas non !*

« — *Qu'est-ce que vous avez donc appris pendant vos études, monsieur le Professeur ?* »

» Le baron von Wiesenthal m'avait déjà posé la même question. Ces aristocrates emploieraient-ils tous le même vocabulaire ?

« — *Sachez, monsieur, que la roulette russe est, comme son nom l'indique, une invention de mon pays qui permet de voir si un homme a du courage ou pas. Puisque vous êtes venu avec l'intention de réparer un geste aussi regrettable que mal venu, je jugerai à votre degré de courage si je peux l'oublier... Wladimir, apportez mon revolver.* »

» Wladimir était son aide de camp, portant l'uniforme comme lui, mais un uniforme bleu foncé et beaucoup moins constellé de décorations. Jusque-là je n'avais fait que l'entrevoir une ou deux fois quand il était venu accompagner son seigneur et maître au cirque.

« — *Ce revolver, continua le prince, peut contenir six cartouches. Lorsque vous appuyez sur la détente le* barillet tourne, la balle se présente instantanément devant la culasse du canon et le coup part. Je ne vais mettre qu'une seule cartouche dans le barillet que je ferai tourner à toute vitesse avant de vous tendre l'arme que vous appliquerez contre votre tempe. Quand je crierai « Feu ! » vous tirerez... Si vous avez la malchance que la cartouche se présente à ce moment-là devant la culasse vous serez un homme mort mais vous avez cinq chances sur six pour qu'elle ne se présente pas et vous resterez sain et sauf. De toute façon l'affront sera lavé par votre courage : ce n'est pas le résultat qui compte, c'est le geste ! Vous êtes d'accord, Ernesto, pour accepter le risque ?

« — Pardonnez-moi, prince, vous ne voyez pas une autre solution moins dangereuse qui serait susceptible de mettre un terme à ce petit différend ?

« — Vous ne manquez pas d'humour d'appeler le bouquet reçu par moi en pleine figure un petit différend ! Je sais que vous êtes un clown-né mais quand même !

« — Dans ce cas, prince, je suis bien obligé de m'incliner... Et nous allons faire ça ici dans ce salon d'hôtel ?

« — Une réparation de ce genre se pratique toujours sur le terrain que l'offensé a également le droit de choisir... Je décide donc que ça se passera sur la piste même du Circus Arkein, ce cercle de sciure où vous avez trouvé spirituel de m'agresser.

« — Et nous ferons cela ce soir en public ?

« — Le public ni personne, à l'exception de deux témoins choisis par chacune des parties, ne doit assister à ce règlement de compte qui ne concerne que nous deux ! Je choisis Wladimir. Quel sera votre témoin ?

« — Mon témoin ? »

» Je réfléchissais... Je ne pouvais pas demander ce service à Rolf Arkein qui me l'aurait certainement refusé et encore moins à Schumberg ! A Wontz peut-être ? C'était délicat après les sages conseils qu'il venait de me prodiguer... Et pourquoi pas à *Charley*, mon futur partenaire ? Lui ne pourrait s'esquiver...

241

» Immédiatement, l'étrange rêve me ramenait sous le chapiteau désert où il n'y avait sur la piste que le prince Alexys toujours avec son revolver à la main, Wladimir qui portait une petite boîte dans laquelle se trouvaient les cartouches dont l'une m'était destinée, moi-même et *Charley*. Mais, phénomène bizarre, de même que le prince et son aide de camp étaient en uniforme, *Charley* et moi étions en augustes, tels que nous paraissions dans le spectacle : ce qui donnait à l'événement grave qui risquait de se produire une apparence d'entrée comique... *Charley*, qui savait si bien faire rire dans le charivari en jouant les apeurés qui flageolent sur leurs jambes, ne semblait pas du tout rassuré et tenait ses poings serrés comme un homme prêt à se battre pour défendre un ami. Quant à moi — cela me surprenait moi-même dans mon rêve — je planais, n'ayant pas conscience du danger que j'allais courir : j'étais à la fois acteur de la pantomime et un spectateur qui trouvait que cette combinaison de clowns et de Russes en uniforme ne manquait pas d'originalité et apportait une note nouvelle sur une piste !

» Skirnof s'avança et dit à mon témoin *Charley* :

« — *Monsieur, choisissez vous-même la cartouche dans cette boîte que porte mon aide de camp.* »

» Le brave *Charley* desserra son poing droit et plongea sa main tremblante dans la boîte. Quand il eut la cartouche, il la remit au prince qui la glissa dans un des cylindres du barillet qu'il fit tourner trois fois de suite à toute vitesse en l'actionnant avec la paume de sa main. Lorsqu'il s'immobilisa, il me tendit l'arme en disant : « *A vous de jouer, monsieur !* » Je me vis prenant le revolver, serrant la crosse, appliquant l'orifice du canon contre ma tempe droite — tout cela avec des gestes d'automate — et posant enfin mon doigt sur la détente... Le prince commanda alors : « *Feu !* » Le coup partit, je chancelai un peu mais restai debout, bien vivant, pendant que Skirnof reprenait son arme en disant :

« — *Ah ça ! Ernesto, seriez-vous un surhomme ?*

*Vous devriez être étendu par terre, foudroyé... Car vous n'avez pas eu la chance pour vous : la cartouche s'est présentée... Voici sa douille qui est vide et vous n'avez pas la moindre blessure à la tempe! Que s'est-il passé?*

« — Il s'est passé, prince, dit Charley, qu'étant un vieux du cirque je ne pouvais admettre qu'une entrée pareille n'ait pas été montée pour faire rire! Si on fait appel à nous les augustes, ce n'est jamais pour que nous interprétions des drames! Laissez cela à la tragédie! Avec nous tout doit se terminer en gaieté... C'est pourquoi, quand je serrais mes poings c'était parce que j'avais dans ma main gauche une cartouche à blanc que je vous ai tendue, au lieu de la vraie puisée dans votre vilaine boîte... Il faut dire qu'il fut un temps où j'ai fait aussi de la manipulation, ça peut toujours servir... La preuve! La vraie cartouche, la voilà, prince... Je la remets dans sa boîte, peut-être qu'un jour elle vous sera utile pour vous défendre vous-même? Et puis enfin, vous-même l'avez dit, prince Skirnof, l'important dans ce genre de défi, ce n'est pas le résultat, c'est le geste! Ernesto l'a eu, il ne savait pas, lui, que j'avais substitué la cartouche mortelle. Il a fait preuve de courage...

« — C'est ma foi vrai! s'exclama le géant russe avant de s'esclaffer en disant à son aide de camp : *Wladimir, j'avais presque oublié que nous étions au cirque! On ne peut rien faire de sérieux avec des augustes... C'est pour cela qu'ils me plaisent! Ceci dit, une pareille réconciliation ne peut se terminer que dans le champagne. Vite, Wladimir, qu'on apporte des bouteilles!* »

» La dernière vision de mon drôle de rêve fut celle de Skirnof levant sa coupe à ma longue vie et de *Charley* trinquant avec Wladimir. Malheureusement tout cela n'était qu'un rêve... Le lendemain matin, quand Schumberg vint frapper à la porte de la caravane pour m'annoncer d'une voix sépulcrale : « *Monsieur Ernesto, le Patron vous prie de venir le rejoindre de toute urgence!* » je compris que j'allais me retrouver devant la réalité.

» Une réalité qui fut amère et finalement bénéfique pour moi. Si elle ne s'était pas présentée ce jour-là, peut-être aurais-je continué, malgré les judicieux conseils de *Beppo,* à végéter pendant des années sous les défroques d'Ernesto ?

» Le *Herr Direktor* avait son air sévère des jours où rien n'allait à sa guise dans son établissement. Et, signe beaucoup plus inquiétant, son index frottait sa paupière gauche en franchissant le cercle du faux monocle. Cette situation en évoquait une autre analogue : celle où un autre monocle, mais un vrai celui-là, m'avait intimé l'ordre de quitter le *Burghoffer* dans les plus brefs délais.

« — Monsieur Bedaine, il me paraît superflu de vous rappeler les faits qui se sont passés hier soir et que j'estime inadmissibles ! Grâce à vous le *Circus Arkein* s'est couvert de honte non seulement à l'égard d'un grand seigneur qui a toujours été notre meilleur ami mais aussi devant notre fidèle public de Munich. Votre geste est inqualifiable et je crains que le prince Skirnof ne revienne plus jamais applaudir notre spectacle. Cet après-midi même, Mme Arkein et moi-même nous rendrons à l'hôtel où il réside dans l'espoir qu'il voudra bien nous recevoir pour accepter les excuses que nous formulerons au nom de tout mon établissement... Je ne crois pas que, dans les annales du cirque, jamais un directeur n'ait été contraint de faire une visite aussi avilissante ! Et cela, ni mon épouse ni moi — qui cependant avions pour vous la plus grande estime — ne pouvons vous le pardonner.

« ... Mais il y a plus grave ! En lançant ces fleurs, qui étaient destinées à une artiste, à la figure d'un spectateur, c'est tout le cirque que vous avez insulté ! Mes artistes et mon personnel en ont tellement pris conscience qu'ils m'ont fait parvenir ce matin à la première heure une pétition, signée de tous sans exception, où ils demandent que vous ne fassiez plus partie de la troupe du *Circus Arkein.* Ils précisent même qu'au cas où je persisterais à vous garder dans notre spectacle, ils se refuseraient à paraître en piste. C'est la première fois de ma vie que je reçois un ultimatum qui affaiblit considérablement mon prestige puisque je suis obligé de céder : ce qui ne me plaît pas du tout, monsieur Bedaine !

« ... Aussi suis-je dans l'obligation de vous prier de faire vos bagages. Le plus tôt sera le mieux pour le cirque et même pour vous; je crains, si vous tardiez trop, que certains de mes artistes, plus excités que d'autres à votre égard, ne vous fassent un mauvais sort. Dans votre propre intérêt il est donc nécessaire que vous partiez le plus rapidement possible.

« — N'ayez aucune inquiétude, Patron — j'ose vous appeler encore ainsi puisque je me trouve pour quelques heures encore dans votre établissement — je ne serai plus là à midi. Mais je me permets de vous poser une question qui a pour moi une réelle importance... Vous m'avez bien dit, n'est-ce pas, que tous les artistes, sans exception, avaient signé cette pétition ?

« — Tous à l'exception de trois cependant : Carla, le maestro Wontz et *Charley*.

« — Mes vrais amis... Mais comment allez-vous faire pour le numéro de Carla après mon départ ?

« — Cher monsieur Bedaine, au cirque plus que partout ailleurs nul n'est irremplaçable ! Ce n'est pas parce qu'un artiste s'en va ou meurt que la représentation n'a pas lieu, le spectacle continue ! J'ai déjà donné des instructions, dès ce soir Carla reprend son ancien numéro qui est excellent.

« — Mais les affiches où nous sommes tous les deux ?

« — Oh ! vous savez... Il y a longtemps que le public s'est habitué à ne pas retrouver exactement sur la piste ce qui flamboie sur les affiches ! On y voit une multitude de lions et il n'y en a en réalité que six dans la cage, on admire un troupeau de vingt éléphants et il n'en reste plus qu'une dizaine au moment de la représentation... Ce n'est pas grave ! Cela fait partie du bluff qui est indispensable dans notre profession pour appâter les foules... S'il n'en était pas ainsi, à quoi ça servirait de dépenser des fortunes en affichage ?

« — Au revoir, monsieur Arkein... Je vous demande de présenter mes plus respectueux hommages à Mme Arkein qui s'est toujours montrée compréhensive à mon égard. Et je tiens à vous remercier pour tout ce que vous avez fait pour moi.

« — Je crains, hélas ! que ce ne soit pas d'une très grande utilité pour votre carrière quand on connaîtra, chez mes confrères, la raison pour laquelle j'ai été contraint de me séparer de vous !

« — Peut-être pas, monsieur Arkein ! Rien ne dit que cette histoire d'orchidées voltigeant des mains d'un auguste jusqu'à un prince russe ne fera pas rire ? Et ce qui va vous paraître sans doute ahurissant, c'est que je n'ai pas tellement de regrets ! Après tout, ça ne fait pas mal, des fleurs ! Offertes de cette façon, ça vexe, voilà tout ! Je crois bien que, si je me retrouvais dans la même situation et devant ce même prince, je recommencerais ! Vous voyez, monsieur le Directeur, que je suis indécrottable !

« — Nous vous regretterons quand même ; vous avez su faire preuve de talent...

« — Merci pour ce compliment qui atténue mes propres regrets et vaut tous les certificats de succès que vous pourriez me donner. »

» Au moment où — m'étant incliné sans lui serrer la main parce que je sentais qu'il n'y tenait pas tellement — j'allais sortir de la caravane directoriale, Rolf Arkein me dit :

« — Monsieur Bedaine, avant de partir n'oubliez pas d'aller voir le caissier qui a votre paye. Et comme il me paraît certain que vous aurez assez de mal à retrouver du travail à cette époque de l'année où les cirques sont en tournée et où les troupes sont constituées pour toute la saison, j'ai donné des instructions pour que l'on vous règle trois mois supplémentaires, ce qui vous permettra d'attendre des jours meilleurs... Bonne chance, monsieur Bedaine ! »

» Comme le baron, le *Herr Direktor* avait des manières. C'est fou, ami, ce que ces personnages monoclés peuvent avoir d'allure s'ils veulent bien s'en donner la peine !

» Le premier que j'allais retrouver après le caissier, parmi ceux qui s'étaient révélés mes vrais amis en ne s'associant pas à la pétition, fut *Charley* :

« — D'abord merci, mon complice, pour ta fidélité à notre amitié. Ça y est, je suis mis à la porte par le patron mais avec les honneurs de la guerre puisqu'il m'a gratifié d'un viatique qui va nous permettre de tenir le coup pour trouver le bon contrat... Avant que tu ne prennes une décision, je tiens à te prévenir que, malgré ce que nous avons préparé ensemble dans le plus grand secret et tout ce que nous nous sommes dit, tu es entièrement libre de me répondre par oui ou par non. Restes-tu chez Arkein ou pars-tu avec moi ?

« — Je pars !

« — Tu es bien sûr de ne pas le regretter ? A l'exception de la paye normale qui t'est due, tu risques de ne pas profiter des mêmes libéralités que m'a octroyées le patron...

« — Je m'en moque ! Je te l'ai déjà dit : j'en ai marre de cette baraque et de continuer à jouer les utilités dans le charivari ! Comme toi, je veux émerger du lot, moi aussi ! « Notre » futur numéro m'apporte cette chance : je saute dessus... Et puis, j'ai confiance en toi. Tu as prouvé hier soir devant tout le monde que tu étais un homme. Quand part-on ?

« — Avant midi.

« — Ça colle ! Je prépare tout le matériel.

« — Il ne sera pas considérable puisque les bicyclettes sur lesquelles on a travaillé ne sont pas à nous !

« — On n'est pas des voleurs, on·les laissera et, avant ce soir, on en aura trouvé d'autres chez le spécialiste dont je t'ai parlé ! Mais j'emporte tous mes costumes ! Ce qui est à moi est à moi.

« — Tes costumes ?

« — Oui, mes costumes de piste : le grand manteau à carreaux qui pend jusqu'à mes talons et dans lequel je me roule pour le charivari, mes huit gilets de couleurs différentes que je retire l'un après l'autre, mes pantalons de bagnard rayés, mes godillots de soixante centimètres qui bâillent en faisant « quick-quick », mes gants en forme de mitaines et mon haut-de-forme qui n'a pas de couvercle, tout ce qui est important, quoi !

« — Et qui fait la silhouette du *Charley* actuel...

« — On ne sait jamais, si je ne plais pas en clown blanc je pourrai toujours la reprendre ! Une bonne gueule d'auguste, ça paie toujours... Dès qu'on a les vélos on court se présenter chez *Fortunio* qui tourne en ce moment autour de Munich. Evidemment on ne lui réserve pas les grandes places. Ce n'est pas le *Circus Arkein*, c'est le *Circo Fortunio*...

« — Connu ?

« — Pas tellement, mais c'est exactement ce qu'il nous faut pour nous roder pendant un mois ou deux. Après on verra...

« — Tu connais le directeur ?

« — Tu parles ! C'est un vieux copain de métier; on a débuté ensemble comme valets d'écurie il y a trente ans chez *Gleich*... Ah ! Ça c'est un cirque ! On y passera peut-être un jour quand on sera célèbres... Mais, pour le quart d'heure, mieux vaut *Fortunio* !

« — C'est grand ?

« — Ce doit être l'un des plus petits cirques qui tournent en Europe ! Il y a peut-être en tout — et à condition que ce soit bourré — cinq cents places et quelles places ! Des banquettes faites avec des vieilles caisses... Seulement dans un truc pareil, nous ne risquons pas de nous casser la figure et de faire plouf.

« — Qu'est-ce que tu as dit ?

« — De faire le plongeon, quoi, dont un numéro ne peut jamais se relever...

« — Tu as dit « plouf » ! Fantastique, *Charley* ! Désormais je m'appellerai PLOUF ! Fini Ernesto, envolé, volatilisé depuis que le grand Arkein lui a prédit qu'il aurait pratiquement son avenir derrière lui... Comme il n'y aura plus d'Ernesto il ne pourra pas me faire de tort auprès de ses confrères directeurs ! C'est

Ernesto qui a lancé les orchidées sur le prince et pas Plouf qui n'existait pas encore! Dans notre numéro je serai Plouf...

« — Et moi, je resterai *Charley*?

« — Charley et Plouf... Plouf et Charley, ça ne sonne pas bien! C'est comme si on accouplait un Anglais et un Auvergnat... Et puis l'auguste *Charley* disparaît lui aussi puisqu'il devient clown blanc! Il faut que ton nouveau nom ne soit fait également que d'une syllabe... Plouf, ça se retient, c'est court, c'est net, c'est facile pour le public : c'est Plouf! Et pourquoi pas Plof? C'est formidable Plof... Plouf et Plof, ça y est, *Charley,* on le tient le nom de notre numéro comique!

« — Plouf et Plof, répétait *Charley*. Tu as raison, ce n'est pas si mal... Mais lequel sera en premier sur le programme et sur les affiches, s'il y en a! Plouf ou Plof?

« — On le joue à pile ou face... Qu'est-ce que tu choisis?

« — Face! »

» La pièce fut vite jetée sur le sol. Ce fut pile. J'avais droit à la première place. Le numéro était né : PLOUF et PLOF...

— Et c'est comme ça que tu as trouvé ton nom?

— Grâce à *Charley* qui ne voulait pas qu'on fasse un plouf devant le public...


— Mon deuxième ami, Wontz, ne me posa aucune question quand il me vit sortir ma valise d'un placard. Il dit seulement :

« — Je me doutais que ça finirait comme ça! Le patron n'aime pas que l'on porte atteinte à son prestige... Mais, tel que je le connais, il doit être rudement ennuyé de te voir partir! C'est comme pour *Beppo,* il se croit obligé de prendre des sanctions... Avant deux jours il le regrettera.

« — Moi aussi, je l'aimais bien... Mais c'est peut-être toi qui vas me manquer le plus, Wontz!

« — Pas sûr, Ernesto! Je vais te laisser trois souvenirs qui te donneront l'impression que je suis toujours auprès de toi... Prends ce violon sur lequel je t'ai fait travailler et dont tu sais maintenant te servir sans trop de fausses notes... Je te le donne ainsi que ce saxo et ce trombone sur lesquels tu pourras t'exercer à condition de me jurer de ne pas les utiliser en public avant de savoir t'en servir correctement.

« — Je te le jure, mais c'est trop, beaucoup trop ! Ces instruments vont te manquer ?

« — J'en ai d'autres en réserve chez moi, à Hambourg. Je n'ai qu'à câbler à ma femme qui me les enverra tandis que toi... Ça coûte cher, ces joujoux... Et il ne faut pas que tu t'arrêtes un seul jour de travailler, ce ne sera qu'à ce prix que tu deviendras un très bon musicien. »

» Je n'ai pas su quoi répondre; j'étais comme paralysé par l'émotion. On s'est embrassés, Wontz et moi. Ça disait tout.

» La troisième personne qui avait refusé de se joindre à ceux qui, en réalité, n'avaient exigé mon renvoi que pour me faire payer cher mon ascension trop rapide à leur gré, était Carla. Que faire ? Aller lui rendre visite pour la remercier, elle aussi ? C'était pourtant par sa faute que tout était arrivé ! Si elle n'avait pas accepté l'invitation à souper du prince, rien ne se serait passé... J'étais perplexe.

» J'attendis que nos bagages — qui se composaient de nos deux valises à *Charley* et à moi, auxquelles s'étaient jointes la boîte contenant le violon et les deux trousses du saxophone et du trombone — fussent prêts pour me décider à gravir une dernière fois l'escalier de sa caravane pendant que *Charley* allait quérir un fiacre.

« — J'avais un peu peur que tu ne viennes pas me dire au revoir...

« — Tu me connais vraiment aussi mal ? C'est normal que je sois là : je te dois beaucoup...

« — Ne parlons plus de ça, veux-tu ? Et séparonsnous en amis, ce sera mieux.

« — Tu dois avoir raison, en amis... Pourtant Carla

je ne peux pas ne pas te dire que grâce à toi j'ai eu la révélation de la femme.

« — Et moi celle de l'homme : nous sommes quittes.

« — Je voulais te dire aussi que je suis désolé pour ce qui s'est passé hier.

« — Je ne pense pas, Ernesto, que tu le regrettes tellement... Dans le fond de tes pensées tu es peut-être même assez satisfait de ta conduite... Je t'avais dit d'être raisonnable et tout se serait arrangé avec le temps. Mais tu n'as rien voulu comprendre.

« — Je suis convaincu, chérie, que le temps arrangera en effet les choses, mais pas dans le sens où tu l'entends. Ce que tu souhaitais, c'est une sorte de compromission, d'acceptation de ma part d'une situation impossible : Skirnof, toi et moi... C'était trop demander à un homme qui t'aime comme un fou et dont tu as transformé la vie, sans même que tu l'aies cherché toi-même, au point de lui faire changer complètement d'existence! C'est d'abord pour toi, Carla, que je suis devenu un clown... Si un hasard insensé ne m'avait pas fait te voir un soir à Binden, jamais sans doute je n'aurais changé de profession! Je serais resté le petit professeur que j'étais destiné à être... Depuis ce soir-là, j'ai tout fait, je me suis acharné à devenir quelqu'un dans ton propre métier et dans ce milieu loin duquel tu n'es pas heureuse. Et puis très rapidement, j'ai été intoxiqué moi aussi : j'ai pris goût au cirque... Un tel goût que moi aussi je ne peux plus m'en passer! L'alternance perpétuelle d'espoirs et de désillusions, qui est maintenant notre lot commun à tous les deux, est devenue pour moi une drogue dont j'ai autant besoin que toi.

« ... Je ne pouvais pas te quitter, je ne le pouvais plus! Si j'étais resté, je suis sûr que j'aurais fini par admettre tout ce que tu me demandais mais c'eût été une folie de ma part. Peu à peu je me serais laissé aller et enfoncer dans une veulerie qui est tout le contraire de mon caractère : à chaque fois que ton prince aurait réapparu, je me serais effacé pour lui laisser la place et j'aurais été encore plus malheureux! J'en arrive à croire que ce brusque renvoi qui nous sépare sera salutaire. Maintenant je vais me sentir plus libre pour agir, c'est-à-dire pour atteindre la grande réussite. Et comment voudrais-tu que j'oublie ce que tu m'as dit avanthier ici même : « *Je ne deviendrai légalement ta femme que le jour où tu seras vraiment célèbre et, comme tu ne cesses de le répéter toi-même, le plus grand clown du monde.* » Ce sont tes propres paroles, Carla ! Tu as même été jusqu'à ajouter : « *Je me refuse à porter le nom d'un artiste obscur.* » Eh bien, tu peux être rassurée sur ce point : il n'y aura plus d'Ernesto ! Je te fais même cadeau de ce nom dont tu pourras affubler celui qui me remplacera dans ton numéro si tu le refais, ça te permettra de continuer à profiter de tout l'affichage payé par ton prince !

« — Ne sois pas odieux ! Si tu n'es venu que pour recommencer à me reprocher ma grande et pure amitié avec Alexys, je préfère que tu partes très vite.

« — Rassure-toi, je m'en vais... Mais un jour je reviendrai et je serai ce clown célèbre que tu sembles me mettre au défi de devenir. Ce sera toi alors qui me supplieras de t'épouser ! Tu souris ? Ton scepticisme m'indiffère. Les choses se passeront exactement comme je viens de les prédire parce que j'ai trois atouts pour moi : mon amour pour toi, ma jeunesse et l'avenir... »

» On avait frappé à la porte. C'était *Charley* qui m'annonçait :

« — Le fiacre est là. Dépêche-toi, Ernesto ! »

« — Je ne te dis pas adieu mais au revoir Carla, en te donnant un dernier conseil : ne te laisse pas embobiner par tous les compliments de Skirnof, ni charmer par ses envois d'orchidées... Il ne t'aime pas ! Tu n'es pour lui qu'un passe-temps. »

» Notre fiacre partit dans l'indifférence générale de tous les gens du cirque. Il n'y eut pas un seul visage à apparaître, ne fût-ce que par curiosité, dans l'encadrement de l'une des petites fenêtres aux rideaux fleuris des caravanes. C'était comme si *Charley* et Ernesto n'existaient plus... Après tout ils avaient bien raison puisque c'étaient Plouf et Plof qui s'éloignaient. Mais ni mon compagnon ni moi ne pûmes résister au besoin de nous retourner pour regarder une dernière fois la façade immense du *Circus Arkein* qui s'étalait sur la grande place. *Charley* devait se dire : « Comment ai-je pu rester pendant quinze années un auguste dans ce charivari ! » Et moi je pensais : « Je reviendrai, mais ce jour-là mon nom, Plouf, s'étalera en lettres de feu immenses au-dessus de celui du cirque ! »

Après quelques secondes de silence, Plouf me dit :

— Voilà... Je t'ai raconté une autre tranche de ma vie...

— N'as-tu pas l'impression qu'il y a peut-être quelqu'un que tu pourrais maintenant me présenter ? Tu m'as tellement parlé d'elle que je finis par la voir très bien en imagination. J'aimerais la connaître réellement.

— La réalité d'un fantôme ?

— Tu es bien là, toi !

— C'est différent. Si c'était elle qui s'était montrée la première à toi, jamais Carla ne t'aurait raconté tout cela ! Elle est trop discrète. Et je trouve que ta demande est assez mal venue. C'est vrai : on dirait que tu cherches à profiter du moment où elle et moi venons de nous séparer pour que je te fasse faire sa connaissance ! Ami, tu viens de manquer de tact...

# LA CÉLÉBRITÉ

» Le propriétaire du *Circo Fortunio* était, comme le nom de son établissement permettait de le supposer, d'origine italienne. Quand on le voyait et l'entendait, on avait immédiatement la certitude de se trouver plutôt en présence d'un Napolitain que d'un Piémontais. Physiquement et moralement il était loin d'avoir la classe d'un Rolf Arkein. Petit et gros, il ne pouvait pas ouvrir la bouche sans proférer un juron ou implorer tous les saints de la péninsule. Mais il était tellement pittoresque qu'il en devenait presque sympathique. *Charley* m'avait expliqué :

« — Avec Fortunio, pas question de contrat, il sait à peine lire ! On se serre la main, tope là ! L'accord est fait pour le meilleur et plus souvent pour le pire ! Je crois que pour toi ce stage dans son cirque sera une expérience des plus enrichissantes, tu découvriras qu'il n'y a pas que des grands cirques dans notre profession ! Il en existe d'autres, infiniment plus nombreux que les premiers, qui tirent le diable par la queue mais où l'on apprend à fond le métier. »

» Nous nous étions présentés chez Enzo Fortunio avec nos valises, mes instruments de musique et surtout « nos » bicyclettes miraculeusement trouvées à l'adresse que connaissait *Charley*. Quand il vit tout cela, le directeur du *Circo Fortunio* s'exclama dans un français zézayant, car il s'exprimait beaucoup plus volontiers en français qu'en allemand :

« — Vous, au moins, vous arrivez avec du matériel ! Si vous pédalez en « zouant » du violon ou du trombone, ça égaiera ma piste ! C'est ce qu'il me faut, un numéro spectaculaire ! Avez-vous aussi de beaux costumes ?

« — Plouf est en auguste et moi en clown blanc.

« — Perfetto ! Plouf et Plof c'est oune bon nom pour des comiques ! Z'aime ! Ça donne déza envie de rire quand on les annonce à la parade... Oui, avant chaque représentation, la troupe fait la parade à l'entrée : c'est indispensable pour attirer le monde... C'est moi qui fais le boniment, ze m'y connais ! Vous commencez ce soir... Il faudra être habillés pour la parade, ensuite vous passerez en dernier numéro avant l'entracte. C'est touzours la meilleure place d'oune programme perche lé poublic parle pendant la pause du dernier numéro qu'il vient de voir. Si le vôtre est bon, ce sera excellent pour la première quête.

« — La première quête ?

« — La quête classique, celle qué vous ferez avec les autres artistes, après que z'aurais fait oune annonce, pour les dompteurs blessés ou les vieux du métier qui ne peuvent plus travailler.

« — Mais il me semble, signor Fortunio, que vous n'avez pas de numéro de fauves dans votre spectacle ?

« — Z'ai oune numéro de cochons savants qui ne savent d'ailleurs rien faire ! C'est pourquoi mon beau-frère Toni, qui les présente, s'habille en dompteur. Ça donne l'impression qu'il prend des risques !

« — C'est lui qui perçoit le bénéfice de la quête ?

« — Lui et moi, c'est le petit profit de la direction pour les frais généraux.

« — Vous avez bien dit « la première quête » ? Il y en a une seconde ?

« — Juste avant le dernier numéro du programme qui est le clou de la soirée et qui fait beaucoup rire... Si la nouvelle quête avait lieu après, lé poublic s'en irait sans donner un sou !

« — Un numéro qui fait beaucoup rire ? demandai-je inquiet.

« — C'est oune âne récalcitrant qui ne sait que ruer et sur lequel on invite les spectateurs à monter... Il n'y en a pas un qui tient sur son dos plus d'oune demi-minute ! Ça vaut tous les numéros équestres ! Zé sais bien, Arkein a une grande cavalerie, ma qu'est-ce que ça ajoute ? Ça augmente les frais, c'est tout ! Ma cavalerie à moi se réduit aux cochons, à deux chèvres qui se balancent sur oune bascule, à oune corbeau qui jongle avec oune boîte de camembert — numéro unique au monde ! — et à l'âne. Comme ça, quand le poublic s'en va, il est persuadé d'avoir vu beaucoup d'animaux, quatre numéros de dressage !

« — Monsieur le Directeur, vous nous avez bien dit, n'est-ce pas, que nous débutions dès ce soir ?

« — Oui, monsieur Plouf... Quand Enzo Fortunio engage oune numéro, sa parole suffit ! Zé né souis pas oune guignol !

« — Vous n'aimeriez pas quand même voir ce que mon partenaire et moi faisons ? Ça pourrait ne pas vous plaire !

« — Ça me plaira ! Il y a longtemps que zé n'ai pas eu de cyclistes ni de clowns... Alors les deux pour le même prix ! Et puis, z'ai confiance en *Charley* qui est oune grand ami et oune homme connaissant son métier, il ne me présenterait pas quelque chose de toquard !

« — Justement le prix... Nous n'avons pas encore parlé de prix, signor Fortunio !

« — Sachez, monsieur Plouf, qu'au *Circo Fortunio* les artistes ne fixent zamais leur prix ! S'ils y viennent, c'est que ça leur fait plaisir d'y passer... Il n'y a zamais non plus de contrat ! Comme ça, si la direction n'est pas satisfaite du travail ou les artistes mécontents du directeur, on se quitte quand même bons amis et tout va bene ! Vous serez payés après chaque représentation. Ce qui est beaucoup plus juste perche les artistes sont comme tout le monde, ils ont besoin de manger tous les zours ! Quand z'ai déduit mes frais quotidiens, les artistes se partagent la recette entre eux, ainsi tout le monde gagne la même chose. Il n'y a pas de jaloux !

« — Mais le personnel ?

« — Il n'y a pas de personnel ! Ce sont les artistes qui font tout ; quand ils ne sont pas en piste, ils forment la barrière. Ils animent aussi la parade, ils montent, ils démontent, ils attellent, ils détellent et ils conduisent les chevaux des voitures.

« — Vous avez donc une cavalerie ?

« — On ne peut pas appeler ça oune cavalerie ! C'est plutôt oune ramassis... Z'ai six roulottes et cinq chevaux qui tirent chacun oune voiture, ma ils ne peuvent faire que ça ! Deux juments sont borgnes, oune autre n'a plus de crinière et les deux chevaux sont un peu galeux... Ze ne peux pas les présenter en piste, ils feraient trop pitié ! Ça ne les empêche pas d'être heureux chez moi, ze les ai tous sauvés des abattoirs juste avant qu'on ne les tue... Ils me doivent la vie !

« — Et la sixième roulotte, qui la tire ?

« — Oune mule qui a plous de vingt ans... Quand il y a sur la route une côte un peu dure, ze la fais aider par l'âne que z'attelle en flèche.

« — Il continue à ruer à ce moment-là ?

« — C'est oune artiste : il ne fait ça qu'en piste ! Mais vous savez, ces cinq chevaux et la mule font quand même un certain effet sur le poublic au moment de la visite de la ménagerie qui a lieu pendant l'entracte. Ils sont sous une tente, avec les cochons, les chèvres, l'âne et le corbeau qui ne peut pas s'envoler perche on entoure l'oune de ses pattes d'oune anneau relié par oune petite chaîne à son perchoir, sinon on le volerait ! Les gens sont des vandales ! Cette visite de la ménagerie est d'oune bon rendement : comme on doit payer aussi à l'entrée de la tente ça fait oune recette supplémentaire.

« — Vous avez quand même un orchestre ?

« — Ze reconnais qu'il est oune peu maigre... C'est ma femme, Angelina, qui tient la batterie — elle est aussi la caissière. Mon fils Paolo joue de l'accordéon quand il ne présente pas les chèvres en piste, ma fille qui vend les bonbons et les douceurs à l'entracte n'est pas trop maladroite au piston et mon beau-frère, avant ou après son numéro des cochons, est oune as de la trompette! Evidemment si vous acceptiez, vous qui avez oune saxo et oune trombone, de vous joindre à eux, ça étofferait...

« — N'ayez pas trop d'espoirs, signor Fortunio! Je n'ai encore jamais touché à ces deux instruments.

« — Ma vous les avez, ce qui est le plous difficile! Même si vous n'en zouez pas, vous ferez semblant, ça fera oune musicien de plus avec deux beaux instruments qui brillent...

« — Peut-être pourrais-je jouer du violon? Ça me gênerait moins.

« — Le violon? Ça ne fait pas assez de bruit... Il faut des cuivres! Ma zé vous quitte... Installez-vous dans votre roulotte et n'oubliez pas, la parade commence à 8 heures précises! »

» Il n'avait quand même pas osé prononcer le mot « caravane ». Les six véhicules servant au transport du *Circo Fortunio* n'étaient vraiment que des roulottes archaïques ayant connu toutes les petites routes d'Allemagne et même d'Europe! Le plus fascinant de tout était que l'on jouait à ciel ouvert, la piste était bien là, ceinturée par sa banquette rouge et des gradins meublés de chaises en fer volées sans doute dans des squares, de pliants dénichés sur des plages, de caisses retournées et de planches assemblées vaille que vaille, c'est te dire que le confort était des plus approximatifs! Une piste de onze mètres de diamètre tout au plus... Pouvait-on parler de chapiteau puisqu'il n'y avait pas de tente recouvrant le tout. C'était un cirque italien fait pour jouer sous les ciels sereins du sud de l'Italie et qui aurait sans doute enchanté *Beppo*! Je demandai à *Charley* :

« — Qu'est-ce qui se passe lorsqu'il pleut?

« — S'il tombe des cordes on ne joue pas puisqu'il n'y a pas de spectateurs! L'exploitation de ce cirque est essentiellement saisonnière, c'est pourquoi nous avons beaucoup de chance que cet été soit beau. Profitons-en!

« — Tu crois vraiment que nous devons paraître sur cette piste et dans de telles conditions ?

« — Je te répète que c'est le cirque d'essai idéal pour roder le numéro : si nous ne sommes pas au point ce ne sera pas trop grave puisqu'il n'y aura jamais grand monde et si nous faisons rire un public aussi populaire ce sera signe que nous sommes très drôles ! Après nous pourrons nous présenter dans un grand établissement. Si tu veux réussir, il faut te secouer, Plouf, et ne pas attendre que les contrats mirifiques te tombent tout rôtis dans le bec ! Tant qu'on n'est pas célèbre, ce ne sont pas les engagements qui vous courent après, c'est plutôt le contraire... Tu es d'accord ?

« — Essayons toujours.

« — On déballe le matériel et on va se préparer pour la parade.

« — Ce n'est quand même pas à des artistes comme nous de la faire ! »

» *Charley* s'esclaffa :

« — Sans blague ? Des artistes comme nous ? Mais pour qui te prends-tu, Bedaine ? Tu n'es plus rien actuellement, ni moi non plus d'ailleurs ! Ernesto et Charley n'existent plus et Plouf et Plof n'ont pas encore commencé à faire leurs preuves... Et chez Arkein, ça ne t'est pas arrivé de participer au défilé en conduisant par la bride le cheval de la roulotte la plus minable ? Alors ?

« — Tu as raison... On fera aussi la parade, mais je me refuse à figurer dans ce que Fortunio appelle « l'orchestre » puisque je ne sais pas encore tirer un son du saxo, ou du trombone !

« — Prends tout de même ton saxo pour la parade et tu me prêteras le trombone. Comme l'a dit Fortunio, on fera semblant de souffler. Ça nous donnera une contenance et même si, par hasard, il y avait quelques fausses notes qui s'en échappaient à notre insu, ça n'aurait aucune importance ! Fortunio l'a bien compris : ce qu'il faut, ce sont des instruments qui brillent... »

» La parade était commencée. Nous étions une douzaine — la troupe au grand complet — sur l'estrade : la famille Fortunio qui groupait déjà six personnes avec Fortunio, le beau-frère Toni, la belle-sœur, le fils Paolo, la fille Rina et l'épouse Angelina trônant derrière la caisse. Les autres étaient les artistes venus « de l'extérieur »... Deux Hongrois qui faisaient trois numéros au cours de la même représentation, du main à main, du jonglage et du saut à la bascule... Un couple bizarre qui devait s'être formé dans les faubourgs du Caire et qui avait également trois numéros : un de fil-de-fériste, un de femme-serpent et un de fakir... Nous enfin ! Tu parles d'une affiche ! C'était même stupéfiant qu'il y ait autant de curieux à stationner devant l'estrade... Fallait-il qu'ils s'ennuient tous ces bons Bavarois d'une banlieue de Munich ! Ils nous regardaient nous agiter avec un ahurissement teinté de méfiance.

« — *Vous allez voir ce que vous allez voir !* » hurlait le signor Fortunio dans un porte-voix qui n'était autre qu'un pavillon de vieux gramophone.

» Je ne sais même pas comment les gens pouvaient le comprendre ! Il baragouinait dans un jargon où quelques mots d'allemand émergeaient d'un flot de paroles mêlé de dialecte napolitain et de français de Narbonne. Tout cela ponctué par les coups de cymbale et les roulements de tambour qu'assenait avec une force herculéenne le beau-frère Toni revêtu de sa veste rouge à brandebourgs de dresseur de cochons. J'avais le maquillage et les vêtements d'Ernesto devenu Plouf et *Charley* se pavanait dans son beau costume de clown blanc qui était beaucoup trop grand pour lui. Nous n'avions pas oublié de nous munir du saxophone et du trombone « qui brillaient »... Rina soufflait dans son piston, Paolo jouait une marche sur son accordéon, le vacarme était infernal ! J'entendis même Fortunio terminer ses vociférations en présentant notre numéro, qu'il n'avait jamais vu, dans des termes qui auraient fait rougir de gêne les artistes les plus chevronnés :

« — *Enfin, mesdames et messieurs, le CIRCO FOR-*

*TUNIO va avoir l'honneur ce soir de vous présenter pour la première fois au monde* (ça, ami, c'était la seule chose vraie du boniment!) *le plus grand numéro cycliste comique de l'époque : celui des fabuleux clowns PLOUF et PLOF que vous voyez ici sur cette estrade avec leurs merveilleux instruments de musique et qui vous feront mourir de rire!* »

» Fut-ce le miracle du verbe de Fortunio, la douceur de la soirée ou l'ennui permanent qui devait planer dans les parages? Après un dernier roulement de tambour les gens se précipitèrent sur l'estrade pour faire la queue devant la caisse où Angelina radieuse répétait en recevant la manne céleste qui permettait de réaliser une recette :

« — *Ne pressons pas, mesdames et messieurs... Il y aura de la place pour tout le monde!* »

» Il y en eut. Sur les cinq cents places où l'on aurait pu tasser les amateurs, à peine deux cents furent occupées. Plouf et son compère Plof étaient loin, très loin, des splendeurs et surtout de la classe du *Circus Arkein*! Pour nous deux c'était à la fois tragique et épique... Si Rolf Arkein, Schumberg, l'ami Wontz, Carla et le prince Skirnof nous avaient vus à ce moment-là ils auraient été effondrés! Ils se seraient dit : « *Mais ils sont fous de s'être embarqués sur une pareille galère!* » Ils nous auraient plaints aussi. Le seul peut-être qui nous aurait compris et qui nous aurait dit : « *Allez-y, Plouf et Plof! Ce soir vous livrez une nouvelle bataille que vous devez gagner! Ne vous occupez ni du décor ni de la misère... Faites votre travail comme si vous étiez sur la piste du plus grand cirque du monde!* » eût été *Beppo*.

» J'ai omis de te dire que j'avais remarqué, pendant que le public passait devant la caisse, qu'il n'y avait pas de billeterie et que chacun payait le même prix d'entrée, un deutsche mark. La différence de recette serait assurée par les quêtes et la visite de la fameuse « ménagerie »! Enfin l'éclairage de la piste était dispensé par quatre grosses lampes à acétylène qui répandaient une odeur prenant à la gorge et qui se balançaient du sommet de quatre mâts d'une maigreur extrême... Le spectacle commença par la présentation des cochons qui ne savaient que grogner.

» Je n'ai pas souvenance d'avoir vu de ma vie un spectacle aussi pitoyable ! Comme il n'y avait même pas de rideau de piste — ce merveilleux accessoire qui permet aux artistes de humer des coulisses l'atmosphère d'une salle sans être vus d'elle — Plof et moi, cachés derrière l'une des roulottes, regardions atterrés le déroulement de la représentation. Tous les numéros, se révélant sans exception exécrables, n'étaient salués à leur sortie que par quelques applaudissements de politesse noyés sous une vague de sifflets. Ce serait après cette succession de fours que nous ferions notre entrée ! Plus le moment terrible se rapprochait et plus l'angoisse m'étreignait. Ce n'était plus chez moi l'admirable stimulant du trac mais la peur qui paralyse au point de se demander si l'on va être seulement capable de s'aventurer sur la piste. Contrairement à moi, *Charley*-Plof, lui, conservait son calme. Il est vrai qu'ayant travaillé à ses débuts avec Fortunio, il n'avait jamais dû se faire beaucoup d'illusions sur les capacités artistiques et directoriales du Napolitain ! Et il avait dû voir tant de ratages et de désastres au cours de ses quarante années de piste ! Je le questionnai à voix basse :

« — Tu es sûr qu'on va pouvoir passer ?

« — Il le faut ! On ne recule pas au dernier moment... Avoue-le, Plouf, toi aussi tu es blanc sous ton maquillage ?

« — Je ne sais pas de quelle couleur je suis mais ça ne va pas du tout !

« — Ne t'en fais pas ! Ça ira quand nous serons en piste sur nos vélos et devant le public !

« — Quel public ! Il est aussi paralysé que moi. La preuve, il n'ose même plus applaudir... On va être conspués comme tous les autres ! Davantage même puisque nous sommes les derniers avant l'entracte... Quelle idée nous avons eue de monter ce numéro !

« — Je te dis qu'il est excellent et qu'on va faire un

tabac... Quand un bon numéro passe après des bides, il a toutes les chances de ramasser un succès! Ensuite à nous les Grandes Maisons! »

» Le fakir venait de battre tous les records d'emboîtage. C'était à nous... On y a été parce que c'est ça, le cirque! Comme Carla sur son cheval, Plof — dont la seule apparition en clown blanc couvert de paillettes lumineuses déclenchait une sorte de respect admiratif — entra le premier et fit quelques tours de piste en exécutant sur sa bicyclette, étincelante elle aussi, cinq ou six prouesses assez surprenantes pour son âge. Il fut applaudi, ce qui me réconforta. A mon tour j'entrai en piste sur le vélo truqué qui ne pouvait pas faire trois mètres sans perdre une pédale, sa selle, son guidon ou même une roue : une machine étonnante à l'apparence misérable, qui avait coûté beaucoup plus cher que l'autre mais qui possédait, si l'on savait s'en servir, le fabuleux pouvoir de faire rire.

» Aiguillonné par une sorte de rage qui me poussait à arracher les spectateurs à la torpeur engendrée par la médiocrité de tout ce qu'ils venaient de voir, je sus m'en servir et le rire fusa presque tout de suite pour ne plus cesser. Je compris que le nom ou la réputation de l'établissement ne comptaient pas : qu'il fût au colossal CIRCUS ARKEIN, au minuscule *Circo Fortunio* ou n'importe où ailleurs, seul *l'artiste* — avec tout ce que ce mot trop galvaudé comporte d'admirable et de vulnérable — avait de l'importance. Aucun artifice de présentation ou de publicité ne pouvait remporter le succès à sa place. Ça pouvait l'aider mais c'était lui seul, en fin de compte, qui gagnait la bataille. Chez Fortunio il n'y avait ce soir-là que deux cents spectateurs, mais ils surent nous applaudir comme s'ils étaient mille. On les sentait réconfortés et reconnaissants d'avoir vu enfin un numéro au point et qui les avait amusés. Ce fut exaltant pour nous d'entendre ces rires à la belle étoile! Une fois de plus *Beppo* avait eu raison... Et pourtant c'étaient des rires qui ne venaient que de Bavière et pas d'Italie!

» Le signor Fortunio nous attendait à la sortie :

« — Qué ce n'est pas mal du tout votre travail...
C'est oune succès! Grâce à vous lé poublic est content.
Ça se voit à ce qu'il achète en ce moment beaucoup de
bonbons à Rina. C'est là oune indice infaillible de succès! Quand il n'en achète pas c'est qu'il est furieux... Zé
le connais bien, lé poublic! Zé crois aussi qué vous avez
plus fait rire que l'âne récalcitrant, cé qui est pour moi
oune record absolu! Demain soir ze ferai passer le
numéro de l'âne à votre place avant l'entracte; ce sera
vous qui terminerez la représentation. Ainsi lé poublic
partira du Circo Fortunio avec l'illusion d'y avoir vu le
plus beau spectacle du monde! »

» D'un seul coup *Plouf et Plof* avaient conquis sur le
programme la place de la vedette! Il est vrai aussi que
ce n'était qu'au *Circo Fortunio.*

« — Signor Fortunio, le plancher que vous avez mis
sur la piste ne vaut rien du tout! Il est pourri! Vingt
fois j'ai failli me casser la figure. »

« — Tant mieux, monsieur Plouf! Z'ai remarqué qué
plus vous tombiez de votre bicyclette et plus vous faisiez rire! N'est-ce pas ce que vous recherchez, alors de
quoi vous plaignez-vous? »

» A minuit le *Circo Fortunio* déménageait pour aller
dans une autre petite ville de la banlieue munichoise.
C'était un cirque qui ne faisait que contourner les grandes cités comme s'il n'osait pas y entrer : un cirque
pestiféré.

» Le « démontage » — si l'on peut employer cette
expression pour un matériel aussi hybride et aussi déri-
soire — n'était pas compliqué mais il prit autant de
temps que celui des quatre mille places et de la grande
tente du *Circus Arkein* : nous étions très peu nombreux
et il n'y avait ni bareiters, ni valets d'écurie, ni surtout
de *ringmaster* coordonnant les manœuvres au sifflet.
C'était Fortunio qui commandait en hurlant dans son
porte-voix de la parade :

« — *Accidenti!* Ils vont me casser mes lampes à acétylène... *Mascalzone!* tu ne sais donc pas qu'oune tronçon de banquette, ça se porte avec respect? C'est l'âme

du cirque, la banquette... *Figlio de putana!* Tu ne sais pas non plus que le siège de la caissière est ce qu'il y a de plous important? Et si tu continues à te tourner les pouces on sera encore là dans oune année! »

» Ce fut d'ailleurs la seule participation du signor Fortunio au démontage. En le voyant s'agiter et gesticuler je ne pouvais m'empêcher de penser au flegme d'un Rolf Arkein se frottant la paupière à travers son faux monocle avant de parler... Il ne serait d'ailleurs venu à personne l'idée d'appeler « Patron » un Enzo Fortunio! Cette appellation, qui n'habille pas tout le monde, n'est pas tellement facile à porter.

» N'ayant pas les moyens de se déplacer par chemin de fer, le *Circo Fortunio* ne pouvait faire que de très courtes étapes au rythme de ses cinq chevaux usés, de sa mule et éventuellement de l'âne qui était la roue de secours. Il s'installait dans des bourgades, auprès desquelles Biden et Wirbourg faisaient figure de capitales, après avoir utilisé les routes les moins fréquentées. Ce qui était d'une grande sagesse : le passage de ces six véhicules misérables — devenus incolores sous les assauts conjugués des intempéries et de la vétusté — évoquait la caravane de romanichels spécialisée dans le rempaillage de chaises et la bonne aventure plutôt que la fantasmagorie ambulante d'un cirque.

» Après une semaine d'une telle existence, Plof et moi en avions assez. Ces quelques jours avaient suffi pour nous apporter deux certitudes : notre numéro était rodé puisqu'il parvenait à dérider n'importe quel public et, même si les cinq cents places étaient occupées — ce qui n'arriva pas — nous ne ferions jamais fortune chez Fortunio!

— Comment ça se passait pour le partage de la recette, chaque soir?

— Plutôt mal puisque personne n'était satisfait!

— Chacun recevait pourtant la même somme?

— En principe, mais mon partenaire et moi avons compris dès le premier soir que les six artistes qui ne faisaient pas partie de la famille Fortunio étaient lésés au profit d'Enzo, d'Angelina, de Toni, de Rina, de Pablo et de Gina...

— Qui était celle-là ?

— La femme du beau-frère Toni. Sa principale occupation était de préparer les spaghettis qui nourrissaient tout le monde.

— C'est bon les spaghetti, Plouf ! Je me souviens qu'Esther m'a confié cet après-midi, alors que j'admirais ta salle à manger, que tu les adorais quand Carla te les préparait !

— Tout ce que faisait Carla me plaisait.

— Pendant ton passage au *Circo Fortunio* tu as eu le temps de penser à elle ?

— Dis-toi une fois pour toutes qu'il n'y a pas eu un seul jour, depuis l'instant où je l'ai quittée chez Arkein jusqu'à celui de nos retrouvailles, où je n'ai cessé de rêver que j'étais toujours auprès d'elle.

— L'idée d'avoir à ton tour laissé le champ libre à ton rival ne t'inquiétait donc pas ?

— Depuis que Carla et moi étions devenus amants, Skirnof ne m'apparaissait plus comme étant un véritable rival. J'étais certain que Carla ne se donnerait jamais à lui.

— Même par dépit d'avoir été abandonnée ?

— Je ne l'ai pas abandonnée ! C'est Rolf Arkein qui m'a mis à la porte ; il y a une sérieuse nuance !

— Je me permets aussi de te poser une question que je n'ai pas osé formuler quand tu m'as raconté votre dernière entrevue dans sa caravane. Pourquoi, ce matin-là, ne lui as-tu pas demandé de partir avec toi ?

— Je ne l'ai pas fait pour éviter d'essuyer un refus qui pour moi aurait ressemblé à une trahison... Je savais qu'elle n'aimerait toujours que moi, mais j'avais compris aussi qu'elle ne voudrait me revoir que triomphant. C'est pourquoi je l'ai laissée provisoirement.

— Un provisoire qui a duré longtemps ?

— Un peu moins que tu ne crois mais quand même cinq années.

— Cinq ans sans vous revoir ? Vous vous êtes écrit, j'espère ?

— A quoi cela aurait-il servi ? Dans mes lettres je lui aurais répété ce qu'elle savait, que je l'aimais... Elle m'aurait répondu qu'elle aussi m'adorait et nous n'aurions pas été plus avancés ! Ce qu'il fallait pour faire définitivement sa conquête, c'est-à-dire pour l'épouser, c'était l'éclatante surprise d'un retour au *Circus Arkein* en grande vedette !

— Pendant ton absence, elle a dû apprendre — puisque tu m'as dit que dans le monde du cirque les bonnes ou les mauvaises nouvelles se propageaient aussi vite que par le téléphone arabe — que tu étais devenu célèbre ?

— Elle a seulement entendu parler, comme tous les artistes du monde, d'un certain Plouf qui était, paraît-il, un clown prodigieux... Mais c'est tout ! Elle ne pouvait pas faire de rapprochement, ni personne, entre ce Plouf illustre et le petit Ernesto dont le nom n'était resté que sur des affiches inutiles.

— Les affiches... A-t-elle accepté que l'on donne ce nom d'Ernesto, dont tu lui avais fait cadeau en partant, à un nouveau partenaire ?

— Jamais ! Elle n'a plus voulu de partenaire comique et s'est contentée d'exécuter son ancien numéro.

— Mais pour sa carrière c'était plutôt un recul qu'une progression ?

— C'était une routine prouvant qu'elle continuait à penser à moi.

— C'est étonnant comme tu as réponse à tout lorsqu'il s'agit d'elle !

— Quand on aime quelqu'un on le défend jusqu'au bout et avec d'autant plus de vigueur que l'on en est éloigné.

— J'ai eu tort de te poser toutes ces questions... Revenons au *Circo Fortunio :* comment avez-vous fait, Plof et toi, pour fuir sa médiocrité et trouver un établissement digne de vos talents ?

— Le huitième soir de la tournée il s'est produit un miracle : un orage, comme il y en a en Bavière, a éclaté, déclenchant une pluie diluvienne. Pas question de jouer puisqu'il n'y avait pas de tente ! Le lendemain et le surlendemain ce fut pareil, la pluie ne s'arrêtait plus ! Et comme on ne jouait pas, il n'y avait pas de recette à se partager. C'était le désastre. Encore dix jours comme cela et ce serait la ruine définitive ! Mieux valait partir avant... Ce que nous fîmes, Plof et moi, une nuit, pendant que la famille Fortunio, entassée dans la roulotte qui lui servait de domicile, se gavait des spaghettis de Gina pour oublier sa misère. Et nous nous retrouvâmes à la brasserie de Munich, où *Beppo* m'avait prodigué ses premiers conseils, et qui était à peu près déserte, vidée de tous les petits artistes et employés du *Circus Arkein* qui avait « démonté » la veille pour poursuivre sa tournée.

» L'esplanade était d'une tristesse ! C'est terrible pour une ville le départ d'un cirque. On a l'impression que c'est la vie qui s'en est allée... Ce qui me fit le plus de peine fut la vision de mon affiche rincée par la pluie et à demi arrachée par la tornade ! On y voyait encore Carla exécutant son saut périlleux ainsi que le premier cheval mais le second, avec moi dessus, avait disparu. « Tu vois, me dit Plof, maintenant que tu n'es plus là pour la recevoir, elle va tomber dans le vide ! » Je lui en voulus de cette remarque. Au bas de l'affiche il ne restait plus également que les mots CARLA et... Une autre déchirure avait emporté ERNESTO. C'était à se demander si la nature, dans sa clairvoyance, n'avait pas suscité cette longue intempérie pour balayer une tranche de mon existence ? Et c'était aussi tout ce qui restait de la munificence du prince.

» A la brasserie ce fut Plof qui nous sauva. Décidément, ce temple de la beuverie était un lieu prédestiné pour les clowns ! Il avait déniché sous une table, oublié sans doute par l'un des artistes du cirque disparu, un journal professionnel qui existe, je crois, encore de nos jours et qui est spécialisé dans les publicités d'établissements — cirques, music-halls ou cabarets — qui annoncent leurs programmes et proposent des engagements. Alors que je regardais assez mélancoliquement mon demi en pensant à *Beppo,* il me demanda :

« — Combien nous reste-t-il d'argent ?

« — On peut tenir encore quinze jours.

« — C'est suffisant puisque nous possédons le matériel et que nous venons d'avoir la preuve que le numéro
marchait bien... Maintenant il faut y aller au culot... Ici,
en Bavière et même partout en Allemagne, pour peu
que le mauvais temps continue, tous les petits cirques
et même ceux de moyenne importance réintégreront
vite leurs dépôts par manque de spectateurs. Seules les
grosses entreprises comme celle d'Arkein pourront
tenir le coup parce qu'elles sont bien équipées pour
travailler par n'importe quel temps. Mais elles ne vou-
dront pas de nous, leurs programmes étant complets.
Et après ce qui t'est arrivé, je me méfie un peu de
l'Allemagne : Rolf Arkein y est puissant et il a le bras
long dans le monde de la piste. Même s'il ne connaît
pas encore le nouveau nom de notre numéro, il risque
un jour de réaliser qu'*Ernesto* et *Plouf* ne font qu'un
seul bonhomme et *Charley* et *Plof* le même partenaire.
Il n'a pas encore dû digérer le coup du bouquet, ni que
je l'aie plaqué pour partir avec toi parce que, moi, il ne
m'a pas renvoyé... Il peut savoir se montrer rancunier
le père Rolf ! En Allemagne nous sommes trop près de
lui ; il faut franchir une frontière pour être tranquilles.
On va choisir la plus proche, celle de l'Autriche.

« ... Tu vois ce placard publicitaire qui occupe toute
une page de ce journal ? C'est celui d'un établissement
fixe que je connais pour y être passé avec une troupe de
funambules trois ans après mes débuts. C'est une
vieille et grande maison dont la cote n'a jamais baissé
et, surtout, c'est un établissement fixe qui joue hiver
comme été. C'est ce qu'il nous faut maintenant : les
cirques ambulants, c'est bon pour la belle saison. Lis :
ils ont un drôle de programme ! Vingt numéros ! Et
comme ils changent de programme toutes les deux semaines le vendredi soir, ils risquent — si nous leur plai-
sons — de nous engager rapidement... Nous sommes mer-
credi... Ce serait formidable si nous débutions après-
demain ! Il n'y a pas une seconde à perdre, Plouf ! On

269

part par le premier train. Ton passeport est en règle ?

« — Oui.

« — Alors pas de problème ! On file à la gare. »

» Le lendemain après-midi nous nous présentions à l'entrée des artistes de l'*Apollo* de Vienne. Ce n'était pas un cirque mais un music-hall de variétés. Ce qui n'avait pas manqué de m'inquiéter et je l'avais dit à Plof dans le train.

« — Tu as tort, m'avait-il répondu. L'avantage d'un music-hall pour notre numéro cycliste est qu'il y a une scène, donc pas besoin de cette pose de plancher sur une piste qui est toujours interminable ! Ensuite je suis persuadé que nous ferons autant d'effet sur scène que sur piste... Si c'est le cas, ça nous ouvrira une foule de portes. Il y a beaucoup plus de music-halls que de cirques.

« — Mais la banquette, qu'est-ce que tu fais d'elle ?

« — Elle te servait dans ton numéro équestre mais pas dans celui-ci ! Et puis, si c'est une séparation que tu recherches entre toi et le public, ne t'inquiète pas, tu l'auras avec la rampe et la fosse d'orchestre. »

» Le concierge de l'*Apollo,* aimable comme tous les concierges de théâtre, nous demanda, méfiant :

« — C'est pourquoi ?

« — Une audition...

« — Vous êtes inscrits ?

« — Bien sûr ! répondit Plof qui mettait en pratique sa décision d'y aller au culot.

« — Vous avez votre matériel ?

« — Il est sur la galerie du fiacre.

« — Alors dépêchez-vous ! Les auditions commencent dans une heure.

» Nous avions une chance insensée : à l'*Apollo* de Vienne les auditions avaient lieu tous les jeudis après-midi ! Nous nous engouffrâmes avec les valises, les instruments de musique et les vélos démontés dans le couloir crasseux qui permettait d'accéder à la scène. Celle-ci était immense : nous n'aurions aucune difficulté pour y évoluer sur nos machines. Un régisseur, à

270

peu près aussi affable que Schumberg, nous y accueillit :

« — Vous avez votre numéro d'inscription?

» Après avoir fouillé dans toutes ses poches, Plof répondit, faussement désespéré :

« — Je ne sais plus où je l'ai mis! Je crois bien que c'était le 9...

« — Vous vous moquez de moi! rugit le personnage. Il n'y a que six numéros d'inscrits.

« — Alors c'est le 6, rectifia Plof. J'ai dû lire le chiffre à l'envers...

« — Le 6... Vous vous appelez les *Marvel Sisters*?

« — Ah non! Nous, c'est *Plouf et Plof...*

« — Vous n'êtes pas les *Sisters*?

« — Il nous arrive de nous mettre en femmes mais pas dans ce numéro-là!

« — Je ne comprends pas, dit le régisseur. Il doit y avoir une erreur... Mais ce n'est pas grave : vous passerez tout à l'heure en 5 : l'illusionniste qui devait auditionner sous ce numéro est malade. Préparez votre matériel et allez vous habiller dans la loge 15 qui est libre.

« — Faut-il se maquiller?

« — Vous passez exactement comme si le public était dans la salle. Vous serez accompagnés au piano, l'orchestre n'étant pas là pour les auditions. Vous avez la partition piano de l'orchestration de votre numéro?

« — Je vais vous la donner. Elle est très simple, il ne s'y trouve pratiquement que des galops comme dans un numéro équestre et toutes les conventions sont indiquées sur chaque partition. Evidemment, s'il y avait aussi le batteur, ce serait mieux pour les effets comiques.

« — N'en demandez pas trop et le pianiste-répétiteur est très habile. On viendra vous chercher dans votre loge un quart d'heure avant que vous ne passiez. D'ici là je ne veux pas vous voir sur le plateau. »

» Sais-tu à quoi on juge un grand théâtre ou un grand music-hall? A la saleté et à l'odeur qui règnent dans les loges d'artistes! C'est un peu comme les casernes qui sont arrosées et briquées tous les jours sans que des générations d'occupants puissent en récolter les bienfaits! Dans les loges : des centaines d'artistes se sont succédé pour s'y déshabiller, s'y maquiller, y endosser leurs costumes de scène, s'y concentrer même avant de paraître devant le public mais aucun d'eux n'a attaché la moindre importance au cadre vétuste dans lequel tout ça s'est passé. On n'y attend qu'une chose : l'instant où une voix de régisseur plus ou moins éraillée criera en longeant le couloir : « *En scène, on lève le rideau dans vingt minutes.* » Appel destiné aux petits rôles, aux choristes ou aux utilités. Mais s'il s'agit d'appeler un artiste plus important, la voix dira : « *Monsieur X..., Madame Y..., Mademoiselle Z..., veuillez avoir l'obligeance de descendre sur le plateau. Ça va être à vous dans cinq minutes.* » Les artistes tant soit peu arrivés bénéficient de deux privilèges : celui de ne pas attendre trop longtemps dans les coulisses le moment de leur entrée en scène et le droit d'être appelés « Monsieur », « Madame » ou « Mademoiselle »... Ceci est vrai aussi pour le cirque. Souviens-toi! Chez Arkein, quand je n'étais encore qu'un obscur, le *ringmaster* m'ordonnait : « *Ernst, courez ramasser ce crottin sur la piste!* » mais lorsque j'ai été agréé pour le numéro de Carla il me disait :

« M. Ernesto, *il est temps pour vous d'aller vous asseoir dans la salle.* » Il n'y avait qu'au *Circo Fortunio* que ces subtiles distinctions n'existaient pas pour la bonne raison que l'on n'y trouvait ni *ringmaster,* ni régisseur! Les artistes ne devaient compter que sur eux-mêmes.

» Deux heures passèrent avant que le régisseur de l'*Apollo* ne vînt frapper à la porte de la loge, où nous étions prêts depuis longtemps, en disant sans trop crier :

« — En scène le numéro de *Plouf et Plof!* »

» Pour moi, qui n'avais toujours travaillé que sur piste, c'était assez déroutant, et presque affolant, de m'exhiber sur une scène. Pour Plof ça ne l'était pas du tout car ça lui était arrivé maintes fois dans sa jeunesse. Juste avant d'entrer et alors que le plateau était encore occupé par un numéro de danseurs qui auditionnaient avant nous, il me dit :

« — Passe derrière la toile de fond et va vite te placer de l'autre côté de la scène, face à moi. J'entrerai par le *côté cour* et toi *côté jardin*.

« — *Cour, jardin ?* répétai-je abasourdi.

« — Oui, c'est l'expression consacrée quand on joue sur une scène... Pour ne pas te tromper à l'avenir imagine que tu es assis dans la salle et que tu regardes la scène en pensant au nom de *Jésus-Christ...* Jésus, c'est la gauche de la scène, c'est-à-dire *jardin* et Christ, c'est la droite, c'est-à-dire le mot *cour*. Si tu es sur la scène, c'est l'inverse. Avec un truc mnémotechnique pareil, tu ne te tromperas jamais. »

» Quand ce fut notre tour de passer, dès que le rideau se leva le clown blanc entra sur sa bicyclette côté *cour* et moi, quelques instants plus tard, côté *jardin.* Le plus gênant au début fut l'éblouissement lumineux de la rampe qui m'empêchait de voir la salle; j'avais l'impression de faire mon numéro devant un grand trou noir dans lequel il n'y avait personne. Ce jour d'audition, la salle, qui devait dépasser les 2 000 places, n'avait en effet qu'un très petit groupe de spectateurs assis au cinquième rang des fauteuils d'orchestre et composé du directeur et de ses principaux collaborateurs. Il n'était donc pas question d'applaudissements qui réconfortent, ni de rires prouvant que la trouvaille comique porte juste. Dès que nous eûmes terminé, le lourd rideau de scène se baissa pour un changement rapide de décor pendant que nous quittions en hâte le plateau où les *Marvel Sisters* — car elles existaient ! deux jumelles anglaises se ressemblant à s'y méprendre, toutes blondes, toutes roses et follement appétissantes, qui chantaient avec des voix nasillardes — nous remplacèrent, déjà prêtes à brûler les planches avant même que le rideau ne se fût relevé.

» Perplexes, inquiets et en sueur, Plof et moi nous regardions, attendant dans les coulisses le verdict suprême de l'aréopage qui dirait si, oui ou non, nous étions engagés! Nous le fûmes. Et, joie suprême, le régisseur nous annonça que nous débutions le lendemain soir et qu'il nous faudrait venir l'après-midi pour la répétition de raccord indispensable avec l'orchestre. Je crois bien que nous aurions répété pendant toute la nuit s'il l'avait fallu!

« — Cette fois, Plouf, vous aviez un contrat?

« — En bonne et due forme, ami... Plof, qui savait se montrer un artiste complet, était incapable de discuter le montant d'un contrat. L'argent ne l'intéressait que pour être dépensé tout de suite.

— Ce qui ne semble pas avoir été ton cas?

— On a souvent dit et répété — particulièrement les gens qui ne m'ont jamais réellement connu! — que j'étais un avare ne pensant qu'à l'argent. C'est là, mon ami, une infâme calomnie! Si j'avais été ainsi j'aurais fait passer l'argent avant mon métier alors que c'est tout le contraire qui s'est produit et je n'aurais pas quitté ce monde en ne laissant pour toute fortune que ce château que personne ne veut acheter! Ce qui d'ailleurs m'enchante puisque, je crois te l'avoir déjà dit, j'ai le plus grand mépris pour les neveux de Carla, mes seuls héritiers. Tant que je séjournerai dans cette tombe je ferai tout pour qu'un maléfice les empêche de se débarrasser de cette demeure qui a représenté l'un des deux plus grands rêves de ma vie.

» Avàre, moi? Il me fallait bien gagner de l'argent pour en envoyer à mes parents, pour gâter Carla et aussi pour acheter le château! Si je n'y étais pas parvenu, veux-tu me dire où nous nous serions rencontrés toi et moi? Jamais nous n'aurions pu passer ensemble une nuit pareille... Oui, je l'avoue : j'ai discuté ferme pour les contrats et ceci depuis le premier qui fut signé avec le directeur de l'*Apollo* de Vienne. Quand il m'a demandé ce que Plof et moi désirions, c'est sciemment que j'ai énoncé un prix exorbitant pour un numéro complètement inconnu. Ce n'étaient pas les huit jours passés chez Fortunio qui avaient pu faire la réputation de *Plouf et Plof*! J'ai obtenu la moitié de ce que je demandais en vertu de cette règle inexorable qui continuera toujours à sévir tant qu'il y aura des artistes, des directeurs et des imprésarios; les premiers demandent quatre fois plus pour que les seconds leur offrent le quart et que les troisièmes parviennent à mettre d'accord les deux premiers sur la moitié. De toute façon, quel que soit le prix obtenu, les imprésarios y trouvent toujours leur compte puisqu'ils perçoivent leur pourcentage sur le dos des artistes! Mais, à l'époque des débuts de *Plouf et Plof*, à Vienne, nous n'avions pas d'imprésario! Ce genre d'individu ne commence à s'intéresser à un artiste et donc à s'occuper activement de lui, que s'il rapporte. Aussi étais-je contraint de défendre nos intérêts sur une base simple : Plof et moi nous partagions en deux le montant de tous les cachets.

» Après ce premier contrat, j'en ai signé des centaines! Mais pendant les deux premières années des tournées de *Plouf et Plof* nous avons réussi à nous passer des imprésarios, ce qui n'était pas plus mal! Après, le succès grandissant m'a contraint à traiter par l'intermédiaire de l'un d'eux; ce qui a fini par me conduire à la catastrophe finale. Si je prends la peine de te faire cette confidence, c'est pour le cas où il t'arriverait, de rencontrer de jeunes artistes pleins d'avenir : conseille-leur, de la part de ton ami Plouf, de ne jamais se mettre entre les mains de cette race d'individus! Leur carrière ne s'en portera que mieux!

» Le succès fut tel à Vienne que nous fûmes prolongés pour deux nouvelles semaines dans un programme où tous les numéros avaient changé à l'exception du nôtre. Pendant la première quinzaine nous passâmes en n° 5, mais pour la seconde on nous recula jusqu'à l'avant-dernier numéro avant l'entracte, une excellente place dans le spectacle de variétés ou de cirque, parce qu'à ce moment-là, la salle a eu le temps d'être chauffée par les attractions précédentes. La place la plus dure est le n° 2 qui, en réalité, est la première après l'ouverture de l'orchestre. C'est très difficile de dégeler une salle! C'est pourquoi on a eu l'idée de génie, dans les cirques, de créer pour le début de spectacle le charivari qui fait rire. Malheureusement ceci n'est pas possible dans les music-halls où les passages de clowns et d'augustes sont toujours épisodiques. Il n'y en a pas dans tous les programmes, à l'exception peut-être de l'Angleterre où les désopilantes troupes de pantomimes maintiennent la tradition du burlesque qui réjouit les foules.

» Rester quatre semaines consécutives à l'*Apollo* de Vienne fut pour nous la meilleure des références. Les directeurs se faisant mutuellement part du succès ou de l'insuccès d'un numéro, *Plouf et Plof* ne cessèrent plus de travailler. De Vienne, nous allâmes à Budapest pour quatre semaines également, puis à Sofia, Prague, Bucarest, Belgrade, Varsovie... Pendant deux années nous parcourûmes toute l'Europe centrale à l'exception cependant de l'Allemagne où nous craignions toujours les foudres de Rolf Arkein. Partout nous gagnions très bien notre vie; je faisais des économies et Plof dépensait tout. Il faut reconnaître à sa décharge qu'il n'était amoureux d'aucune Carla, qu'il ne rêvait pas de posséder un beau château à tours et surtout qu'il avait connu pendant quarante années une existence suffisamment misérable pour avoir envie de profiter de ce qu'il lui restait de vie. Je l'approuve d'avoir jeté l'argent par les fenêtres et d'avoir joué les nababs à sa manière.

» *Plouf et Plof* était l'un de ces numéros indispensables dans un spectacle, qui n'attirent personne parce qu'ils ne sont pas assez connus, mais qui font le succès d'une représentation. Des numéros qui ne connaîtront jamais l'honneur d'être en tête d'affiche ou même de s'y trouver en bas — ce qui s'appelle « la vedette américaine » — mais qui peuvent durer pendant de longues années alors qu'une grande vedette risque toujours de s'effondrer du piédestal où l'ont hissée l'admiration et la ferveur du public. Et quand le moment dramatique arrive, la vedette vaut brusquement zéro ! Plus personne ne l'engage : c'est l'oubli. Combien a-t-on connu de ces grands artistes disparus qui ont préféré se donner la mort plutôt que de connaître l'indifférence des foules qui les avaient acclamés !

— Ce qui n'a jamais été ton cas ! Même dix années après nous avoir quittés, tu es encore célèbre.

— Crois-tu ? Esther et Marcello sont bien obligés de ne pas m'oublier, ne passe-t-elle pas tous les jours dans le château devant mes affiches et lui ne doit-il pas entretenir ma tombe et mon portrait fleuri ? Mais à part eux ? Qui sait même dans la région que celui qui fut le Grand Plouf dort ici de son dernier sommeil ? Si je te disais que pendant les trois années où j'ai survécu à ma chère Carla, les gens croyaient que j'étais déjà mort depuis longtemps en vertu de cette règle assez commune qui veut que les hommes disparaissent le plus souvent avant leur épouse. Et pourtant j'étais encore là, errant chaque soir, telle une ombre triste, dans ce parc devenu trop grand pour un homme seul.

— Peut-être, Plouf, mais c'était toi qui avais volontairement abandonné le métier, ce n'était pas lui qui t'avait lâché !

— C'est exact et sans doute est-ce là le critère le plus sûr pour qu'on puisse dire d'un artiste : « Ce fut une Grande Vedette » puisqu'il a su le rester jusqu'au bout.

— Revenons à des choses plus gaies. Pendant ces deux années de tournées en Europe centrale, vous passiez dans des music-halls ou dans des cirques ?

— L'hiver dans des music-halls et l'été dans des cirques ; nous n'arrêtions pas, sautant de train en train et ne connaissant pratiquement pas un jour de relâche. Ce qui me convenait tout à fait ; je hais le mot « relâche » ! Je crois bien que, pour un artiste, c'est l'un des plus lugubres qui soient... Après l'Europe centrale, il y eut une année d'Italie, d'Espagne et de Portugal. Ce fut au cirque *Price* de Madrid — qui n'existe plus aujourd'hui mais qui a été l'un des plus célèbres établissements fixes d'Europe — que je devins pour quelques semaines seulement le clown blanc... Il y a, sur les murs de mon salon, deux affiches où tu as pu me voir ainsi pendant la visite : en costume de paillettes argentées et l'autre sous des paillettes noires.

— Tu es superbe sur les deux ! J'ai même souvenance

que sous l'une de ces affiches il y a, imprimé en grosses lettres rouges : « *PLOUF, le clown international* ».

— Quelle mémoire visuelle! N'avais-je pas droit à cette appellation puisque je venais de paraître avec succès pendant deux années dans une douzaine de pays?

— Normalement Plof aurait dû se trouver aussi sur cette affiche, comme cela s'était passé pour celle de Carla et d'Ernesto. Pourquoi y es-tu tout seul?

— Parce que Plof, alias *Charley*, n'a jamais accepté de poser pour un dessinateur d'affiches. Ça l'agaçait de rester immobile pendant une heure ou deux. C'était une sorte de farfadet qui ne pouvait jamais rester en place! Il disait aussi avec une pointe de fierté : « *Même si le public ne me voit pas sur l'affiche, il finira bien par me retrouver sur la piste!* »

— Pendant le temps où tu étais le clown blanc, il faisait l'auguste?

— Evidemment. Ça s'était décidé pour deux raisons. Le directeur du cirque *Price* — n'oublie pas que l'Espagne est un pays de tradition! — nous fit remarquer, à juste titre, que, dans tous les numéros de clowns qui s'étaient succédé chez lui, c'était toujours le nom du clown blanc qui était mentionné en premier et celui de l'auguste en second. Il nous cita des exemples : *Antonet et Beby, Dario et Bario, Alex et Porto, Pipo et Rhum,* etc. Puisque nous nous appelions *Plouf et Plof*, Plouf devait être le clown blanc. Et comme je ne voulais absolument pas devenir le second, le sort m'ayant désigné comme devant être le premier, je me refusais à ce que le numéro devienne *Plof et Plouf.*

— Orgueil de ta part ou superstition?

— Les deux... Peut-être est-ce parce que j'ai eu cet entêtement que le nom de Plouf est devenu célèbre et celui de Plof est tombé dans l'oubli?

— Plof ne s'est pas fâché?

— Fâché, Plof? Il se fichait autant d'être nommé en second que de se trouver sur l'affiche! Du moment qu'il avait tous les jours son argent de poche...

— Et la deuxième raison de cet échange de personnalité clownesque?

278

— A mon avis elle était plus justifiée. Ce n'était pas parce que le succès s'affirmait que nous ne cherchions pas à améliorer notre numéro : aussi bien Plof que moi étions des acharnés au travail et de perpétuels insatisfaits de ce que nous faisions. Nous continuions à répéter tout le temps et partout entre deux représentations, cherchant à nous rapprocher d'une perfection que nous n'attteindrions d'ailleurs jamais ! C'est heureux que l'on soit ainsi : ça permet de progresser. Chaque jour aussi je faisais de la musique et je donnais même, à mon tour, des leçons à Plof qui — c'était sa seule lacune — n'avait pas du tout l'oreille musicale. Je parvins quand même à lui faire sortir quelques notes du trombone, instrument qui, comme le violon et le piano, n'avait plus de secrets pour moi après deux années de travail. Il en était de même pour le saxophone. Les cadeaux de Wontz avaient été très utiles !

» Et nous avions fait à Varsovie un premier essai de quelques instants de musique intercalés dans notre numéro de cyclistes. Debout sur ma selle j'accomplissais un tour complet en jouant du violon pendant que Plof, assis sur son guidon, extrayait de la coulisse de son trombone de longues plaintes auprès desquelles les lamentations d'un enfant n'étaient rien. Cette vision et audition de clowns-cyclistes-musiciens produisit un tel effet que très vite nous en fîmes le clou final du numéro; c'était un peu l'équivalent du saut périlleux de Carla de cheval à cheval au galop. Seulement la douceur langoureuse du violon ne s'harmonise guère avec la silhouette d'un auguste et la sonorité d'un trombone ne sied pas à un clown blanc; autrement dit, si ces deux instruments tellement opposés changeaient de mains, ils seraient plus en harmonie avec ceux qui s'en servaient. Romantique comme il est, le clown blanc est fait pour se servir du violon qui peut faire pleurer alors que l'auguste est tout indiqué pour faire rire avec un trombone.

» Je dois te confier que j'ai eu beaucoup plus de mal à me transformer en ce clown blanc — que je n'avais jamais été — que Plof à redevenir l'auguste qui menait le charivari du *Circus Arkein* après le départ de *Beppo*. Ma silhouette, certes, était plus élégante que la sienne parce que j'étais plus grand que lui et surtout plus jeune mais ma supériorité s'arrêtait là ! Ce n'est pas tout de produire de l'effet quand on entre en piste ou en scène revêtu d'un beau costume... Encore faut-il que cet effet se prolonge pendant toute la durée du numéro grâce à l'autorité de ce meneur de jeu, bougon-né, que doit être le clown blanc ! A l'inverse, ce n'est pas parce qu'il s'affuble d'un nez rouge ou d'une perruque verte qu'un auguste devient automatiquement drôle; il faut qu'il se passe quelque chose derrière son faux nez ou sous son crâne. Ça vient de loin le rire !

— Si vous n'avez pas persévéré dans cette mutation c'est parce que ce ne fut pas un succès ?

— C'était moins bon; je ne parvenais pas à rester sérieux sous mon masque blanc et Plof donnait l'impression d'avoir perdu l'envie d'être comique... A Lisbonne, où nous fûmes après Madrid, Plof redevint le clown blanc et moi, dont la destinée a toujours été de ne connaître que des malheurs en piste ou sur scène, je pus à nouveau m'en donner à cœur joie sous le faciès de l'auguste qui ne cherche qu'à faire rire.

— Et Plof jouait du violon en clown blanc ?

— Il lui suffisait de faire semblant parce que je m'arrangeais pour couvrir la poésie de son instrument à cordes par les accents tonitruants du trombone dont moi je savais vraiment jouer.

— Etes-vous passés en France pendant la durée de l'association *Plouf et Plof* ?

— Il n'y a pas un artiste au monde qui ne rêve de se faire applaudir à Paris et, comme j'étais wallon, je savais que je me sentirais chez moi dans cette ville où je n'avais cependant jamais mis les pieds. Nous avions reçu, depuis six mois déjà, une offre de contrat pour le *Cirque d'Hiver* qui existe toujours et que je tiens pour le plus beau cirque fixe du monde. Les conditions financières étaient nettement moins intéressantes que toutes celles dont nous avions bénéficié dans les autres pays, mais que ne ferait-on pas pour Paris ?

La première impression que j'eus en descendant du train à la gare d'Austerlitz — nous arrivions de Barcelone — fut fantastique : me trouver enfin dans une ville où l'on parlait ma langue natale! J'en avais assez de l'allemand et de tous les baragouinages du métier que j'avais été obligé d'employer pour me débrouiller en Hongrie, en Bulgarie, en Roumanie, en Serbie, en Pologne, en Italie, en Espagne et au Portugal! Vive la France, vive la Wallonie, vive cette langue française dont les héritiers Wiesenthal ne voulaient pas!

— Et l'anglais?

— Je n'ai jamais travaillé dans des pays de langue anglaise avec *Charley*.

— Son nom d'artiste semblerait pourtant indiquer que ses origines...

— Malheureux! Il était irlandais! Si tu le traitais d'Anglais il te démolissait la figure... Et il mettait son point d'honneur à ne pas utiliser une langue qu'il disait être celle de ses plus farouches ennemis! Avec lui je ne parlais qu'en allemand. Il avait bien essayé de m'inculquer quelques rudiments de celte, mais pour cette noble langue, je n'étais pas doué.

— Il a aimé Paris comme toi?

— Oui, mais Paris lui a mal rendu cette affection : il y est mort.

— Non?

— Ça s'est passé trois jours après nos débuts au *Cirque d'Hiver* où tout avait marché à merveille. Il a été enlevé brutalement une nuit à l'hôtel où nous étions descendus sans avoir même pu réaliser un vieux rêve qu'il caressait : mourir en piste devant le public qui serait en train de l'applaudir... Il s'est couché un soir, très en forme, dans l'un des lits jumeaux de la chambre que nous occupions tous les deux. Quand je me suis réveillé le lendemain, j'ai eu beau le secouer comme j'avais pris l'habitude de le faire pour le tirer de son lit, il ne respirait plus.

» Il était très calme, les mains croisées sur le drap comme s'il faisait sa prière. Je n'ai même pas connu la triste corvée de lui fermer les yeux; ses paupières étaient closes. Il ne s'était pas réveillé : la plus douce des morts...

— N'as-tu pas connu, toi aussi, la même fin ?

— La même, ami! Crois-moi : mourir en dormant, c'est le rêve! Oui, j'ai fini exactement comme ce vieux *Charley*... Je t'ai dit que les clowns se copient tous plus ou moins pour les vieux trucs. La mort, c'est un très vieux truc... La seule différence entre *Charley* et moi a été que, quand ça m'est arrivé à moi aussi, je n'avais plus envie de vivre tandis que lui souhaitait sûrement que ça dure le plus longtemps possible!

— Tu as eu du chagrin ?

— On en a toujours quand on perd un compagnon de misère qui est devenu le complice d'une réussite. Seulement, ça va peut-être te paraître bizarre, j'ai eu quand même moins de regrets en le voyant ainsi étendu sur son lit d'hôtel que le jour où *Beppo* m'a fait ses adieux... *Charley* venait de partir « en pleine gloire » si j'ose dire! Une gloire qu'il n'aurait certainement pas pu dépasser : celle d'avoir su être l'un des exécutants d'un bon numéro, mais c'est tout. Jamais, si nous nous étions séparés de notre vivant, il n'aurait pu devenir Plof tout seul... Il avait toutes les qualités qui font un authentique professionnel, mais il lui manquait ce petit rien indéfinissable qui fait que l'on devient « la » Vedette ou « la » Star d'une profession. Je l'aimais quand même bien.

— Avec un adverbe de trop... Avait-il des héritiers ?

— Personne! Je l'ai fait enterrer au cimetière du Père-Lachaise. La cérémonie fut simple : à défaut de famille légale, ce sont les artistes qui passaient au *Cirque d'Hiver* dans le même programme que nous qui l'ont remplacée. Il a eu la grande famille du Cirque! Ça n'a pas été trop triste parce qu'il faisait très beau et qu'il y avait beaucoup de clowns.

— Dans leurs costumes de piste ?

— Tu es fou! On a beau être des pitres, on sait quand même comment se tenir dans certaines circonstances... Tous s'étaient cotisés pour offrir une belle couronne de roses rouges qui était ronde comme une banquette de cirque. Quand il a été dans le trou et avant qu'on le recouvre de terre, tout le monde est passé devant moi pour me serrer la main. C'était normal puisque j'étais son dernier partenaire... Si tu avais vu ce défilé! Ça rappelait une vieille entrée comique où les augustes passent devant l'un d'eux, déguisé en femme et jouant la veuve du défunt, pour lui faire leurs condoléances en l'inondant de larmes sous forme de jets d'eau qui jaillissent de leurs yeux, avant que le mort luimême ne se relève et prenne le bras de son épouse pour suivre son propre enterrement... Malheureusement, au Père-Lachaise, Plof n'a pas bougé.

— Il n'a pas fait comme toi cette nuit!

— Quand un défunt n'éprouve pas le besoin de ressortir de sa tombe, c'est qu'il n'y a vraiment plus rien qui l'intéresse sur cette terre! Pour moi c'est très différent! Si je me suis montré ce soir, c'est pour deux raison : je voulais revoir encore une fois mon château et tu m'intriguais, assis sur ce banc.

— Déçu?

— Plutôt satisfait : tu as au moins le mérite de savoir écouter.

— Et de te poser aussi quelques questions! Et toi, qu'est-ce que tu as fait pour la mémoire de Plof?

— J'ai complété ce qu'il lui restait d'argent — ça n'allait pas très loin; la somme se réduisait à sa dernière semaine de cachets touchés à Lisbonne — pour lui faire édifier une tombe convenable. Comme je suis resté encore à Paris pendant trois mois, j'ai eu tout le temps. Si tu vas au Père-Lachaise, tu pourras la voir dans la dixième travée à droite en partant de l'entrée principale sur le boulevard de Ménilmontant.

— Sa silhouette de clown y est sculptée sur la dalle comme la tienne ici?

— Non. Ça n'aurait rien dit à personne. Plof n'a pas été un nom assez connu! J'ai simplement fait graver son vrai nom : Charles O'Connel, suivi des deux dates.

— Tu n'as même pas indiqué qu'il avait été clown?

— Pour être équitable il aurait fallu que je fasse graver tout ce qu'il avait été : auguste de piste, illusionniste, fil-de-fériste, jongleur, cascadeur, cycliste et clown blanc! Les passants ne l'auraient pas cru : c'était beaucoup trop pour un seul homme.

— Sa brusque disparition a dû être pour toi une catastrophe?

— Pas financièrement puisque j'avais des économies, mais artistiquement c'était très grave. N'ayant plus de partenaire, je ne pouvais plus faire le numéro et pour en trouver un de la même envergure que Plof il me faudrait beaucoup de temps! Et puis j'en avais assez de ce numéro cycliste dans lequel nous nous baladions sur toutes les pistes et toutes les scènes depuis trois années déjà! J'avais envie de changer. Avec Plof ça pouvait encore passer mais sans lui ou avec un autre, ce ne serait plus du tout ça! En réalité je n'avais même plus envie d'avoir un partenaire. Depuis quelques mois déjà je songeais à un nouveau numéro où je ferais un peu de tout puisque j'avais appris à tout faire : de l'acrobatie, du jonglage, peut-être un peu d'équitation et pourquoi pas un petit tour non pas sur une bicyclette mais sur un monocycle, du fil de fer et surtout de la musique, beaucoup de musique qui me permettrait de jouer aussi bien du piano et du violon que du saxophone et du trombone. Tout cela servirait à étoffer une entrée comique où je serais naturellement habillé et grimé en auguste... Mais un genre d'auguste qu'on n'avait pas encore vu : l'auguste peut-être plus raffiné qui n'utiliserait pas les gros effets ressassés par trop d'artistes avant lui.

» Je l'avais en tête ce nouveau personnage... Je le voyais très bien après l'avoir longtemps imaginé. Il aurait ma taille mais, quand il entrerait en piste, il serait voûté comme s'il était accablé par les malheurs, ce qui lui permettrait ensuite de relever la tête et le buste pour s'étirer, grandir et s'allonger tel un homme-caoutchouc qui n'a pas de vraie dimension. Un clown doit être un personnage qui n'a aucune ressemblance avec les gens que l'on voit ou côtoie chaque jour. Le rire qu'il fait naître n'a pas de limites, ni dans le temps ni dans l'espace; c'est pour cela que celui qui le déclenche fait rêver. Mesure-t-on ses rêves ?

» Pour que ce clown fût éthéré, il devait être seul en piste ou sur scène, avec sa silhouette insolite, sa gaucherie, sa légèreté, sa démence, sa rouerie, sa logique qui irait jusqu'à l'absurde, la richesse de sa sensibilité, le malaise suscité par son apparence misérable mais tempéré par une ironie discrète. Il devait être aussi un enfant qui a grandi trop vite sans se rendre compte qu'il agit toujours avec l'inconscience d'un enfant, et avec sa vérité! C'était ce personnage auquel je voulais donner vie après m'être débarrassé d'Ernesto et du Plouf qui ne faisait que tomber de sa bicyclette rebelle. *Plouf et Plof* ne pouvaient plus exister puisque Plof avait déserté l'équipe! Il ne restait plus que Plouf auquel il faudrait, bien sûr, un faire-valoir mais celui-ci ne serait ni en clown blanc ni en auguste. Ce serait un homme normal n'ayant aucun maquillage et portant un costume sobre qui lui donnerait une sorte d'anonymat. Il était indispensable aussi que ce partenaire — en serait-ce même un ? Ne serait-il pas plutôt le confident comme tu l'es en ce moment ? — sache ne pas se faire trop remarquer aux côtés de Plouf. Un homme rare que j'ai trouvé chez Sam Blood.

— Qui était Sam Blood ?

— Un imprésario! Le premier et le dernier auquel j'ai jamais eu affaire... Mais, dans son genre, un être d'exception qui était capable du meilleur et du pire et auquel un artiste pardonnait tout parce qu'il ne vivait, lui aussi, que pour son métier. Sa passion était de faire signer des contrats au bas desquels voisineraient deux autographes : celui du directeur et celui de l'artiste. Tantôt il défendait l'un, tantôt il protégeait l'autre et, de toute manière, il gagnait chaque fois sur les deux tableaux avec la ristourne du directeur et le pourcentage prélevé sur le cachet de l'artiste.

» Pour que la renommée de Plouf devienne mondiale, il fallait utiliser les capacités de cet intermédiaire auquel incomberaient toutes ces tâches obscures et pas toujours réjouissantes que sont les discussions financières, la préparation des tournées, les réservations dans les hôtels, l'organisation de la publicité. Débarrassé de ces soucis, Plouf pourrait se consacrer entièrement à fignoler et à parachever son numéro.

» Sam Blood venait de partout et de nulle part. Etait-ce même son vrai nom ? La seule chose que je savais était qu'il appartenait à cette race élue qui, depuis des siècles, sait faire tomber la manne céleste. Ce qui n'était pas pour me déplaire : avec un pareil homme le montant des contrats décuplerait parce qu'il y trouverait son compte. Il opérait à Paris pour le monde entier. Son adresse m'avait été donnée par un artiste du *Cirque d'Hiver* le lendemain de l'enterrement de Plof. Son bureau — c'était plutôt une officine tellement les locaux étaient sordides — se trouvait au cinquième étage sans ascenseur d'un immeuble vétuste de la cité Bergère, lieu géographique par excellence où évoluaient alors tous ceux qui vivaient ou vivotaient du monde du spectacle.

» Grisonnant, sans âge bien défini, le nez chevauché par de grosses lunettes de fausse écaille auxquelles il semblait collé comme dans un masque de carnaval, le geste volubile et la parole abondante, Sam Blood débordait de cette cordialité qui vous met tout de suite à l'aise :

« — Avant toute chose, monsieur Plouf, je tiens à vous présenter mes condoléances les plus émues pour le malheur qui vient de vous frapper.

« — Je vous remercie, monsieur Blood.

« — Perdre ainsi un partenaire avec lequel on a travaillé pendant des années et au moment où l'on a un numéro remarquablement au point est une triste expérience qui, hélas ! est arrivée à beaucoup d'autres que vous ! Je peux vous dire aussi qu'après vous avoir applaudi, il y a six jours, le soir de vos débuts au *Cirque d'Hiver,* je m'étais immédiatement renseigné... Vous êtes déjà passé, n'est-ce pas, dans de nombreux cirques et music-halls en Europe. C'est la première fois que vous venez en France ?

« — La première.

« — Quel dommage! Vous avez pu constater que, dès le premier soir, Paris vous a fait fête.

« — Je le reconnais : un merveilleux public devant lequel j'ai eu l'impression de me trouver chez moi.

« — Les bons artistes sont partout chez eux. Votre partenaire aussi était très bien mais — j'espère que vous me pardonnerez cette petite critique maintenant qu'il n'est plus — il ne faisait quand même pas le poids à côté de vous.

— Vous trouvez? Plof était un très grand clown auquel je dois beaucoup.

« — C'est très bien à vous de défendre sa mémoire. Seulement qu'allez-vous faire maintenant qu'il n'est plus là? Chercher un remplaçant?

« — Il n'en est pas question. Depuis deux années que j'ai le même numéro, je veux faire du nouveau! Puisque le destin a brisé l'entrée de *Plouf et Plof*, ce ne peut être que pour me donner un avertissement : je dois tout changer. Plof n'est plus, vive Plouf! Enfin, je me comprends : je crois avoir acquis assez de métier pour faire rire à moi tout seul... Qu'est-ce que vous en pensez?

« — Je ne vous ai vu qu'une fois mais il est certain que vous avez l'étoffe d'un vrai clown.

« — Je souhaitais vous l'entendre dire, monsieur Sam Blood! Si je suis venu vous trouver c'est parce que vous avez la réputation d'être un homme d'expérience dans le monde du cirque et des variétés. Il faut que vous me trouviez rapidement des contrats pour remplacer tous ceux qui nous attendaient.

« — Malheureusement c'était *Plouf et Plof* que l'on réclamait et pas Plouf tout seul!

« — Peut-être vais-je vous paraître infatué de ma personne ou stupide mais j'ai confiance dans mon étoile solitaire : si je n'avais pas cette foi, qui l'aurait à ma place? Et puis j'ai un vieux compte à régler qui me pousse à devenir très célèbre.

« — Avec un concurrent?

« — Un compte sentimental qui ne concerne que

moi... Puisque vous êtes un imprésario de classe internationale, c'est à vous de valoriser Plouf et de le lancer ! Je vous confie ma carrière : vous percevrez vos
10 % sur tous les contrats que vous m'apporterez tout
en vous prévenant que je veux gagner beaucoup d'argent, énormément d'argent !

« — C'est là l'un des moteurs certains de la réussite... Vous avez bien l'intention de continuer comme
clown ?

« — C'est ce dont on a le plus besoin aujourd'hui :
les gens veulent rire ! J'ai heureusement de sérieuses
économies qui me permettent de prendre tout mon
temps pour mettre au point le nouveau numéro que j'ai
en tête depuis plusieurs mois et où je serai le
clown-qui-sait-tout-faire : le clown acrobate, le clown
équilibriste, le clown écuyer s'il le faut, le clown funambule, le clown cascadeur, le clown jongleur et surtout
le clown musicien. Je joue déjà de quatre instruments :
le piano, le violon, le saxo ténor, le trombone. Quand
on se débrouille déjà avec ça, il n'y a pas de raison que
l'on ne puisse pas se servir d'un accordéon, d'une clarinette, d'une trompette, d'une grosse caisse, d'un jazzo-
flûte, d'un hélicon, d'un flexatone, d'un xylophone et de
tout ce que l'on peut imaginer ! Je parle couramment le
français et l'allemand et, avec un peu de pratique, l'anglais ne me gênera pas...

« — Vous signeriez un contrat avec moi comme ça,
immédiatement, si je vous le demandais ?

« — Oui... Et vous ?

« — Signons tout de suite, monsieur Plouf ! Après
nous verrons...

« — Vous parlez exactement comme Plof ! Il disait
toujours : « *Après on verra...* » Et il avait raison.

« — Vous conserverez votre silhouette actuelle d'auguste ?

« — En l'améliorant... Par exemple je veux changer
de faux crâne : celui que j'ai actuellement n'est pas
assez drôle à mon avis. Quant à mon coéquipier...

« — Je croyais que vous n'en vouliez pas ?

« — Ce ne sera pas un *partenaire* au sens où l'était

288

Plof mais un homme distingué, excellent musicien — ça, c'est indispensable! — n'ayant absolument rien d'un comique... Grand, élancé, entre deux âges, il devra imposer le respect et ne jamais rire ou faire rire. Plus il sera sérieux en face de moi et mieux je tirerai mon épingle du jeu. Il ne doit être qu'un faire-valoir : une sorte de *ringmaster* ou de « Monsieur Loyal » mais en habit noir. La couleur, le pittoresque, les blagues, ce sera Plouf qui les apportera.

« — Comment ce faire-valoir sera-t-il rétribué ?

« — Par moi. Je prélèverai une somme sur mon cachet : comme cela je resterai toujours le seul maître de mon numéro. Il n'aura d'ailleurs pas de nom propre dans les programmes, sur les affiches et dans la publicité. Il s'appellera *Partner,* ce qui le rendra anonyme et me permettra de le remplacer si un jour ça ne va plus entre lui et moi sans qu'il ait à faire la moindre récrimination. Le numéro sera PLOUF *and Partner*... PLOUF en très grosses lettres partout et « *and Partner* » en lettres quatre fois plus petites. Vous comprenez bien ce que je cherche ?

« — Je commence à réaliser qu'il n'y en aura que pour Plouf...

« — Ce sera la seule façon pour moi de devenir, dans l'esprit du public, « le clown unique »... Celui qui est irremplaçable et qui attire les foules sur son seul nom.

« — La modestie ne semble pas être votre qualité dominante ?

« — Dans ce métier on ne reste modeste que parce que les spectateurs ne vous ont pas assez remarqué... A partir du moment où c'est fait on n'a plus le droit de l'être ou alors c'est qu'on est un imbécile qui ferait mieux de choisir une autre profession. N'est-ce pas votre avis ? »

» Et comme Sam Blood restait muet, je continuai :

« — Jusqu'à présent je me suis montré trop modeste! C'est ce qui m'a valu d'être remercié d'un cirque pour une peccadille sans importance et d'être méprisé par une femme, mais je vous jure que ça ne se reproduira pas ! J'ai connu aussi l'affront de toute une troupe, à l'exception seulement de trois personnes, signant une pétition pour exiger mon départ et ceci uniquement parce que j'avais gravi trop vite les échelons du rire... Alors vous pensez si, à mon tour, je ris de tout et si je me moque éperdument de ce que les gens de métier penseront de moi ! Ils diront certainement : « *C'est un ambitieux qui marcherait sur père et mère pour réussir et qui ne pense qu'à l'argent !* » Et alors ? Ça ne me gênera nullement... Ce qui m'ennuierait et qui se révélerait beaucoup plus grave serait qu'ils répètent : « *Il n'a pas de talent !* » Mais ça, ils ne pourront pas le dire.

« — Vous êtes bien sûr de vous !

« — N'ai-je pas déjà fait mes preuves ? Pour moi l'apprentissage est terminé... Maintenant à moi la célébrité et la fortune !

« — J'aime un artiste qui fait preuve de pareilles dispositions ! Nous n'avons plus qu'à foncer... Donnez-moi votre adresse.

« — La voici. J'ai changé d'hôtel hier soir ; je ne pouvais plus supporter de rester dans celui où Plof est mort. Et je ne veux plus de lits jumeaux !

« — Venez me revoir demain à la même heure. D'ici là j'aurai consulté mes fiches. Qui sait ? Peut-être aurai-je trouvé l'oiseau rare que vous recherchez ? Ça ne va pas être facile de le dénicher ! Portant beau, sérieux, bon musicien, élégant, acceptant de se cacher sous l'anonymat artistique, ne se mettant jamais en avant et sachant rester dans l'ombre pour faire valoir un auguste, n'exigeant pas d'avoir son nom sur les affiches ou dans les programmes, c'est presque un mythe !

» Le mythe fut pourtant trouvé dès le lendemain : il m'attendait dans le bureau de Sam Blood... Il était hollandais et parlait couramment dix langues en plus de la sienne : l'anglais, l'allemand, le français, l'espagnol, l'italien, le portugais, le suédois, le russe, le polonais et le danois. Il savait se servir d'une douzaine d'instruments de musique et possédait quatre habits à la coupe impeccable : un noir, un blanc, un rouge et un bleu. Il s'exprimait avec élégance, était distingué, avait des gestes mesurés et possédait même un charme très réel grâce à la chevelure toute blanche qu'il avait eu la chance d'avoir dès sa jeunesse; il n'avait que cinq ans de plus que moi. Ainsi nous travaillerions entre jeunes. Je ne voulais plus d'un compagnon beaucoup plus âgé comme Plof qui, je m'en étais rendu compte, peinait certains soirs pendant le numéro malgré toute son expérience. Le Hollandais fut également d'accord pour toucher, comme Sam Blood, 10 % de mon cachet : ce qui me laissait 80 % pour moi alors qu'avec Plof nous partagions en deux. Il ne tenait nullement à ce que l'on parlât de lui dans les programmes et les articles publicitaires et — comme Plof, je dois le reconnaître — se refusait à paraître sur une affiche. Enfin il acceptait de ne s'appeler que *Partner*. C'était pour moi l'homme idéal! Je ne pouvais pas souhaiter mieux... Il faut quand même que je te dise son vrai nom, Bob Van Viel, que je ne prononcerai sans doute plus jamais devant toi puisque je l'ai toujours appelé *Partner* dans la vie : PLOUF *and Partner*...

— Est-il encore de ce monde ?

— Comme il avait cinq ans de plus que moi, aujourd'hui il se rapprocherait des cent ans... Il est mort trois mois après notre dernière tournée, celle que j'ai faite avec mon propre cirque et qui s'est mal terminée... Pauvre *Partner* ! Malgré ce flegme et ce calme dont il avait toujours su faire preuve, il n'a pas pu supporter notre échec ! Je crois bien que cela l'a rendu encore plus malheureux que moi.

— Tu n'as pas eu d'autre partenaire que lui ?

— Dans ma vie d'artiste il y a eu Carla en écuyère pendant six mois, Plof en clown blanc pendant deux ans et demi et *Partner* pendant près d'un demi-siècle ! Quand tu as vu mon numéro, puisque tu m'as dit que tu m'avais applaudi... A propos, où était-ce ?

— A *L'Empire* de Paris.

— Avenue de Wagram ? Ce fut, avec *L'Hippodrome* de New York, le plus beau *music-hall-cirque* du monde !

Quel dommage qu'il ait été transformé! J'y suis passé trois fois et, chaque fois, j'y suis resté pendant quatre semaines devant des salles combles... Adieu *L'Empire!* Eh bien, quand tu m'y as vu, j'étais avec *Partner.*

— Je me souviens de lui; il était en effet en habit noir et entrait en scène avant toi, dès que le rideau se levait, en jouant du saxophone...

— C'est exact, ami! Qu'est-ce qui se passait ensuite?

— Tu entrais à ton tour en arrivant par la salle. Et, pour monter sur la scène, tu gravissais un petit escalier, placé côté cour, qui enjambait la fosse d'orchestre et la rampe...

— C'est également vrai! Comment étais-je habillé?

— Tu portais un grand manteau à carreaux qui ressemblait à un plaid écossais.

— C'était la copie de celui que portait Plof quand il était encore le *Charley* du charivari; son manteau m'avait toujours fasciné! Si j'entrais en scène ou en piste avec ça sur le dos, ce n'était pas pour le plagier — tel que je l'ai connu, cela lui aurait été bien égal! — mais pour rendre hommage à sa mémoire, et je me sentais protégé par lui pendant mon entrée sous ce manteau.

— Tu avais d'immenses souliers.

— Qui bâillaient? Egalement en souvenir de *Charley...* Et mon grimage?

— Tu avais ton nez rouge...

— Il ne m'a jamais quitté! Lui et moi, nous nous étions habitués l'un à l'autre... Ensuite?

— Tu riais de ce rire énorme dont tu m'as parlé et qui donnait l'impression que ta bouche pouvait s'élargir jusqu'à tes oreilles.

— Grâce à mes dents peintes au-dessus de la lèvre supérieure, l'une de mes créations personnelles que personne n'a osé copier... Et mon crâne?

— Il luisait sous les feux des projecteurs comme tu l'avais souhaité quand tu étais encore chez Arkein. Mais je crois me souvenir que tu ne le montrais pas tout de suite... Quand tu montais sur la scène, il était recouvert d'une calotte rappelant la *kipa* des juifs.

— Oui, mais au lieu d'être noire comme la leur, la mienne, aussi rouge que mon nez, me faisait plutôt ressembler à un cardinal de la piste ! Je la retirais pour saluer *Partner* en lançant mon « *Bonjour, Môsieur* » qui est resté légendaire.

— Tu le disais avec un accent indéfinissable qui ne ressemble pas à ta voix de ce soir.

— Une voix de fantôme est toujours un peu blanche... Et je n'ai jamais parlé en piste ou sur scène comme dans la vie : on ne m'aurait pas entendu. Les clowns ont leur « parler » à eux... Quand tu m'as vu à *L'Empire*, qu'est-ce qu'il y avait sur la scène ?

— Un piano... Ton fameux piano dont le couvercle pouvait s'enlever à volonté, et dont le tabouret montait lentement pour s'élever à un mètre au-dessus du clavier pendant que tu jouais.

— Tu te souviens même de cet effet ? Avoue qu'il était irrésistible... Comment étaient mes mains quand mes doigts couraient sur le clavier ?

— Gantées.

— Ami, c'est merveilleux ! Tu n'as rien oublié de mon numéro ! A peu de détails près, c'est celui que j'ai présenté à Sam Blood après trois mois de répétitions acharnées avec le Hollandais et qui est resté pratiquement immuable parce que les spectateurs du monde entier n'ont pas voulu que je le modifie et peut-être aussi parce que, dans son genre, ce fut une sorte de perfection ? Si je devais ressusciter pour reprendre mon métier, je remonterais exactement le même !

— Avec le Hollandais ?

— Avec *Partner*...

— Où avez-vous répété ?

— Dans un studio assez vaste que je louais boulevard de Clichy. L'immeuble n'était d'ailleurs fait que de studios utilisés le plus souvent par des danseurs ou par des compagnies de ballets ; les clowns y étaient beaucoup plus rares parce qu'ils répétaient d'habitude sur une piste.

— Tu aurais pu aller au *Cirque d'Hiver* ou à *Médrano* qui existait encore à cette époque ?

— Quand on a fait ses débuts en piste, comme c'était mon cas, on n'a aucun mal à imaginer qu'elle est toujours là, tout autour, vous encerclant... Mais les répétitions en studio me rappelaient que, pendant les trente mois de mon association avec Plof, j'avais beaucoup plus travaillé sur des scènes de music-halls que dans des cirques! Le numéro devait donc être étudié pour pouvoir passer aussi bien dans un spectacle en rond que dans l'optique plus rétrécie d'une scène.

— Quelle a été la réaction de Sam Blood devant le numéro?

— Enthousiaste... Après soixante-cinq années c'est comme si j'entendais encore sa voix, d'où certaines intonations d'Europe centrale n'étaient pas exclues, résonner dans le studio en s'exclamant :

« — C'est le meilleur numéro comique que j'aie jamais vu! J'ai ri pendant quarante-cinq minutes sans me rendre compte que le temps passait! Car c'est long, même très long, une entrée clownesque qui dure trois quarts d'heure! On n'a encore jamais vu ça : 2700 secondes de fou rire! Vous tenez le bon filon et la grande forme, Plouf! Ne les lâchez plus et vous serez archimillionnaire!

« — S'il n'y avait que moi, je me ficherais pas mal de l'argent! Le plaisir de faire rire me suffirait. Seulement il y a Carla et le château...

« — Carla?

« — Ma femme...

« — Votre... Mais vous ne m'aviez pas dit que vous étiez marié!

« — Disons : marié sur les bords... Il n'y a que moi qui le sais! Elle-même ne s'en doute pas; elle se croit seulement fiancée.

« — Parce que le maire viendra plus tard?

« — Vous n'êtes pas bête, monsieur Blood.

« — Et le château?

« — Lui aussi va arriver dans ma vie quand je l'aurai acheté au prince.

« — Quel prince?

« — Ecoutez, Blood, vous exagérez! Vous êtes trop

indiscret! Maintenant que vous avez compris ce que je peux faire, vous feriez beaucoup mieux de vous mettre tout de suite en chasse pour me trouver des contrats.

« — Avec un numéro pareil, ça ne va pas être difficile! Savez-vous où j'ai l'intention de vous faire débuter? Dans un pays où vous n'avez encore jamais été : l'Angleterre!

« — Et Paris, et la France?

« — Vous y reviendrez plus tard quand le public anglo-saxon vous aura adopté et aura surtout établi votre réputation internationale. Contrairement à ce que beaucoup de gens pensent, Paris n'est pas la ville idéale pour lancer un numéro de cirque ou de variétés. Paris, c'est plutôt l'Olympe du spectacle où se font les consécrations. Et puis, il faut que l'on y oublie le passage de *Plouf et Plof*, même s'il a été très court... Paris a une mémoire d'éléphant! Le Plouf qui y paraîtra dans trois ou quatre années sera pour lui une découverte stupéfiante : un Plouf sans bicyclette qui joue sur un violon minuscule exhibé d'une immense valise, qui chante une tyrolienne, qui démolit son piano, qui se tient en équilibre sur le dos d'une chaise, qui défile à lui tout seul en imitant tout un régiment, qui pleure en riant et qui rit en pleurant, qui fait des grimaces à faire pâlir d'envie tous les enfants de la terre, qui est farceur, obstiné, têtu, gaffeur, blagueur... qui fait tout ce que les autres n'ont encore jamais fait : c'est cela votre numéro!

« N'en jetez plus, Sam Blood! Quand part-on en Angleterre?

« — Je vous le dirai avant huit jours... Je vais d'abord vous faire débuter à Blackpool : c'est le paradis des attractions outre-Manche. De là vous irez au cirque de Manchester... Très important, Manchester, parce qu'on y imprime un journal redoutable dont les critiques font la réputation ou l'écroulement d'un artiste sur tout le territoire anglais! Un journal dont on dit : « *Ce que le* Manchester Guardian *écrit aujourd'hui, Londres le pensera peut-être demain...* » Si vous avez un bon article, je pourrai vous faire venir à Londres et là, il n'y a pas d'hésitation : il vous faut le *Palladium* qui est, de loin, le plus illustre établissement de variétés du monde ! Si ça marche pour vous — et ça ne peut pas ne pas aller — vous pourrez y tenir pendant six ou même huit semaines. Après, le reste ne sera plus qu'un jeu d'enfant puisque vous suivrez la grande chaîne de tous les music-halls contrôlés par la direction du *Palladium* de Londres : vous irez à Liverpool, Glasgow, Edimbourg, etc. Ça n'arrêtera plus ! Cette seule chaîne vous assurera quarante-deux semaines de contrats à la file... Ensuite vous reviendrez à Londres au *Coliseum* qui a plus de 4 000 places.

« — Pourquoi pas à nouveau au *Palladium* si j'y ai eu du succès pour la première fois ?

« — Pour faire monter vos prix ! Le *Coliseum* paiera plus cher pour vous avoir et le *Palladium* sera jaloux... A son tour il fera de la surenchère et vous y repasserez l'année suivante à un tarif fabuleux... Vous ne travaillerez plus au cachet mais au pourcentage sur les recettes : quarante-cinq minutes de rire assuré, ça n'a pas de prix ! Entre-temps vous aurez triomphé dans les pays scandinaves : à Oslo, au *Tivoli* de Stockholm, au *Cirque Schuman* de Copenhague... En Hollande aussi, au *Cirque Carré* d'Amsterdam, à La Haye...

« — Et en Belgique ?

« — Pourquoi pas ? Le *Cirque Royal* de Bruxelles est magnifique !

« — Et à Liège ?

« — C'est une charmante ville où le public est des plus chaleureux... Vous tenez tant que cela à y passer ?

« — C'est ma ville natale, Blood !

« — Alors on se débrouillera pour y trouver un établissement qui soit digne de votre réputation.

« — Oh ! A Liège je jouerais bien n'importe où, même en plein vent !

« — Vous êtes fou ? Ce serait démonétiser votre numéro !

« — Ça m'est pourtant déjà arrivé...

« — N'en parlez pas, oubliez le plein air ! Vous avez encore de la famille à Liège ?

« — Mon père et ma mère... Ils m'ont déjà vu dans un numéro où je ne m'appelais pas encore Plouf.

« — Et ils vous ont trouvé drôle ?

« — Pas tellement, je crois...

« — Alors que maintenant vous l'êtes... Ça va en être une surprise pour eux !

« — Oh ! Ce jour-là je ne les préviendrai pas ! S'ils viennent m'applaudir, ils le feront uniquement parce qu'ils auront été attirés par la réputation de Plouf et non pas parce qu'ils sauront que Plouf, c'est leur fils... Ils paieront leurs places comme tout le monde et moi-même je ne saurai pas qu'ils se trouvent dans la salle. Comme mon nom, mon maquillage et mon numéro ont changé, ils ne me reconnaîtront pas... Je sais d'avance que s'ils m'identifiaient je serais mauvais !

« — Vous êtes un curieux bonhomme.

« — J'ai surtout eu tort de trop présumer de mes parents... Et l'Allemagne ? Vous m'enverrez en Allemagne ?

« — Bien sûr ! Comme l'Angleterre, c'est un pays en or pour les clowns : on y aime rire !

« — Vous ne pensez pas que le rire est universel ?

« — Il y a rire et rire... Celui que vous déclenchez est plus anglo-saxon que latin : il est à base d'humour et l'humour, c'est essentiellement anglo-saxon. Vous n'avez rien d'un clown italien ou espagnol.

« — Pourtant *Beppo*...

« — Qui est-ce ?

« — Un imprésario comme vous n'a jamais entendu parler du nain *Beppo* ?

« — Non.

« — Bizarre ! Vous me décevez un peu, Blood, je vous croyais plus averti dans notre profession.

« — Qu'est-ce qu'il faisait ce *Beppo* ?

« — Il a été mon premier professeur ! C'est lui qui m'a appris à rire, même quand je n'en avais pas envie, et surtout à faire rire les autres...

« — Vous devriez me donner son adresse. Des gens

comme ça, on en a toujours besoin dans le métier.
Nous manquons terriblement de bons professeurs de
rire !

« — Son adresse ? Cherchez dans les cafés ou les
brasseries qui se trouvent à proximité d'un cirque... »

» Sam Blood m'a regardé à ce moment-là avec cette
même incompréhension que j'ai toujours rencontrée
partout, sauf avec toi ce soir, quand je parlais de
*Beppo.*

— Et le Hollandais, qu'est-ce qu'il disait dans le studio de répétition pendant que vous aviez cette conversation, Sam Blood et toi ?

— Rien. Il parlait peu. Au début de notre association, j'ai cru que c'était un timide mais, assez vite, j'ai
réalisé qu'il n'était en réalité qu'un éternel neurasthéni-
que.

— Pourquoi ?

— Pour mille raisons, ami... D'abord parce qu'il était
seul, sans parents, sans amis, sans amour surtout ! Un
taciturne qui n'avait pas non plus d'ambition : c'est
pour cela qu'il s'est contenté toute sa vie de ses 10 %...
N'ayant pas de charges familiales, ni de château à
entretenir, il a gagné avec moi de quoi vivre sans soucis. Comme Sam Blood, il attendait de percevoir à chaque paye son pourcentage. Ça semblait être son unique
préoccupation ! Seulement la grande différence entre
les deux était que l'imprésario prélevait sa part sur des
dizaines d'artistes dont certains, tels que moi, lui rap-
portaient gros. Il savait répartir — non pas ses risques
parce qu'un imprésario n'en a jamais ! — mais l'encais-
sement de ses bénéfices.

— Que faisait *Partner* avant de te rencontrer ?

— Je crois bien qu'il sortait de prison... C'était un
remarquable musicien qui végétait dans des fosses
d'orchestres alors qu'il aurait très bien pu donner des
récitals de virtuose. Personnellement, je n'ai jamais eu
le moindre reproche à lui faire, il a toujours fait son
travail comme je le lui demandais, avec une précision
scrupuleuse. Ses beaux habits venaient du temps où il
jouait dans des orchestres. Toujours à l'heure, ne

buvant pas, n'aimant pas les cartes, ne semblant attiré ni par les femmes ni même par les hommes, détestant les sports, n'ayant pas comme moi un hobby tel que le bricolage ou autre chose, je ne lui ai connu aucune passion. C'était presque à se demander pourquoi il était venu sur terre ?

— Mais pour être ton partenaire, Plouf !

— Peut-être...

— Sais-tu que ça ne m'aurait pas déplu de tenir ce rôle ?

— Toi ? Tu aurais exigé beaucoup plus que les 10 % et en plus, comme tous les romanciers, tu aurais eu des idées ! En ayant trop moi-même je n'aurais jamais pu te supporter auprès de moi dans le travail... Avec le Hollandais, j'ai été servi.

— Les débuts de PLOUF *and Partner* ont bien eu lieu à Blackpool ?

— Quinze jours après l'audition devant Sam Blood; c'était un homme qui faisait toujours ce qu'il annonçait. C'est pour cela qu'il fut un excellent imprésario. Mais, quand il ne touchait pas son pourcentage au jour et à l'heure fixés, il vous le faisait sentir !

— Comment cela ?

— En vous informant qu'à son plus grand regret il y aurait un creux de quelques semaines pendant lequel vous ne travailleriez pas... Ce qui, je m'empresse de te le dire, ne m'est jamais arrivé.

— Parce que tu le payais aux dates prévues ?

— Parce que j'avais appris à aimer mon métier de clown et que, dans toutes les professions, il n'y a que les gens de métier à savoir se montrer sérieux.

— Cette fois, Plouf, ce fut la vraie gloire ?

— Et pas mal d'argent de côté. Comme l'avait prédit Sam Blood, mes quarante-cinq minutes de rire me permirent de ne plus travailler qu'au pourcentage et les salles étaient combles quand Plouf y était annoncé. Dans ce domaine j'avais gagné.

— Et Carla ?

— Deux nouvelles années s'étaient écoulées pendant

lesquelles nous étions passés dans toutes les villes énumérées par Sam Blood et même dans beaucoup d'autres! Je savais que Carla était toujours chez Arkein où elle continuait à faire son numéro seule et je me demandais comment c'était possible qu'elle n'en eût pas assez? Il est vrai aussi que je ne me doutais pas que mes quarante-cinq minutes de rire allaient me condamner à faire le même numéro de PLOUF *and Partner* pendant quarante-cinq ans!

» Alors que nous passions pour la seconde fois au *Palladium* de Londres qui avait fini par s'incliner devant les exigences de Sam Blood, j'appris une triste nouvelle qui me fit beaucoup de peine : Rolf Arkein était mort subitement, comme Plof, d'un arrêt du cœur. C'était sa femme, la bonne grosse Greta, qui assurait sa relève en dirigeant à son tour le cirque. Je te l'ai dit : la vraie force des gens de cirque c'est de ne jamais s'arrêter de travailler; s'il y en a un qui disparaît, un autre le remplace aussitôt. J'aimais Rolf Arkein, c'était un grand directeur qui m'a rendu un rude service en me mettant à la porte! Il n'y a que les gens qui partent à pouvoir revenir.

» Ce qui se produisit le jour où Sam Blood vint me voir au *Cirque Carré* d'Amsterdam où nous étions pour quatre semaines, en m'annonçant :

« — Après Amsterdam, j'hésite entre deux possibilités. Tu sais que tu dois débuter pour six semaines à la *Scala* de Berlin le 1er septembre avant d'effectuer ta première tournée en Allemagne qui te conduira à Leipzig, Stuttgart, Hambourg, Cologne, Düsseldorf et Francfort.

« — Ma première tournée en Allemagne? Il me semble en avoir effectué déjà deux il y a quelques années... Evidemment, je ne m'appelais pas encore Plouf!

« — Quel était alors ton nom de travail?

« — Il a tellement peu compté que je l'ai oublié... Le public aussi. Il ne fera aucun rapport entre le Plouf qu'il va découvrir et l'obscur auguste d'un numéro qu'il n'avait pas créé et dans lequel on l'avait incorporé...

Dis-moi, Sam : il y a une ville oubliée dans la tournée que tu m'annonces, Munich !

« — C'est intentionnel parce que tu as, si tu le désires, la possibilité d'y passer juste avant Berlin pendant trois semaines : ce qui te permettrait de bien roder ta tournée allemande.

« — Pourquoi trois semaines et pas quatre comme partout ailleurs ?

« — Parce que tu ne passerais pas dans un music-hall mais dans un cirque ambulant qui s'installe chaque année à Munich du 1er au 22 août depuis très longtemps.

« — Du 1er au 22 août ? Ne me dis pas le nom du cirque ! Je le connais de réputation : ce ne peut être que le *Circus Arkein*.

« — Tu as deviné. Un grand cirque bien dirigé qui a un public fidèle. J'ai là pour toi une offre de contrat qui est très intéressante : le prix sera le tien, c'est-à-dire le maximum que tu pourras demander. Ce cirque itinérant veut faire un effort pour Munich où le directeur, qui est mort il y a quelques mois, était très populaire. Sa veuve, qui mène la barque et qui se nomme Mme Greta Arkein, connaît, comme tout le monde maintenant en Europe, la réputation de PLOUF *and Partner*. Elle propose donc, sachant que l'on te réclame partout, que tu passes exceptionnellement chez elle pendant les trois semaines de son séjour dans la capitale de la Bavière, ce à quoi la *Scala* de Berlin ne s'oppose pas puisque ce ne sera pas un music-hall. Tu comprends que cette excellente dame, que je ne connais pas, n'est pas folle : afficher « *Pour la première fois en Allemagne et en exclusivité à Munich, le célèbre clown international Plouf* », c'est formidable dans son établissement ambulant qui a 4000 places. Naturellement tu auras la grande vedette et tu passeras en fin de spectacle avant le salut final, et des numéros seront supprimés en seconde partie pour que tu aies tes quarante-cinq minutes. Qu'est-ce que tu en penses ?

« — Si j'accepte, j'exige que mon nom PLOUF soit

placé au-dessus de celui du cirque et en lettres lumineuses de même dimension.

« — Considère que c'est accordé d'avance. Mais où ton imprésario hésite, c'est que j'ai, pour la même date, une autre offre. Elle vient d'un cirque belge, itinérant lui aussi, qui propose quatre semaines du 1er au 28 août à Liège, ta ville natale où tu m'as dit un jour que ça ne te déplairait pas de passer. Tu peux le faire également mais il faut choisir : ou ce sont trois semaines à Munich, ou quatre à Liège. Les conditions sont les mêmes : à toi de décider. »

» C'était aussi incroyable qu'embarrassant : je me moquais complètement de jouer une semaine de plus ou de moins dans une ville, au point de célébrité et de prix où j'en étais... Mais ce qui ne concernait que moi et pas un Sam Blood, auquel je n'avais guère parlé de ma vie privée, était soit de paraître à Munich où j'éblouirais enfin Carla qui ne pourrait plus dire qu'elle ne m'épouserait que si je devenais « *le plus grand clown du monde* », ou je jouerais devant mes parents — sans les informer que j'étais devenu le grand Plouf — et qui m'applaudiraient enfin comme je le souhaitais... Seulement viendraient-ils à ce cirque ? Aussi insensé que cela puisse te paraître, ne resteraient-ils pas paisiblement chez eux en se disant que ce fameux clown, sur le nom duquel on faisait un tel bruit, ne pouvait pas faire mieux que cet Ernesto qui continuait à leur faire parvenir régulièrement des subsides sous son vrai nom d'Ernest Bedaine ? Qu'aurais-tu fait à ma place ?

— J'aurais opté pour Carla, quitte à venir plus tard avec elle à Liège quand elle serait devenue Mme Ernest Bedaine.

— C'est ce que j'ai fait, ami, mais les contrats se sont succédé avec les années de triomphe et je n'ai jamais pu aller en compagnie de ma femme à Liège. Le jour où elle m'a dit qu'elle aimerait faire enfin la connaissance de mes parents, ils n'étaient plus de ce monde. Crois-tu que c'est bête !

— C'est la vie, Plouf... et la mort !

— « Un sale truc », comme disait Plof.

302

— Alors Munich?

— J'y ai fait réserver tout de suite par Sam Blood ce même appartement somptueux qu'occupait toujours le prince Skirnof dans le meilleur hôtel de la ville en me disant que ce serait assez drôle, le jour où il arriverait lui aussi à Munich pour retrouver Carla, que la direction lui réponde, embarrassée : « *Prince, nous sommes très ennuyés : votre appartement est occupé pendant toute la durée de la présence à Munich du Circus Arkein par le fabuleux clown Plouf qui en est la vedette.* » Je tenais la vengeance de mon duel imaginaire... Ce serait moi qui l'aurais reçu, vêtu d'une belle robe de chambre en velours rouge comme la sienne et où aurait été brodée au fil d'or l'initiale *P* de mon nom, dans le petit salon attenant à la chambre. Et j'aurais eu dans ma main droite l'arme du duel que je lui proposais, mais un duel réel cette fois qui aurait lieu sur la piste du cirque et devant une salle comble. Cette arme aurait été une mallette dans laquelle se seraient trouvés tous les accessoires — tels qu'un faux crâne, de faux cheveux, un faux nez, de fausses dents — et les bâtons de maquillage lui permettant, à lui aussi, de se faire une tête de clown. N'avais-je pas à mon tour le choix de l'arme? Et je lui aurais dit, au moment d'entrer en piste : « *Grimez-vous, Prince, et essayez de les faire rire! Celui de nous deux qui saura être le plus drôle sera le vainqueur.* » Et, comme cette fois j'aurais été sûr de moi, je lui aurais payé à mon tour le champagne.

— Pourtant tu aurais été le gagnant! Ce serait plutôt lui qui aurait dû t'offrir le breuvage de la réconciliation?

— J'ai horreur d'avoir des dettes, surtout quand elles sont morales. Et moi aussi, figure-toi, j'ai mes élégances... Malheureusement, lorsque je suis arrivé à l'hôtel et que j'ai demandé s'il était là, on m'a répondu que l'on n'y avait plus revu le prince Alexys Skirnof depuis un certain soir où un clown lui avait flanqué un bouquet d'orchidées en pleine figure... Cela m'a consterné. Je n'avais plus qu'à me rendre en fiacre au cirque, planté sur l'esplanade selon sa vieille tradition, en compagnie de *Partner* : ce cirque où je devais débuter le lendemain.

» Mon nom dominait celui du *Circus Arkein.* Si Plof avait vu ça ! Toujours escorté de *Partner,* qui ne pouvait rien comprendre de ce qui se passait et qui d'ailleurs ne le cherchait même pas, je me rendis directement à la caravane de madame la Directrice : Frau Arkein. Entre-temps, j'avais pu remarquer que le panneau, où j'avais vu une affiche délavée par la pluie et ayant perdu son ERNESTO, était recouvert par le portrait d'un PLOUF resplendissant, un PLOUF dont le nom n'était suivi d'aucune indication parce qu'il se suffisait enfin à lui-même... Ce Plouf que tu as connu à *L'Empire* de Paris et qui se trouve encore aujourd'hui sur l'une des affiches de mon salon. Et, pour la première fois peut-être, j'ai aimé mon affiche.

» A l'exception de la disparition de son fondateur, c'était à se demander si quelque chose avait changé dans le *Circus Arkein ?* En vertu de cette autre loi immuable, qui veut que lorsqu'un cirque a trouvé ce qu'il estime être pour lui la « plantation » idéale, les caravanes, les roulottes, les écuries, la tente des éléphants et la ménagerie se trouvaient à ces mêmes places que j'avais connues cinq années plus tôt. J'avais l'impression de me retrouver chez moi.

» La plate-forme de surveillance, attenant à la caravane directoriale, était là, elle aussi, avec sa table et ses fauteuils en rotin dans lesquels le *Herr Direktor* invitait ses artistes à s'asseoir pour déguster les demis dégoulinants de bonne bière allemande ou même les verres de champagne qui permettaient de savourer l'amertume d'un refus d'augmentation... Ayant demandé à *Partner* de rester sur la plate-forme, je frappai à la porte. La voix grasseyante de Greta Arkein répondit en allemand et j'entrai.

» Elle était là, à nouveau devant moi, se dressant dans toute sa corpulence de Walkyrie à la blondeur de plus en plus oxygénée, vêtue d'une robe de mousseline noire montant jusqu'au cou pour indiquer qu'elle porterait longtemps encore le deuil de son époux. Une Greta dont les petits yeux bleus clignotèrent et semblèrent s'évader de la bouffissure du visage poupin pour s'agrandir aussi démesurément que ceux d'un vieux clown, avant que la bouche tremblante ne dise :

« — Vous, monsieur Bedaine ?

« — Bedaine lui-même, madame Arkein, qui vient vous aider à triompher une fois encore à Munich... Il vous devait bien ça puisqu'il n'est parvenu à devenir Plouf que parce que votre mari et vous-même lui avez donné sa première chance. »

» Et je vis des larmes, ami, de très grosses larmes qui coulaient sur les joues toujours roses. Je voulus — me prenant sans doute pour un prince moi aussi — lui baiser la main dont les doigts étaient débarrassés de toutes les bagues et où il n'y avait plus qu'une alliance à l'annulaire gauche, mais elle m'attira vers elle en m'enlaçant de ses deux gros bras pour m'embrasser pendant que ses larmes continuaient à couler. Suffoquée par l'émotion, elle ne pouvait plus parler.

« — Voyons, madame Arkein, il ne faut pas vous mettre dans un pareil état ! Nous voilà à nouveau réunis pour faire du bon travail. Je suis sûr que, de là où il est en ce moment, Rolf Arkein nous observe en frottant son œil gauche avec son index droit à travers son faux monocle... Je le vois déjà sourire : il est heureux.

« — Alors vous êtes bien PLOUF ? Le célèbre PLOUF ?

« — PLOUF *and Partner* comme vous avez dû l'annoncer dans vos programmes. Mon partenaire attend sur la plate-forme.

« — Mais qu'il entre !

» *Partner* entra, encore un peu plus lugubre que d'habitude et toujours digne.

« — Que puis-je vous offrir, messieurs ?

« — Pourquoi pas du champagne si vous en avez ? »

» Nous bûmes tous les trois « à l'allemande » et en silence à la mémoire du disparu.

305

« — Il me semble, madame Arkein, que vous avez apporté un changement important dans l'exploitation de votre beau cirque : d'habitude il jouait partout le jour même de son arrivée alors que vous faites relâche ce soir ?

« — C'est en votre honneur, monsieur Bedaine. Ce matin, pour l'arrivée, nous avons défilé en ville, mais nous n'aurions pas voulu donner notre première représentation à Munich sans que le célèbre PLOUF en fît partie et comme votre contrat ne commence qu'à partir de demain...

« — Je suis très sensible à une pareille attention qui me permettra de répéter en toute tranquillité pendant l'après-midi avec l'orchestre.

« — La piste sera entièrement à vous.

« — Le cher Wontz est toujours là ?

« — Comment pourrais-je me passer de lui !

« — Et *Herr* Schumberg ?

« — Il est là, lui aussi.

« — En somme, vous avez gardé tout le monde ?

« — Seuls les numéros ont changé, mais vous verrez : nous avons un bon programme.

« — Le contraire me surprendrait au *Circus Arkein* ! A demain, chère madame. Puis-je vous demander de donner des instructions à *Herr* Schumberg pour que ma répétition ait lieu à trois heures ?

« — Ce sera fait.

« — Ah ! Un petit détail auquel j'attache beaucoup d'importance : à l'exception de l'orchestre et du *ringmaster* pour établir la régie de mon numéro, je ne veux aucun artiste ou journaliste dans la salle pendant la répétition.

« — C'est tout à fait normal, monsieur Bedaine.

« — Monsieur Bedaine... Je crois bien, madame la Directrice, que vous êtes la seule personne au monde à m'appeler encore par mon vrai nom.

« — Je l'aime beaucoup... Mon mari aussi l'aimait ! C'est un nom qui, pour nous Allemands, a une résonance très française.

« — Et pourtant je suis wallon !

« — C'est pareil...

« — Justement, à ce propos, soyez gentille de dire à *Herr* Schumberg que j'aimerais beaucoup, demain soir, au salut final de la troupe, faire mon entrée entouré de tous les augustes du charivari auquel j'ai appartenu et en portant le drapeau belge...

« — Comme vous l'aviez fait le soir de la venue de vos chers parents. Comment vont-ils ?

« — Mais... très bien, madame Arkein.

« — Aimeriez-vous que l'orchestre joue aussi à ce moment-là *La Brabançonne ?*

« — Non. Avec tous les voyages que je viens de faire pendant ces cinq années, j'ai l'impression de ne plus avoir de nationalité : ce qui est préférable pour ma carrière. Bonsoir, madame. »

» Toujours escorté par *Partner*, je me faufilai une fois de plus à travers le dédale des roulottes et des caravanes, me souvenant des nuits angoissées que j'avais passées dans cette ville ambulante, attendant un retour hypothétique de Carla partie souper avec son prince... Personne ne me remarqua, mais je savais que très vite la nouvelle incroyable, partie de la roulotte directoriale, allait courir dans les dépendances du cirque : « *Vous ne savez pas ? Ce Plouf dont l'Europe du spectacle ne fait que parler et qui vient renflouer nos finances, c'est ce petit professeur dont vous avez exigé le renvoi par une pétition collective. C'est l'ex-Ernesto dont vous ne vouliez plus et que vous allez être bien contents de retrouver demain soir sur la piste devant le public qui est le juge suprême.* » Dans vingt-quatre heures j'aurais réglé leur compte à tous les envieux, les ratés et les aigris. Et j'avais bien l'intention de le faire en me montrant gentil avec tout le monde. Le rire d'un clown, ce doit être le meilleur pardon des injures.

» Je passai rapidement devant la caravane de Carla dont les petites fenêtres étaient éclairées et je gravis l'escalier de celle de Wontz qui avait été aussi la mienne. Je n'eus même pas besoin de frapper pour que la voix de l'un de mes rares amis me dise d'entrer et je retrouvai ma demeure.

« — Bonjour, maestro...

« — Toi ? Qu'est-ce que je t'offre ?

« — Un cognac bien sûr ! Tu n'as pas changé, Wontz.

« — Toi non plus Ernesto. Tu donnes même l'impression d'avoir rajeuni... Tu me parais beaucoup plus sûr de toi. Je ne te fais qu'un reproche : de ne m'avoir pas donné beaucoup de nouvelles... Ingrat !

« — Je voulais te réserver une grande surprise... Dis-moi : qu'est-ce que c'est que ce Plouf dont on parle tant et qui est votre vedette ?

« — La rumeur veut qu'il soit formidable... Moi je veux bien, mais tu me connais : j'attends demain soir pour voir.

« — Regretterais-tu Ernesto ?

« — Tu avais du talent... Qu'est-ce que tu fais maintenant ? Tu as dû quitter le métier puisqu'on n'a plus entendu parler de toi ?

« — On va en reparler bientôt au *Circus Arkein* : je suis devenu Plouf.

« — Quoi ?

« — Et je te présente mon partenaire dont tu pourras apprécier dès demain les talents de musicien.

« — PLOUF *and Partner* ?

« — En chair et en os, Wontz !

« — Bonjour *Partner*... Vous n'avez pas d'autre nom ? »

» Comme je savais que « mon » Hollandais trouvait fatigant de parler, je me dépêchai de répondre à sa place :

« — Celui-là lui convient très bien. Il n'aime s'exprimer qu'en musique. Maintenant, cher *Partner*, tu vas être bien gentil de me laisser avec mon ami Wontz. Nous nous retrouverons à l'hôtel demain vers midi pour le déjeuner, avant de venir répéter ici, à 15 heures. J'espère, maestro, que ton orchestre y sera au grand complet ?

« — Les instructions sont déjà données : que ne ferait-on pas pour l'illustre PLOUF !

« — Tu as toujours le même batteur ?

« — Le même.

« — Alors ça ira... Mon numéro va de ponctuation sonore en ponctuation sonore ! » Et quand *Partner* fut parti : « Je crois que demain tu seras satisfait, Wontz, de constater que je travaille avec le violon, le saxo et le trombone que tu m'as donnés : sans eux je n'aurais jamais fait de progrès ! J'utilise aussi un piano qui est arrivé avec mes bagages.

« — J'ai su, en effet, que Plouf se servait d'un piano, mais pourquoi le transporter de ville en ville ? Il y a des pianos partout !

« — Le mien est truqué : son couvercle se démonte, ses vraies touches sont recouvertes de fausses que je peux lancer dans la salle... Il respire aussi, il tousse, il aboie et il mugit pour m'ennuyer à chaque fois que je m'approche de lui : c'est un taquin... Tu verras aussi que j'ai appris à jouer du Chopin avec des gants blancs : c'est beaucoup plus élégant ! Les spectateurs se disent : « *Ce Plouf est raffiné... à moins qu'il ne se soit pas lavé les mains ?* » De toute façon, ça étonne... C'est ce qu'il faut dans un numéro de clown ! Mais parlons de toi, Wontz : comment vas-tu ?

« — Très bien, Plouf.

« — Tu n'as pas vieilli du tout. Et le *Circus Arkein,* il n'a pas trop vieilli lui non plus ?

« — Le patron manque... La Greta fait tout ce qu'elle peut, mais j'ai bien peur qu'un jour on ne ferme boutique ! Et puis elle s'acharne à conserver trop long-temps les mêmes numéros en souvenir de son mari qui les avait engagés avant de disparaître... Ça fait deux années que nous revenons dans les mêmes villes avec le même spectacle : c'est une grave erreur ! Il n'y a qu'ici à Munich où les gens vont voir du nouveau grâce à PLOUF *and Partner...* Nous avons rudement besoin d'un bon clown ! On dit que tu écrases tout là où tu passes. C'est vrai ?

« — Tu me donneras ton opinion demain soir.

« — Et tu tiens réellement quarante-cinq minutes en piste ?

« — Pas une de moins à raison de deux effets comi-ques par minute : ce qui fait quatre-vingt dix éclats de rire dans la soirée... Ça n'arrête pratiquement pas. Ce n'est même pas un numéro que j'ai monté mais plutôt un mécanisme d'horlogerie. Tu sais que j'aime bricoler et que j'ai toujours eu un faible pour les montres et les pendules quand je n'avais pas les moyens de m'en offrir... Aussi ai-je fabriqué moi-même ma pendule personnelle : la pendule à faire rire.

« — Tu t'es séparé de *Charley* ?

« — C'est lui qui m'a quitté un soir à Paris pour rejoindre l'autre monde sans avoir même pris le temps de me tirer un coup de chapeau.

« — Et tu es content de ton *Partner* muet ?

« — Il ne l'est pas en piste : c'est tout ce que je lui demande. Et il dit exactement ce que je lui ai appris : rien de plus ! C'est un rouage de mécanisme : c'est pour cela qu'il me convient. »

» Wontz me regardait comme s'il découvrait en moi un tout autre homme. Je sentais très bien qu'une question lui brûlait la langue mais qu'il n'osait pas me la poser. Finalement, il utilisa un biais :

« — Qui as-tu vu déjà dans le cirque ?

« — La patronne : ce qui est normal. Elle m'a très bien reçu. Comme toi, elle a été plutôt étonnée de retrouver, en Plouf, le petit professeur.

« — Qui encore ?

« — Toi. C'est normal aussi que ma deuxième visite soit réservée à mon ami Wontz.

« — Et Carla ?

« — Nous y voilà !

« — Tu n'as pas encore été la voir ?

« — Je viens de passer devant sa caravane mais je n'irai lui rendre visite que demain soir après la représentation. Ne me demande pas pourquoi : j'ai mes raisons.

« — Est-ce qu'elle sait que c'est toi Plouf ?

« — Peut-être vient-elle de l'apprendre depuis quelques instants par Greta Arkein : tu sais aussi bien que moi que les nouvelles courent vite dans un cirque... Mais elle ne me verra quand même que demain. Et son numéro, comment ça marche ?

« — Moyennement, parce que c'est toujours le même : les habitués du *Circus Arkein* finissent par le connaître par cœur ! Elle-même est toujours restée aussi jolie et travaille avec la même conscience, seulement il y a cinq années de plus...

« — Ce qui est beaucoup pour une femme ! C'est bien cela que tu veux dire ?

» Et comme il se taisait :

« — Tu ne vas quand même pas m'annoncer qu'elle a vieilli ? Ça, je ne te le pardonnerais pas ! Carla ne peut pas vieillir ! Elle sera toujours la plus belle femme du monde !

« — Elle l'est, Plouf, pour toi... Et elle t'aime ! C'est pour cela qu'elle n'a jamais voulu, malgré tous les conseils de Rolf Arkein, reprendre avec un remplaçant le numéro que vous faisiez ensemble... Sans doute ignores-tu aussi que l'on n'a plus jamais revu le prince Skirnof au cirque depuis le soir...

« — ... Où je l'ai liquidé à coups d'orchidées ? Ça prouve que j'avais bien visé ! Avec qui allait-elle souper alors ?

« — Avec personne.

« — Ce qui prouve aussi qu'elle m'attendait : demain soir, elle et moi nous souperons ensemble dans le restaurant où l'emmenait Skirnof et les tziganes joueront pour nous deux pendant que le champagne coulera à flots ! Ne suis-je pas devenu un seigneur de la piste ?

« — Tu en as toujours été un.

« — N'exagérons pas : Ernesto n'était qu'un aspirant... Carla passe à quel numéro du programme ?

« — En 3, après l'ouverture musicale de l'orchestre et le charivari.

« — C'est-à-dire en n° 1 pour les attractions... Elle a rétrogradé, quand on pense qu'avec moi elle était en seconde partie au n° 14, après les volants !

« — Demain, c'est toi qui passe en 14... Il y a encore des volants avant toi.

« — Et après ?

« — Uniquement le salut final par toute la troupe puisque tu tiens quarante-cinq minutes.

« — Et les numéros qui étaient en seconde partie pendant la tournée avant que je n'arrive ici à Munich ?

« — Ils ne passeront pas pendant les trois semaines de Munich et reprendront leurs places dans la ville suivante.

« — Ce n'est pas encore ça qui va me faire des amis ! Ils doivent être furieux ?

« — Ils s'en fichent puisqu'ils touchent quand même leurs cachets.

« — S'ils s'en moquent à ce point ce ne sont pas de vrais artistes ! Carla est en n° 3 ! Ça ne m'étonne pas que son numéro n'ait pas le même succès : elle essuie les plâtres... C'est injuste parce que je suis certain qu'elle travaille tout aussi bien que le jour où elle m'a ébloui à Binden... Si je disais à Frau Arkein de la faire passer en seconde partie juste avant moi et à la place des trapézistes qui seraient en fin de première partie avant l'entracte ? Elle ne pourra pas me le refuser : la Vedette a le droit de tout exiger !

« — Je t'en supplie : ne fais pas cela ! Carla pourrait croire que tu veux lui donner une leçon en succédant à son numéro pour lui prouver que tu n'as plus besoin d'elle en piste !

« — Tu as raison. Laissons-la demain à la place où elle est actuellement, mais je te jure que ça ne durera pas !

« — Qu'est-ce que tu vas faire ?

« — Ça me regarde... Dis-moi : du temps où je n'étais qu'Ernesto, je t'ai déjà demandé tellement de services — comme celui, par exemple, de me laisser recevoir ici mes parents ! — que je ne me gêne pas pour en ajouter un... Tu sais que je me suis installé à l'hôtel pour ces trois semaines, mais pour me maquiller et me préparer avant mon entrée, et ça me demande au moins une heure et demie, il faudra bien que je sois dans une caravane.

« — Il y en a une toute prête et flambant neuve qui est arrivée spécialement du dépôt de Hambourg et qui t'attend... Tout le monde dans le cirque l'a admirée depuis ce matin mais personne, à l'exception de la patronne et de Schumberg, n'a eu le droit d'y pénétrer. Elle est magnifique! Plus belle même que la caravane directoriale! On l'appelle déjà avec respect : « *La caravane de M. Plouf* ».

« — Ça ne me déplaît pas, mais je n'entrerai quand même pas dedans. C'est ici que je veux me préparer et me grimer : ton chez-toi, Wontz, est le seul endroit où je me sente encore chez moi dans ce cirque.

« — Et *Partner?*

« — Pour lui c'est moins compliqué : à la rigueur, il pourrait venir directement de l'hôtel avec son habit noir et comme il n'a pas à se maquiller... Maintenant je me sauve : nous serons là tous les deux demain avec nos instruments, au début de l'après-midi pour la répétition que nous ferons en costume de ville. Quand elle sera terminée je reviendrai m'enfermer dans ta caravane d'où je ne ressortirai qu'au moment de mon entrée en piste, en Plouf grimé et misérable.

« — Tu as conservé ta tête d'Ernesto?

« — Je l'ai modifiée : j'ai un crâne beaucoup plus luisant.

« — Et ta vieille redingote, tu l'as toujours?

« — Oui, mais pour mon entrée je suis plus somptueux : j'ai un manteau à carreaux qui rappelle celui que portait *Charley*.

« — Veux-tu un autre cognac?

« — Non. Sais-tu ce que je vais faire pour terminer la soirée? Visiter enfin Munich! Oui, quand j'étais pensionnaire du *Circus Arkein*, je n'ai jamais pu le faire, tandis que maintenant j'ai toutes les libertés puisque je suis « *en représentations exceptionnelles* »! Tu vois que c'est rudement chouette d'être devenu célèbre! On fait ce qu'on veut!

« — Tu ne tiens vraiment pas à ce que je transmette, de ta part, ne serait-ce qu'un petit message d'amitié à Carla?

« — Dis-lui simplement que je me réjouis de l'applaudir demain. Comme elle passe au début du spectacle, j'aurai le temps de m'évader d'ici avant de me maquiller. Bonne nuit, maestro.

« — A demain, Plouf.

» Selon ma demande, aucun artiste ni aucun employé du cirque n'assista à la répétition, à l'exception de Wontz et de Schumberg pour la régie. Un Schumberg de plus en plus cérémonieux et même compassé qui n'arrivait pas encore à réaliser que le Plouf de renommée mondiale était le petit professeur auquel il avait donné un jour, dans la roulotte-vestiaire installée sur cette même place de Munich, une livrée de bareiter en lui disant sur un ton protecteur : « *Et soignez cet uniforme! Il doit faire toute la saison et ne sera envoyé au nettoyage que quand nous rejoindrons le dépôt...* » Un ringmaster obséquieux qui me bombardait de « *Monsieur Plouf désire-t-il?... Monsieur Plouf est-il satisfait?... Monsieur Plouf pense-t-il que les éclairages?...* » Un monsieur Plouf qui, pour une fois, ne faisait pas rire les autres et rigolait doucement sous cape pour son plaisir personnel.

» Avec des musiciens de la classe de Wontz et de *Partner* la répétition ne pouvait que se dérouler en pleine harmonie. Dès qu'elle prit fin, le maestro vint me dire :

« — Je ne regrette pas de t'avoir donné tes premières leçons... C'est à se demander aujourd'hui si tu n'es pas venu au monde en jouant du saxo ou du trombone! Quant à ton piano truqué, c'est une trouvaille! Qui l'a fabriqué?

« — Moi.

« — Si un jour il t'arrivait de ne plus t'en servir, sois gentil de me le refiler.

« — C'est promis, et ce ne sera que justice en échange des instruments que tu m'as donnés. »

Ce piano, je ne l'avais pas vu dans le grand salon, ni ailleurs, pendant ma visite du château.

— Plouf, tu lui en as fait cadeau?

— Il l'a emporté chez lui à Hambourg quand j'ai renoncé définitivement au métier. Et moi j'ai conservé

314

le violon, le saxo et le trombone : ils sont dans mon atelier, disposés sur une étagère qui est à côté de la vitrine où se trouvent mes montres.

— Carla n'a pas assisté à la répétition comme elle l'avait fait l'après-midi où *Beppo* t'a donné ta première leçon d'acrobatie ?

— Greta Arkein elle-même n'y est pas venue. La consigne donnée a été strictement respectée. On ne dérange pas le grand Plouf quand il répète. Pourquoi souris-tu ?

— Je pense à tes répétitions avec Carla en présence du prince Skirnof...

— Je te garantis que, celui-là aussi, s'il avait été là, serait resté à l'entrée du cirque !

— Alors... La soirée ?

— Dès que j'ai entendu l'ouverture musicale jouée par l'orchestre de Wontz, je suis sorti en vitesse de la caravane où *Partner* resta à m'attendre et je me suis engouffré sous le chapiteau par la petite entrée latérale que j'utilisais pour grimper en haut des gradins quand je travaillais avec Carla... Je me suis même assis au bout de la même rangée mais personne n'a prêté attention à moi puisque je n'étais pas encore maquillé ni costumé. La salle était archicomble.

— Tout Munich venait voir le fameux Plouf dont c'était la première apparition en Allemagne avant la *Scala* de Berlin ?

— Tu te trompes... Le Tout-Munich était là comme chaque année pour la Première du célèbre *Circus Arkein*. Les gens n'étaient venus que pour le renom de l'établissement. Ensuite, quand ils repartiraient à minuit, peut-être diraient-ils entre eux : « *Il est formidable, ce clown !* » Mais ce n'était pas certain. La bataille n'est jamais gagnée d'avance. A chaque fois, dans chaque établissement — que ce soit un cirque ou un music-hall — dans chaque ville, dans chaque pays, il faut tout remettre en question ! Et c'est encore plus dur quand on arrive avec une grande réputation ! Contrairement à ce qui se passait quand je travaillais avec Carla et Plof, je portais maintenant seul le poids de tout, *and*

*Partner* ne comptant pas... Puisque je l'avais voulu ainsi, c'était donc à moi de faire mes preuves.

» La bataille de cette Première-là était plus ardue que toutes celles que je venais déjà de livrer pendant cinq années dans d'autres grandes villes d'Europe. J'attaquais l'Allemagne : un pays où l'on s'y connaît en cirque et en numéros de variétés et où l'on ne fait pas de concessions. J'étais inquiet pendant que je m'imprégnais de la salle, assis en haut des gradins. Chaque salle a son odeur particulière qui varie selon les races, la mentalité des gens, le lieu géographique, le climat... Et, dans une même salle, l'odeur d'un samedi soir n'est pas celle d'une matinée du dimanche ou d'un autre jour de la semaine. Celle d'une soirée de gala est différente de celle d'une répétition générale, d'une Première ou d'une Dernière. C'est là un environnement du spectacle que connaissent bien les professionnels : ajouté au rythme, c'est ce qui en fait l'atmosphère.

» Enfin, en plus de la conquête de l'Allemagne, je devais faire celle de Carla ! Ou elle deviendrait immédiatement ma femme, ou nous ne nous verrions plus jamais... J'avais le trac, un trac épouvantable ! Pour moi et aussi pour elle ! Pendant que se déroulait le charivari — qui, à mon avis, n'avait fait aucun progrès depuis *Beppo* et *Charley* — je me demandais : « Va-t-elle m'éblouir encore comme cela s'était passé à Binden alors que j'étais assis dans la salle, également en civil ? Va-t-elle seulement avoir du succès maintenant qu'elle passe à la plus mauvaise place du programme ? Ce serait horrible si je la trouvais moins belle et si le public ne l'applaudissait que par politesse ! Et, s'il en était ainsi, ne serais-je pas démoralisé ? Pourrais-je remonter le courant quand je passerais à mon tour dans la seconde partie avec la qualité de vedette ? » J'avais peur, très peur pour nous deux.

» Enfin elle parut, en tutu blanc, debout sur son cheval au galop. Et je revis son numéro, immuable dans son élégance. Les cinq années passées n'avaient rien alourdi de la silhouette de l'écuyère : mon Italienne était toujours belle et légère. L'éclat de son sourire avait conservé son rayonnement : une fois de plus je pouvais en profiter et m'en rassasier, comme tous les spectateurs... Quand elle eut accompli son deuxième tour de piste, je dus me cramponner à mon siège pour ne pas me dresser et crier avec la voix d'Ernesto : « *Bravo, bravo... Qu'elle est belle la demoiselle!* » Je me revoyais descendant les gradins en l'applaudissant, enjambant la banquette et m'écroulant dans la sciure... Après, je ne vis plus qu'elle... Pour sa sortie, elle n'accomplissait plus le saut périlleux en arrière, de cheval à cheval au galop, et je me pris à croire que si elle y avait renoncé c'était parce que je n'étais plus là, debout sur la croupe du deuxième cheval, prêt à la recevoir pour lui éviter la chute.

» Elle fut applaudie, sans doute un peu moins que lorsqu'elle réalisait la prouesse fabuleuse, mais quand même beaucoup plus que n'importe quelle écuyère. Et je mêlai mes applaudissements à ceux de la foule en criant cette fois avec ma voix d'admirateur anonyme : « *Encore! Encore!* » Elle eut trois rappels, ce qui est assez rare pour un numéro passant en début de spectacle. Je m'enfuis de mon perchoir aussi vite que j'y étais grimpé pour rejoindre en courant la caravane de Wontz : je ne voulais pas la rencontrer lorsqu'elle sortirait du chapiteau. Quand je refermai la porte du véhicule, j'étais essoufflé. *Partner* me regarda bizarrement mais, selon son habitude, ne me posa aucune question. Ce fut moi qui lui dis : « *Le spectacle a bien démarré. Je crois que nous aurons une bonne salle quand viendra notre tour...* » Il ne pouvait pas comprendre, le taciturne, que c'était surtout mon cœur qui se sentait réchauffé et qu'après cinq années j'étais encore plus amoureux de Carla!

» Te dire ce que furent ce soir-là mes quarante-cinq minutes de piste est inutile : je n'ai travaillé que pour mon amour. Au moment où j'allais faire mon entrée et alors que *Partner* se trouvait déjà en piste — jouant au saxo ténor les quelques mesures qui me permettaient d'apparaître revêtu de mon manteau à carreaux et portant la grosse valise dans laquelle ne se trouvait pour tout bagage que mon violon — je fus un peu déçu qu'elle ne soit pas là, derrière le rideau rouge, me disant : « *Vas-y Ernesto, courage!* » Mais, après tout, elle me rendait la monnaie de mon absence à la barrière au moment où elle-même avait fait son entrée. J'avais pourtant remarqué, quand je m'étais rendu en compagnie de *Partner* de la caravane au chapiteau, qu'il n'y avait pas de lumière dans sa voiture : ce qui indiquait qu'elle ne s'y trouvait pas. Peut-être avait-elle fait comme moi et s'était-elle installée tout en haut des gradins pour observer à son tour mon numéro en se disant, angoissée : « *Pourvu qu'il ait du succès maintenant qu'il est devenu Plouf et que je ne suis plus en piste avec lui!* »

» Combien ai-je eu de rappels? Tout autant qu'à Londres ou ailleurs... Il y avait déjà des mois que je ne les comptais plus mais je sais que, de son perchoir, Carla les a sûrement comptés ce soir-là.

» Puis ce fut le défilé final que je clôturai en entrant le dernier en piste, accompagné de *Partner* et entouré des augustes. Tous les artistes, qui m'avaient précédé, me firent une sorte de haie d'honneur : c'était Greta Arkein qui l'avait exigée et Schumberg qui l'avait réglée. Sans que *La Brabançonne* eut été nécessaire, toute la salle s'était levée : Munich rendait hommage à PLOUF, mais je n'avais pas mon drapeau! Après le spectacle, j'en fis la remarque au *ringmaster* qui me répondit :

« — Celui que nous possédions n'a plus jamais été présenté en piste depuis votre départ et ceci sur l'ordre de M. Arkein. Depuis, je ne sais pas ce qu'il est devenu.

« — Peut-être que — contrairement à vos prédictions, *Herr* Schumberg — celui qui avait l'habitude de le porter l'a-t-il fait disparaître par crainte d'être mis, lui aussi, un jour à la porte comme moi? Si M. Arkein avait pu prévoir ce que deviendrait Ernesto... »

» Je ne sais pas si cela avait été voulu par le *ringmaster* ou même par Frau Arkein, mais je me retrouvai au centre de la piste juste à la droite de Carla qui continuait à sourire à la salle comme si elle ne m'avait même pas remarqué! Et moi qui croyais en avoir assez fait pendant quarante-cinq minutes pour imposer ma présence! Je lui dis à voix basse :

« — Chérie, je suis revenu te chercher! Tu ne m'en veux pas trop de ce que j'ai changé de nom? C'est un peu de ta faute : tu m'as dit que tu n'aimais pas Ernest.

« — Je ne détestais pas Ernesto...

« — Ça je le sais... L'ennui, c'est qu'il n'était pas célèbre! »

» Elle sourit, pour moi tout seul cette fois, et nous enchaînâmes en reprenant le défilé vers les coulisses, suivis de toute la troupe, sur un rythme de galop joué par l'orchestre déchaîné de Wontz. Pour une Carla Bardoni et l'ex-Ernesto, sortir de piste au galop n'était pas une nouveauté.

» Il était impossible d'éviter le verre de champagne offert dans la caravane directoriale par Greta Arkein ni les toasts qui furent portés aussi bien à la mémoire du fondateur du cirque qu'au triomphe de PLOUF *and Partner*. Je n'avais qu'une hâte : me retrouver seul avec Carla. Ce qui eut lieu une demi-heure plus tard quand, démaquillé et débarrassé de la pelure de Plouf, je gravis le petit escalier que je connaissais si bien. Rien n'avait changé dans sa caravane où elle m'attendait, revêtue d'une robe de mousseline légère dont le coloris bleu pastel s'harmonisait avec la tiédeur de la nuit. Je n'eus plus, imitant en cela un geste qui m'avait toujours rendu fou de rage quand je l'avais vu faire par un autre que moi, qu'à recouvrir ses épaules de la cape de soie bleu nuit qui était posée sur un fauteuil et qui semblait me dire : « *Eh bien, oui, Plouf, j'étais là tous les soirs depuis des années, espérant ton retour... Maintenant c'est fait : emmène-nous vite souper, Carla et moi! Tu verras : quand nous entrerons dans le restaurant à tes côtés, nous ferons beaucoup d'effet... Elle enveloppée par moi et moi portée par elle...* »

» Évidemment, je n'avais pas un bel uniforme blanc comme le Skirnof, mais j'étais quand même digne de ma conquête : le « costume des dimanches » du petit professeur avait fait place à un habit, que j'avais commandé chez l'un des meilleurs tailleurs londoniens et qui était d'aussi bonne coupe que tous ceux de *Partner*... Moi aussi, je pouvais avoir de l'allure quand je portais l'habit ! Nous passâmes ensemble entre les véhicules du cirque en sentant très bien que, derrière toutes les fenêtres éclairées des caravanes, se cachaient des têtes qui nous regardaient avec cette envie que l'on ne ressent qu'à l'égard d'un couple qui a su patienter pour trouver le chemin du bonheur. Et cela nous sembla délicieux ! Malgré sa cape, Carla frissonnait.

» Au bout de ce chemin, stationnant devant l'entrée du cirque où continuait à briller en lettres de feu le nom de PLOUF, un coupé noir — identique à celui qu'utilisait le prince — nous attendait... Voiture que j'avais pris soin de faire retenir dès mon arrivée à l'hôtel. Blottis l'un contre l'autre sur les coussins de la banquette arrière, nous vîmes le geste grandiose du cocher qui faisait claquer son fouet... Nous allions maintenant au grand trot vers ce souper auquel j'avais rêvé pendant des années et où nous ne serions plus que deux ! Au moment où nous quittions l'esplanade, il me sembla apercevoir, se cachant derrière l'un des panneaux portant l'affiche de PLOUF, l'ombre d'Ernesto qui nous faisait un signe d'adieu. Je ne lui ai pas répondu et je me suis bien gardé d'en parler à Carla.

» Nous ne revînmes au cirque que deux heures avant la représentation du lendemain soir. Beaucoup de décisions avaient été prises entre nous pendant l'après-midi :

« — Mon amour, la première chose que nous allons faire, c'est de passer devant le maire.

« — Je veux aussi me marier à l'église : comme la majorité des Italiennes je suis catholique pratiquante.

« — Nous irons aussi à l'église puisque tu y tiens. Ces trois semaines à Munich suffisent pour la publication des bans aussi bien à la mairie qu'à l'église. Quand nous partirons d'ici pour Berlin, nous serons unis. Pour l'état civil tu te nommeras alors madame Ernest

Bedaine, et pour la vie publique : madame Plouf. Est-ce que ça te convient ?

« — Il faudra bien que j'en prenne l'habitude... Mais déjà je préfère de loin madame Plouf !

« — Je m'en doutais...

« — Et mon numéro équestre ?

« — Tu le feras jusqu'à notre départ pour donner le temps à Greta Arkein de te trouver une remplaçante, mais ça m'étonnerait qu'elle découvre une écuyère de ta classe ! Le plus simple pour elle serait d'engager une attraction totalement différente : j'en parlerai ce soir avec elle, et Sam Blood saura dénicher ce qu'il lui faut si je le lui demande... Après Munich, c'en sera fini pour toi du métier.

« — Pourtant, Ernesto...

« — Appelle-moi Plouf ! Je ne veux plus entendre parler de l'autre !

« — Plouf chéri, j'aime tellement paraître en piste !

« — Mais tu m'aimes encore plus ! Ça fera une compensation. Et tu n'imagines quand même pas la femme de l'illustre Plouf continuant à passer en n° 3 d'un spectacle dont son mari est la grande vedette ? Ce serait ridicule ! Madame Plouf ne doit plus paraître en piste : son vrai rôle sera de l'accompagner, en bonne épouse qu'elle ne peut manquer d'être, partout dans ses tournées... Enfin, je ne peux plus supporter l'idée de te voir risquer ta vie tous les jours dans un numéro équestre ! J'ai constaté hier que tu ne faisais plus ton saut périlleux en arrière de cheval à cheval au galop et j'en ai été très heureux. Mais le numéro est quand même très dangereux et tu as assez travaillé dans ta vie ! Repose-toi maintenant ! Ce sera moi qui travaillerai pour deux... J'ai déjà gagné beaucoup d'argent, mais ce n'est rien en comparaison de ce que j'ai l'intention de ramasser dans le monde entier. On réclame Plouf partout ! Nous sommes déjà très à l'aise et bientôt nous serons très riches ! Tout cela parce que je t'aime.

« — Sais-tu que c'est merveilleux pour une femme d'entendre un homme lui parler ainsi !

« — Il y a une question que je n'ai pas encore osé

aborder depuis que nous nous sommes retrouvés mais à laquelle j'estime que tu dois répondre à la veille de notre mariage... Après, je te promets de ne plus jamais revenir sur ce sujet.

« — Il s'agit d'Alexys ?

« — Comment as-tu deviné ?

« — Quand on aime quelqu'un, on devine toutes ses pensées... Et je trouve normal que tu m'interroges sur le prince Skirnof. Eh bien, apprends que je ne l'ai jamais revu depuis le jour de ton départ et que je me suis très bien passée de sa présence...

« — Au cours de ces cinq années vous vous êtes écrit ?

« — Même pas.

« — Tu n'es pas retournée dans son château pendant les périodes de relâche ?

« — Je suis restée au dépôt du cirque à Hambourg.

« — Dans ta caravane ?

« — Oui.

« — Ne crois-tu pas qu'elle va te manquer, cette maison ambulante, quand nous allons partir ?

« — Pour moi ce n'était plus qu'une cage où j'attendais ton retour car j'étais sûre que tu me reviendrais ! Il n'y a pas de jour où je ne me suis dit : « Peut-être sera-ce tout à l'heure ou ce soir qu'il réapparaîtra brusquement ? Aussi dois-je être toujours prête à l'accueillir. » C'est cette confiance en toi qui m'a permis de conserver ma sérénité. N'ai-je pas eu raison ? Mais je reconnais aussi que jamais je n'ai établi le moindre rapport entre « mon » Ernesto et ce fameux clown dont on parlait de cirque en cirque et dont la réputation avait franchi les frontières. Et je peux te l'avouer : rien que le nom m'avait fascinée parce qu'il était très court : Plouf ! Je me demandais : « Quel homme ça peut bien être ? Quel personnage se cache sous ce nouveau masque de clown ? » Comme tous ceux de notre métier j'étais intriguée... Quand j'ai appris, il y a un mois, par Greta Arkein que ce Plouf allait venir pour une série de représentations pendant la durée de notre séjour à Munich, j'ai été prise d'inquiétude et j'ai

322

pensé : « *Pour avoir acquis aussi rapidement une telle place de vedette, il doit être sûrement excellent, ce Plouf, mais de toute façon, il n'est pas possible qu'il égale Ernesto!* » Oui, chéri, j'avais peur que tu ne sois moins drôle que lui !

« — Quel est ton avis maintenant que tu m'as vu?

« — Plouf est plus drôle et surtout plus fin.

« — Donc tu l'aimes plus qu'Ernesto?

« — Je ne peux pas dire ça! Dans sa folie, le petit professeur devenu Ernesto ne manquait pas de charme... Dans sa réussite, le grand Plouf me fascine. »

» A chaque représentation, pendant les trois semaines, j'assistai, toujours assis en haut des gradins, au numéro de Carla. Je voulais profiter des derniers jours où elle paraissait en piste pour me rassasier de ce qui était et restera toujours pour moi la plus belle de toutes les visions. Ce numéro, qui a engendré mon bonheur, je le connais par cœur, ses moindres détails sont ancrés dans ma mémoire et dans mon cœur. Je suis certain que s'il nous arrivait, ami, de nous retrouver toi et moi dans des siècles, je pourrais encore te le décrire... Le tout dernier soir, quand Carla sortit de piste sur son cheval au galop pour disparaître dans la nuit de l'oubli, j'ai compris que plus jamais on ne verrait une aussi gracieuse apparition au cirque! Et j'ai quitté ma place en n'ayant même pas le courage de rester au milieu de ce public qui la rappelait sans se douter que c'était la dernière fois de sa vie qu'elle venait le saluer. Cette journée marqua pour elle sa représentation d'adieu et son commencement de vie conjugale. Le matin même nous nous étions mariés à la mairie et à l'église, dans le plus grand secret. Personne dans le cirque n'avait été mis au courant, à l'exception de Greta Arkein qui accepta d'être le témoin de Carla et du cher Wontz qui fut le mien. Tout avait été arrangé avec la directrice qui ne réclama aucun dédit à Carla pour rupture de contrat en pleine saison : ce fut son cadeau de noces. Wontz m'offrit une clarinette en disant : « Elle fera un juste milieu entre tes instruments à cordes et tes cuivres. » Le lendemain nous partîmes pour Berlin. En passant devant l'esplanade, dans le coupé qui nous conduisait à la gare, nous constatâmes que le *Circus Arkein* n'était plus là. Nous ne le revîmes jamais.

Une nouvelle fois il y eut un long silence. Il semblait que mon voisin de banc fût ailleurs, très loin dans ses souvenirs... Peut-être même était-il encore assis à côté de son Italienne dans la voiture qui les emportait vers une étrange lune de miel qui, depuis, n'avait jamais pris fin puisqu'ils avaient eu l'intelligence de continuer à vagabonder de ville en ville et de pays en pays pendant des années.

— Rêveur, Plouf ?
— Les fantômes n'ont pas le droit de rêver ?
— Ne penses-tu pas — maintenant que nous en sommes arrivés au moment de ton existence où vous êtes réconciliés au point de vous marier — que le moment est venu de me présenter Carla ?
— C'eût été très indécent de ma part de le faire avant qu'elle ne soit devenue Mme Plouf... Je vais l'appeler.

Il quitta le banc pour s'approcher de la tombe vers laquelle il se pencha mais, chose curieuse, ses lèvres ne bougèrent pas et aucun son ne sortit de sa bouche. Je réalisai alors que les fantômes n'ont nul besoin de la parole pour se comprendre. Toujours penché vers le visage sculpté de Carla qui semblait lui parler à l'oreille, il demeurait immobile, figé dans une sorte d'extase. Combien de temps cela dura-t-il ? Quelques secondes ou une éternité ? Etait-il même encore dans cette vie ou reparti vers l'autre ?

Enfin il se redressa et revint auprès de moi en disant :
— Elle n'ose pas venir... Tu la gênes...
— Moi ? Que lui ai-je fait ?
— Elle m'en veut de ce que je t'ai confié nos secrets d'amoureux... Elle prétend que je n'aurais jamais dû faire ces confidences à un homme qui risque un jour d'en tirer un roman... Elle a peur aussi qu'après tout ce

que je t'ai raconté de sa grâce et de sa beauté, tu ne sois déçu si tu la voyais. Je t'ai dit qu'elle était timide lorsqu'elle n'était pas en piste et, comme elle n'a pas refait son numéro depuis plus de cinquante ans, tu dois bien te douter que sa timidité n'a fait que grandir !

— Tu vas retourner tout de suite lui dire que c'est moi, ton ami, qui suis terriblement déçu de ne pas la voir ! Et que c'est très méchant de sa part !

— Carla n'a jamais été méchante !

— Et c'est surtout injuste ! A force de t'entendre vanter son charme et ses mérites, moi aussi j'en suis arrivé à l'aimer... Pas comme toi bien sûr parce que ça, ce sera toujours impossible, mais quand même... Tu as réussi à me faire rêver à elle !

— J'aimerais tant qu'il en soit ainsi pour tous ceux qui passeront comme toi devant sa tombe ! Tu m'en veux de ce que je ne te la présente pas ?

— Oui, parce qu'à la seconde même je viens de comprendre que ce n'est pas elle qui craint de me voir mais toi qui continues à la cacher comme tu l'as fait quand vous êtes venus vous retirer derrière les hauts murs de ce parc ! Comme tu l'as toujours fait quand vous viviez ! Tu n'as pas voulu qu'elle fasse son numéro parce que tu redoutais qu'il y ait un soir, assis dans la salle, un nouvel Ernest Bedaine qui serait devenu aussi fou d'elle que tu l'as été... Un modeste comme toi — pourquoi pas un autre petit prof ? — qui n'aurait pas hésité à enjamber la banquette et à se rouler dans la sciure pendant des mois avant de s'en relever recouvert d'un manteau de gloire comme cela t'est arrivé ! C'est exprès aussi que tu n'as pas conservé une seule de ces affiches où elle faisait le saut périlleux qui la rapprochait des étoiles et sur laquelle tu attendais, anxieux, qu'elle veuille bien redescendre jusqu'à toi... Exprès que tu as eu le génie de trouver le geste qui te débarrasserait à jamais d'un homme qui n'était même pas ton rival : les orchidées en pleine figure ! Et tout cela parce que depuis la première seconde où tu as vu Carla tu n'as plus cessé d'être jaloux !

— Tais-toi, tu es trop lucide !

— Un amour comme le tien, je ne pensais pas que ça puisse exister ! Un amour qui, après avoir été celui de toute une vie, a réussi à se prolonger au-delà de la mort... Quelle leçon tu viens de me donner ! Et tu as raison : il vaut mieux que je ne voie jamais Carla et qu'elle reste uniquement dans mon imaginaire telle que tu me l'as décrite et telle que je l'ai admirée sur ses portraits. Laissons-la se reposer et raconte-moi comment tu as réussi à réaliser enfin ton second rêve : l'acquisition de ce château ?

— Grâce au succès... Après la *Scala* de Berlin il y eut la tournée en Allemagne qui a duré une année. Ensuite ce fut Paris à cet *Empire Music-Hall-Cirque* où tu m'as vu et où je n'ai pas fait que passer pendant cinq jours comme avec ce pauvre Plof au *Cirque d'Hiver* mais où je suis resté pendant quatre semaines devant des salles combles. Ce fut autant le triomphe de *Plouf and Partner* que celui de Sam Blood qui m'avait promis que je reviendrais à Paris. A cette halte succéda une tournée de trois années en Amérique du Nord et du Sud avant un retour au *Palladium* de Londres, suivi d'un périple dans toute la vieille Angleterre et dans le Commonwealth qui se prolongea, lui aussi, pendant trois autres années. Et je revins pour la troisième fois à Paris, mais cette fois à l'*Alhambra*, aujourd'hui disparu.

— Tu n'arrêtais donc jamais ?

— Le moins possible : juste le temps de prendre quelques jours de repos.

— Et Carla ?

— Elle ne me quittait pas. Quand je passais dans un cirque, elle était toujours là, épiant mon numéro par la fente du rideau de piste pour voir si tout se passait bien... Je te garantis qu'elle a connu mon numéro beaucoup mieux que je n'ai observé le sien : elle l'a vu pendant quarante années !

— Toujours avec *Partner* ?

— Toujours : lui et moi avons vieilli ensemble sur piste et sur scène. Ce qui d'ailleurs ne s'appelle pas vieillir mais vivre puisque le public était là... Ce fut pendant notre passage à l'*Alhambra* qu'à la sortie de scène je trouvai Carla — qui d'habitude restait plutôt sur le plateau, cachée derrière un pendrillon — m'attendant dans ma loge. Elle était très pâle.

« — Qu'est-ce que tu as, chérie ? Tu es souffrante ?

« — Lis ce journal. »

» L'article m'apprit qu'un grand seigneur russe, le prince Alexys Skirnof, cousin du tsar et possédant une immense fortune, venait de se donner la mort dans sa propriété de la Riviera où il s'était retiré depuis longtemps. Il s'était tué un matin d'un coup de revolver. Je regardai Carla :

« — Je comprends ton chagrin. Le prince s'est toujours conduit en gentleman à ton égard et je m'honore d'avoir été son ami pendant quelque temps...

« — Qui te dit que tu ne l'es pas resté malgré la séparation ? Alexys avait l'âme suffisamment noble pour savoir pardonner les injures.

« — Il s'est servi d'un revolver ? Peut-être en courant le risque de la roulette russe ? Le malheur pour lui a été qu'il n'y ait pas eu ce matin-là à ses côtés un *Charley* qui aurait remplacé la vraie balle par une fausse ! J'ai la conviction que le prince fut un homme auprès de qui a toujours manqué un bouffon qui aurait été un clown.

« — Tu as lu dans le journal qu'il ne laisse aucun héritier ?

« — Pas d'héritier ? Peut-être son château va-t-il être à vendre ? J'ai les moyens aujourd'hui de l'acheter... Te souviens-tu aussi de m'avoir dit qu'il ne te l'offrirait jamais ? Pourquoi ne le remplacerais-je pas ? N'ai-je pas été, à une époque de sa vie, un peu sa doublure ? Il te plaisait, ce château ?

« — Je t'ai dit qu'il avait beaucoup de tours...

« — Donc il est pour nous !

« — Chéri, tu ne vas pas commettre une folie ?

« — J'en ai fait tant d'autres depuis le premier soir où je t'ai vue à Binden ! Alors, une de plus ou de moins... Comment s'appelle-t-il, ce château ?

« — *La Forteresse.*

« — Ce sera l'endroit idéal pour t'y garder ! »

» Ami, tu as bien fait de me dire tout à l'heure que je n'ai toujours été qu'un affreux jaloux! A chaque fois que j'ai fait un cadeau à Carla, ce fut par peur de la perdre... C'est pourquoi elle ne m'a pas quitté! Elle est toujours là, près de moi, en train de dormir, dans « notre » château.

# LE DÉCLIN

— Plouf, quand as-tu acheté finalement cette *Forteresse*?

— Dix années plus tard ou, si tu préfères, il y a vingt ans puisque nous y avons habité, Carla pendant sept années et moi pendant dix avant de disparaître à mon tour. Et cela fait déjà dix nouvelles années que les neveux de Carla l'ont remise en vente sans succès.

— Parce que tu es vraiment décidé à assurer la protection de ton bien !

— Je ne te l'ai pas caché.

— Pourquoi, puisque tu en avais les moyens, avoir attendu aussi longtemps après la mort de Skirnof pour acquérir cette demeure ?

— Ce dernier, toujours inspiré par sa générosité princière, avait commis une erreur. Dans son testament il léguait ce qui restait de sa fortune — et qui était loin d'être celle qu'il possédait au temps des tsars ! — à la colonie d'émigrés russes blancs qui s'était organisée à Nice après la Révolution russe et qui résidait en grande majorité dans les parages de l'église orthodoxe que tu as peut-être visitée dans cette ville ? L'actif le plus important de cette succession était ce château et son parc. Pendant quelques mois les administrateurs des fonds légués par Skirnof pensèrent en faire une sorte de maison de retraite pour les vieillards russes blancs, mais ils renoncèrent assez vite à ce projet, pré-

329

férant accroître le capital mobilier de l'association avec le produit de la vente de *La Forteresse*. Mais, comme cela se passe toujours lorsqu'il n'y a pas un héritier unique, tout le monde n'était pas d'accord sur ce projet parmi les nombreux bénéficiaires du legs. J'avais fait une offre dès que j'avais su qui héritait de la propriété. Offre restée sans réponse pendant les dix années qui suivirent le décès du donateur. Ce qui ne m'inquiétait pas tellement : j'étais sûr qu'un jour ou l'autre je deviendrais propriétaire de ce château pour l'offrir à mon épouse.

— Pourquoi aussi sûr ?

— Quand un homme est animé, comme je l'ai été, par la volonté farouche d'acquérir un bien, il finit presque toujours par obtenir ce qu'il convoite. Mes deux rêves étaient Carla et ce château aux nombreuses tours : puisque Carla, être de chair, était devenue ma femme, il n'y avait aucune raison pour que *La Forteresse*, masse inerte de charpentes et de pierres, ne devienne pas également ma propriété. Si je n'étais pas parvenu à épouser mon Italienne, peut-être aurais-je acheté un château — ça aussi c'était une idée ancrée en moi depuis que j'avais résidé chez les Wiesenthal — mais pas celui-là !

— Il ne te plaît donc pas ?

— Je ne l'ai aimé que pour deux raisons : pour me venger de la solitude affreuse que j'ai connue au dépôt de Hambourg quand Carla m'avait laissé pour venir vivre ici avec son prince et surtout parce que j'avais compris, le jour où Carla m'avait confié que Skirnof « ne le lui offrirait jamais », qu'elle rêvait de le posséder.

— Quel genre de château aurais-tu acheté ?

— Peut-être le *Burghoffer* s'il avait été à vendre ! Ce qui m'aurait d'ailleurs étonné puisqu'il y avait deux héritiers mâles : Eric et Dietrich.

— Qui sait, Plouf ? Deux frères peuvent devenir des ennemis, surtout si leurs épouses ne s'entendent pas ! C'est à ce moment-là que tout est à vendre dans une succession.

330

— J'aimais le *Burghoffer* planté sur son pic et dominant la petite ville de Binden.

— Ici tu domines d'un peu plus loin la baie de Menton.

— La demeure ancestrale des Wiesenthal avait quand même une autre allure, ne serait-ce que pour son passé. A *La Forteresse* il n'y en a pas.

— Tu t'oublies : c'est toi qui as fait naître ici un passé... Tout y est imprégné de toi et de Carla !

— Quand nous avons enfin pu y habiter, j'ai fini par m'habituer à cette *Forteresse*. Et j'y ai apporté tellement d'améliorations !

— J'ai vu : les salles de bains modernes, la télévision partout, la vaisselle où l'on te retrouve au fond de chaque assiette, les couverts gravés à ton monogramme *P*... Mais pendant les dix années d'attente, où avez-vous été habiter tous les deux ?

— Nous avons erré d'hôtel en hôtel un peu partout dans le monde. Les tournées l'exigeaient et n'est-ce pas la destinée des gens du voyage ?

— Tu as continué à gagner beaucoup d'argent ?

— Une fortune dont il ne reste pratiquement que ce château et qui a fondu en quelques mois alors qu'il m'avait fallu des années pour l'amasser.

— Qu'est-il arrivé ? Tu as joué ?

— Je ne suis pas fou !

— Des placements désastreux ou de mauvaises spéculations ?

— Même pas. Dans quoi veux-tu que se ruine un clown ?

— Dans un cirque...

— Exactement ! « Mon » cirque qui portait mon nom : le *Cirque Plouf*. Quel est l'homme de piste qui ne rêve de posséder « son » cirque où il est persuadé qu'il réussira beaucoup mieux que tous les autres directeurs ? Le mien n'a pas eu une longue vie mais il a quand même été fabuleux ! On n'a jamais vu mieux ! C'est pourquoi ça n'a pas duré : c'était trop beau...

— Peut-être as-tu vu trop grand ?

— Le *Cirque Plouf* avait les dimensions rêvées, les

mêmes que celles du *Circus Arkein* : quatre mille places qui permettaient de faire de substantielles recettes, mais il était beaucoup plus luxueux que tous les chapiteaux concurrents ! Me souvenant avec horreur de l'inconfort des sièges chez Fortunio, j'avais exigé qu'il n'y ait de bas en haut que des fauteuils pullman : quatre mille pullman, ça coûte cher ! Ajoute à cela l'air conditionné qui permettait de jouer aussi bien dans les pays froids que sous les tropiques, des caravanes automobiles prestigieuses avec mon nom, *Cirque Plouf*, peint en grosses lettres d'or sur fond bleu, une sonorisation ultraperfectionnée permettant d'entendre les blagues des clowns de n'importe quelle place, une tribune d'orchestre pouvant accueillir vingt musiciens, une piste où la sciure était remplacée par un tapis de coco évitant les projections de terre sur les spectateurs des premiers rangs, une banquette dont les rebords se soulevaient pour permettre à la cage souple qui s'y trouvait dissimulée et qui était faite en fil de nylon de se dresser en une minute — ce qui évitait le fastidieux montage d'une cage métallique — un filet de protection pour les numéros de volants mû électriquement et glissant en une minute aussi sur deux rails latéraux pour gagner du temps, une toile de tente suffisamment transparente pour permettre à la lumière du jour de filtrer à l'intérieur du cirque quand on jouait en matinée, des écuries pour soixante chevaux où chaque animal avait son box et son nom inscrit au-dessus, une tente pour les éléphants où le plancher était en bois pour empêcher les pachydermes de creuser le sol en piétinant sur place comme ils ont l'habitude de le faire, une ménagerie où les fauves peuvent — grâce à un tunnel circulaire — aller prendre à tour de rôle leur bain dans une cage-piscine, une caravane d'accueil pour les personnalités ou membres de la presse avec son bar bien pourvu, les caravanes-dortoirs pour le personnel, toutes dotées d'une salle d'eau avec douche et où il n'y avait pas plus de quatre couchettes, la tente des cuisines, celle des commodités — ultra-moderne — qui n'existe que rarement dans un crique ambulant, et... j'en passe! Eh bien, tout cela, ami, ça représentait une véritable fortune! Le comble, c'est qu'au début, rien ne m'appartenait! Je n'avais fait que prêter mon nom pour que ce nouveau cirque s'appelle le *Cirque Plouf*... En échange, je recevais un pourcentage plus fort sur les recettes que celui que j'avais d'habitude pour mon numéro.

— Qui était propriétaire?

— Deux Suisses que je n'ai jamais vus!

— Qu'est-ce que tu me racontes là?

— La vérité. Ecoute plutôt... Ça pourra te servir de leçon si jamais il te prenait l'envie à toi aussi d'avoir ton propre cirque! Il y avait déjà cinq années qu'installés ici, Carla et moi jouissions d'une demi-retraite confortable. J'ai dit demi-retraite parce qu'il m'arrivait encore, trois ou quatre fois par an, de prêter mon concours à certains galas donnés au profit d'œuvres philanthropiques. Ayant entassé assez d'argent, je pouvais vivre jusqu'à la fin de mes jours sans continuer à faire des tournées, très lucratives mais épuisantes. Et je vivais bien dans ce château où je partageais mon temps entre les indispensables besognes d'entretien qui m'occupaient, le bricolage et la fabrication de montres dans l'atelier, les bains prolongés dans la piscine suivis de siestes au soleil sur la terrasse, les dîners intimes où je savourais autant la bonne cuisine de Carla que les émissions télévisées... Tous les travaux d'embellissement étaient terminés.

» Les galas auxquels je participais nous permettaient, à Carla et à moi, de refaire des voyages pour notre agrément et de revoir certaines capitales que nous avions aimées. C'est ainsi que j'ai eu l'honneur d'être présenté à Sa Majesté la Reine d'Angleterre à l'issue de l'une des célèbres *Royal Performances* qui ont lieu chaque année à Londres dans ce même *Palladium* où j'avais triomphé à plusieurs reprises pendant des semaines! Je suis passé aussi avec mon numéro à l'Opéra de Paris sur le fameux *Pont d'Argent* qui y était construit pour le gala le plus élégant de la saison parisienne, l'illustre *Bal des Petits Lits Blancs*. Mais à chaque fois que nous revenions ici, nous étions heureux d'y savourer une tranquillité bien gagnée. Nous avions aussi la chance d'avoir auprès de nous Esther et Marcello qui assuraient, elle le service du château et lui l'entretien du parc. Je les avais engagés au cours de la dernière tournée que j'avais faite en Allemagne avec le *Circus Kröne* — qui est encore actuellement le plus important chapiteau d'Allemagne et sans doute d'Europe — où il était *ringmaster* et elle ouvreuse-chef. Ils ont abandonné, eux aussi, le métier pour nous suivre et ils se sont installés ici le même jour que nous. Tu les as vus : ils sont toujours là, fidèles à notre souvenir et ils ne s'en iront, comme Carla et moi, qu'emportés par la mort... Je me demande même s'ils ne demanderont pas, eux aussi, à être ensevelis dans un coin du parc ? Peut-être à proximité de l'entrée et du pont-levis dont je leur ai confié la garde ?

— Tu ne t'es jamais montré à eux depuis que tu as changé de monde ?

— Je t'ai dit que cela les effraierait et qu'ils s'enfuiraient, abandonnant tout ! Ce que je ne veux pas ! Tant qu'ils seront là, le château continuera à vivre.

— Et après ?

— Peut-être sera-ce alors la vraie fin de ma demeure ?

— As-tu l'impression qu'ils se doutent que tu n'as pas cessé d'errer ici et de les surveiller ?

— C'est possible mais ce n'est pas certain. Ce qu'ils sentent c'est que mon âme rôde... Certains appellent ça « le culte des Morts » : c'est pourquoi tant de gens se rendent dans des cimetières pour fleurir les tombes de leurs parents ou de ceux qu'ils ont connus. Ici ces pèlerinages sont inutiles puisque j'ai réussi à tout grouper : nos tombes et le portrait floral.

— Raconte-moi maintenant l'aventure du *Cirque Plouf :* ne fut-ce pas pour toi une nouvelle aventure ?

— La dernière... Sans doute ai-je un peu enjolivé les choses en disant que Carla et moi étions très heureux dans notre semi-retraite. Je crois que si elle l'a été, ce ne fut pas tout à fait mon cas. Ce qu'elle n'a d'ailleurs jamais très bien compris puisqu'elle croyait que j'avais réalisé mes deux grands rêves : l'épouser et posséder un château. Les femmes, en vieillissant, savent se contenter d'un bonheur limité qu'elles meublent de souvenirs : elles ont plus d'imagination et peut-être aussi plus de force de caractère que les hommes ! C'est pourquoi il nous arrive de les quitter sans qu'elles puissent en découvrir la vraie raison ! Quand nous avons vu beaucoup de choses et surtout bourlingué dans le monde entier il nous est très pénible de rester en place. Nous avons conservé le goût des déplacements et de l'aventure... Même mort, j'ai encore une âme d'aventurier. S'il n'en était pas ainsi, je ne serais pas sorti de ma tombe cette nuit pour venir bavarder avec toi. Et si je ne t'ai pas présenté tout à l'heure Carla, c'est — je l'ai reconnu — un peu par peur que tu ne lui plaises mais aussi parce que je sais qu'elle n'aime pas s'arracher à son repos éternel. C'est comme au temps où elle travaillait en piste : le jour où Rolf Arkein m'a congédié, elle a repris dès le lendemain son ancien numéro qu'elle aurait certainement continué à faire encore pendant de longues années sans rien en modifier si je n'étais pas revenu, triomphant et célèbre, pour l'épouser. Elle n'aurait pas quitté sa caravane... Comme beaucoup de femmes de cirque, Carla avait des goûts casaniers : son besoin d'évasion s'est toujours arrêté aux limites qu'impose la banquette. Et une piste de dimension normale, ça ne fait que treize mètres cinquante de diamètre : c'est peu !

» Il n'a jamais été question pour moi de me détacher de Carla que j'aimais trop, mais le sentiment très secret d'ennui, qui m'envahissait dans ma retraite dorée, me poussait, malgré moi, à trouver d'autres occupations. La contemplation de mes affiches, le bricolage dans mon atelier et même la venue de plus en plus rare de quelques visiteurs — ni Carla ni moi n'étions faits pour les mondanités : nous avions été entourés de beaucoup trop de monde quand nous étions en piste ! — ne me suffisaient pas.

— Qui étaient ces quelques visiteurs ?

— Les neveux de Carla qui venaient nous souhaiter la bonne année à l'époque des Fêtes en s'enquérant de notre santé... Je savais très bien que, se sachant les héritiers, ils étaient consternés en constatant que nous ne nous portions pas trop mal et qu'ils se disaient : « *Quand donc vont-ils disparaître, ces deux saltimbanques ?* » Ils nous reprochaient de durer : c'est pourquoi je les ai détestés !

— Tu aurais très bien pu les oublier dans ton testament puisqu'ils n'étaient que des neveux et léguer tes biens, comme l'avait fait Skirnof avant toi pour les émigrés russes, à une association ou à une œuvre destinée à venir en aide aux déshérités du cirque ?

— Nous y avons sérieusement pensé, Carla et moi. Seulement tu connais aussi bien que moi ce genre d'œuvres pour vieux artistes ! Tu imagines ce château transformé en maison de retraite pour clowns fatigués ? Les seuls que j'avais vraiment estimés, *Beppo* et *Charley*, n'étaient plus... Les autres ? Ils se seraient complètement fichus du souvenir de Plouf et de son épouse.

— Pas plus que tes neveux !

— Eux, c'est normal : ils n'ont jamais été du métier... Mais les anciens clowns ? Ils auraient dit que j'avais eu trop de chance dans ma vie et mon oraison funèbre aurait été terminée... Je ne crois pas non plus qu'ils se seraient sentis très à l'aise ici.

— Qui sait ? N'as-tu pas tout fait pour que cette demeure reste imprégnée du souvenir d'un clown ?

— Ils me l'auraient reproché. A leurs yeux, je n'aurais été qu'un égoïste.

— Pardonne-moi de le dire : ne l'as-tu pas vraiment été ?

— C'est possible. Je n'ai pensé jusqu'à mon dernier souffle qu'à Carla... Mais peut-on me le reprocher ? Quand on aime à ce degré-là on n'a pas le temps de penser aux autres.

— Qui as-tu reçu encore ?

— *Partner,* mon ancien coéquipier qui venait, lui aussi, chaque année de Hollande au printemps en nous apportant des tulipes... Il séjournait une bonne semaine pendant laquelle nous faisions de la musique. Tous les instruments y passaient : le violon, le saxo, le trombone, la clarinette, l'hélicon... Quel raffut, mon ami ! Ça durait pendant des nuits entières sur la terrasse, au clair de lune, comme si nous nous trouvions chez Fortunio ! Les auditeurs étaient Carla, Esther et Marcello : ils riaient !

— *Partner* se montrait un peu plus loquace ?

— Il ne parlait que le dernier jour au moment de s'en aller et sais-tu ce qu'il disait : « *Quand remet-on ça, Plouf ? Quand repartons-nous en tournée ?* » Ça me faisait mal de l'entendre et ça n'arrangeait pas ma mélancolie.

— Qui d'autre est venu ?

— Sam Blood, l'éternel Sam qui était toujours aussi volubile et aussi agité :

« — Mais qu'est-ce que tu fais, toi un clown, dans ce château qui n'a pas la moindre gaieté ? Il faut être devenu fou pour s'enfermer derrière les murs d'une propriété qui s'appelle *La Forteresse* ! Ecoute-moi bien, Plouf, j'ai une proposition très sérieuse à te faire... As-tu déjà vu des gadgets ?

« — Comme tout le monde.

« — Eh bien, une grosse fabrique américaine de gadgets est prête à te verser à la signature de l'accord une somme de cent mille dollars et ensuite un pourcentage de 2 % sur les bénéfices de vente si tu acceptes que soit lancée sur le marché une poupée qui porterait ton nom et qui te représenterait fidèlement. Ainsi tous les enfants et même les grandes personnes auraient leur Plouf chez eux. Ce serait pour toi une fantastique publicité !

« — Je n'ai plus besoin de publicité puisque j'ai pris ma retraite.

« — Ta retraite ! D'abord c'est idiot, quand on est encore en pleine forme comme toi, d'employer un mot aussi sinistre qui contient en lui-même tous les abandons... Ensuite on a toujours besoin de publicité quand on est le plus grand clown du monde encore vivant. Tu dois maintenant par tous les moyens — le clown-poupée en est un excellent — la célébrité de ton nom : on ne sait jamais ce qui peut arriver... Pourquoi un jour l'envie ne te reprendrait-elle pas de reparaître devant le public ?

« — Toi aussi ?

« — Comment moi aussi ?

« — Tu parles comme *Partner* qui ne rêve que de nous voir « remettre ça ».

« — Et pourtant il n'est pas bavard ! Il a bien fait de te le dire. Si tu reprenais le métier, ces petits clowns en réduction seraient d'excellents ambassadeurs qui précéderaient ta rentrée : tous ceux qui en auraient acheté et qui ne t'ont encore jamais vu se précipiteraient pour connaître l'original en chair et en os dès que tu serais annoncé quelque part. Enfin cent mille dollars, ce n'est pas à dédaigner, pas plus que les 2 % sur toutes les ventes dans le monde : Qui n'a pas son petit Plouf ?

« — Je suppose que tu prélèveras tes 10 % habituels sur l'ensemble de l'opération ?

« — Il faut bien que je vive ! Alors, tu es d'accord ? Voici le contrat : tu n'as qu'à signer. En échange je te remets ce chèque qui est établi à ton nom.

« — A ce que je constate, tout est déjà prêt ? Tu étais donc certain que j'accepterais ?

« — Je connais ton bon cœur, Plouf : jamais tu n'aurais laissé ton vieil imprésario dans le besoin.

« — Tu te f... de moi ?

« — Pas du tout ! Tu sais aussi bien que moi qu'il n'y a pas un seul imprésario au monde qui ne se sente mal à l'aise lorsqu'il manque une affaire : il n'en dort plus, il n'en mange plus, il n'en boit plus... Il est gêné ! »

» Une fois de plus Sam m'a eu et j'ai signé. C'est comme cela que Plouf a envahi les rayons de jouets des grands magasins et des bazars... M'y as-tu vu ?

— Non, mais ceci uniquement parce que j'ai tort de ne pas fréquenter plus souvent les lieux où l'on vend des jouets. Si je t'avais vu ainsi exposé, je t'aurais certainement acheté !

— C'est gentil de le dire. D'ailleurs je ne coûtais pas

tellement cher... Un an plus tard cet entêté de Sam est revenu de Paris en me demandant : « Tu ne t'ennuies pas à mourir dans ton château ?

« — Non parce que je sais m'y occuper.

« — T'y occuper ? Est-ce que tu lis, au moins ?

« — Tu as bien vu que j'avais une bibliothèque.

« — Dans le fumoir où se trouve le billard : ce qui ne fait pas sérieux ! On ne peut pas lire pendant que les boules d'ivoire s'entrechoquent... La lecture est le dernier plaisir silencieux qui reste à notre époque de télévision, de radio portative, de mini-cassettes et de machines à sous ! Et je suis persuadé que tu joues plus au billard avec Marcello que tu ne lis !

« — Ça, c'est vrai.

« — Tu n'as pas honte ? Toi, un ancien professeur ?

« — Je l'ai été si peu...

« — Quand même ! Qu'un imprésario comme moi ne lise pas parce qu'il est toujours par monts et par vaux, c'est normal : il n'en a pas le temps ! Mais toi qui n'as plus rien à faire ! Tu pourrais quand même lire quand tu te dores au soleil après ton bain au bord de ta belle piscine... C'est la passion du cirque qui t'a dégoûté à ce point de l'instruction ou d'un minimum de culture ?

« — Ce n'est pas à un homme comme toi de me faire des remontrances sur ce sujet ! Ton rôle est de m'apporter des contrats comme celui des poupées et pas de me donner des leçons !

« — Justement : je t'apporte un nouveau contrat avec un chèque à l'appui qui n'est pas négligeable : vingt millions de francs... Ce ne sont pas des dollars, bien sûr, mais enfin le franc est une monnaie qui a encore une certaine valeur, surtout quand on vit comme toi en France !

« — Vingt millions sur lesquels tu en auras deux ?

« — Evidemment... Mais ce n'est là qu'un à-valoir versé à la signature parce qu'ensuite il y aura un pourcentage qui sera autre chose que le 2 % des poupées ! Tu toucheras sur le prix de vente brut au public 10 % jusqu'à un certain chiffre, puis 12 % et finalement 15 %... Ça ne vaut pas la peine ?

« — Il s'agit de vendre quoi ?

« — Tes Mémoires, Plouf !

« — Tu es cinglé ?

« — Lucide au contraire ! Tout le monde écrit ses Mémoires aujourd'hui... C'est à la mode ! Il n'y a pas un acteur de cinéma, une théâtreuse, un champion du sport, un boxeur, un politicien, un flic à la retraite, un fabricant de chewing-gum, un valet de chambre de roi déchu, une tenancière de maison close, un repris de justice libéré ou même un condamné à mort attendant son exécution qui n'éprouve le besoin de raconter sa vie... Alors pourquoi pas toi, le plus grand des clowns ? Je vois déjà le titre de ton livre dans les vitrines des libraires... Sans employer le mot « Mémoires » qui véhicule d'avance l'ennui et qui est archi-usé, tu pourrais très bien, par exemple, intituler ton bouquin : *Plouf par-ci, Plouf par-là*... Ce n'est pas mal ! Ou bien : *Plouf, ça y est !* ou même encore : *Plouf, Plif, Plaf.* Ça sonne !

« — Pourquoi pas *Plouf et Plof* pendant que tu y es ?

« — On finira bien par trouver le bon titre : de toute façon ça ne peut être qu'un succès !

« — Et qu'est-ce que je raconterais là-dedans ?

« — Ta vie !

« — Crois-tu sincèrement que ça intéresserait les gens ?

« — Sûrement ! Tu penses, la vie d'un clown...

« — Et si je ne sais pas l'écrire ?

« — Toi, l'ex-professeur ? Si je t'ai parlé tout à l'heure de lecture, c'est parce que tout le monde sait que lorsqu'on sait lire on peut écrire...

« — Et pourquoi pas aussi dessiner ?

« — L'important, c'est que tu signes le contrat et que tu empoches déjà les vingt millions. Ensuite on verra...

« — C'est là ta phrase de prédilection : *Après on verra...*

« — Ecrire sera pour toi la meilleure et la plus passionnante des occupations... Si l'inspiration te vient, aucun problème ! Mais il faut t'imposer une discipline :

écrire au moins pendant une heure tous les jours...
Qu'est-ce que c'est qu'une petite heure dans ton far-
niente actuel? Quinze minutes de plus que la durée de
ton numéro et sans la même fatigue, sans être surtout
obligé de te maquiller et de te préparer au moins pendant une heure avant! On peut écrire en bras de chemise, en slip ou même tout nu si ça vous fait plaisir...

« — Et si l'inspiration ne venait pas?

« — On te trouvera un nègre.

« — Qu'est-ce que c'est que ça?

« — Un spécialiste, un type qui sait vraiment écrire
mais qui a une carrière un peu ratée parce que ce qu'il
écrit ne se vend pas... Aussi gagne-t-il sa vie, assez mal
d'ailleurs, en travaillant anonymement pour les autres.
Naturellement son nom ne paraîtra pas sur la couverture de ton livre.

« — Tu as dit un nègre? S'il signait lui aussi ça
ferait *Plouf et Chocolat*, un fameux nom pour un
numéro de clowns! Eh bien, je vais peut-être te paraître bizarre mais je refuserais, si je n'y arrivais pas tout
seul, d'avoir — comme tu le dis — un « nègre »... Ceci
parce que je trouve que ce ne serait pas honnête vis-à-
vis du lecteur qui a droit au même respect que le spectateur, et ensuite parce que tu sais mieux que personne
que j'aime travailler seul. *Partner* n'a pas été mon
« nègre » : c'est moi qui ai tout inventé et pas lui!

« — Ne te fâche pas! Je suis convaincu que tu n'auras pas plus besoin d'un nègre scribouillard que tu n'en
as eu d'un partenaire t'aidant à faire rire les gens
quand tu étais en piste.

« — Et *Beppo*, et *Plof*, crois-tu qu'ils ne m'ont rien
appris?

« — Et quand tu faisais tes études pour devenir un
enseignant, qui t'a appris à lire et à écrire?

« — Des professeurs.

« — Tu as bénéficié d'un travail préparatoire qui a
été fait comme lorsqu'on t'a enseigné ensuite ton
métier de clown au *Circus Arkein*. Donc tu peux écrire
un bouquin. »

» Il n'était pas bête, ce Sam! Son dernier argument

ne manquait pas de logique. Il avait raison : si j'avais le courage de reprendre une plume, peut-être parviendrais-je à rédiger mes Mémoires ? Ce ne serait, après tout, qu'une dictée plus longue que je m'imposerais à moi-même au lieu d'ennuyer les héritiers Wiesenthal...

« — Sam, ton idée ne me déplaît pas. La préparation de ce livre va m'occuper tout en me permettant de revoir dans le calme tout ce que j'ai vécu dans la fièvre. Je vais essayer de mettre les faits noir sur blanc. Mais il n'est pas question de signer un contrat avec un éditeur ni d'encaisser la moindre somme avant que mon travail ne soit terminé et qu'il ait été accepté par cet éditeur. Car ce sera peut-être exécrable ! Tu connais trop ma conscience professionnelle pour savoir que je déteste le travail mal fait ou bâclé. Il faut que le livre de Plouf soit de la même qualité que son numéro. Nous sommes d'accord ?

« — Qu'est-ce que je fais du chèque ?

« — Tu le rends à l'éditeur, avec le contrat.

« — Tu veux ma ruine !

« — Remercie-moi plutôt : tu paieras moins d'impôts cette année... Parce qu'avant que mon bouquin ne soit fini !... »

» Il repartit désespéré. Toute la détresse du monde se lisait sur son visage : les 10 % du contrat éventuel n'étaient pas encore dans sa poche. Et je me suis mis au travail pour rassembler mes souvenirs et les classer par ordre chronologique. Ce n'est pas à toi, dont c'est le métier d'écrire, que j'apprendrai que c'est là une tâche des plus compliquées ! Au bout de plusieurs semaines de réflexion, pendant lesquelles j'avais accumulé pas mal de notes, je me suis senti submergé par le fatras des aventures vécues qui s'étaient présentées pêle-mêle dans ma mémoire. Je ne savais même pas par où je devais commencer : l'enfance ? le séjour au *Burghoffer* ? ma première apparition sur une piste ? Ou bien, au contraire, ne serait-il pas préférable de parler tout de suite de ce château et de mon amour pour Carla ? C'était angoissant... Me souvenant de deux vers de Boileau plus ou moins digérés pendant mes études :

*Ce que l'on conçoit bien s'énonce clairement*
*Et les mots pour le dire arrivent aisément*
je commençai à faire un plan, puis un deuxième parce que le premier ne me plaisait pas, un troisième ensuite, des dizaines de plans dont aucun ne me donna satisfaction. Ça n'allait pas du tout! Je me souviens même d'avoir confié à Carla au bout de trois mois, alors que j'étais complètement désemparé et pas plus avancé qu'au début :

« — Je n'y arriverai jamais! Et dire que j'ai voulu jouer les professeurs de français! Ça ne m'étonne pas qu'Eric et Dietrich n'aient pas fait plus de progrès!

« — Pourtant, chéri, tu as tellement de choses à raconter!

« — Peut-être trop? C'est pour cela que je m'y perds! Je me demande même si je suis capable de faire revivre sur le papier toutes celles que j'ai connues? Moi l'ex-professeur, je n'aurais jamais cru que ce métier d'écrivain pouvait être aussi dur! Pire sans doute que celui de clown parce qu'on doit savoir se mettre dans la peau de tous les personnages que l'on fait parler et qui ne se ressemblent absolument pas... Un livre comme celui que j'aimerais pouvoir faire, n'est au fond qu'une succession ininterrompue d'entrées comiques ou tragiques! Pour le comique je pense pouvoir peut-être me débrouiller, mais pour le tragique!

« — Ta vie n'a jamais été tragique, chéri...

« — Et mes renvois de chez les Wiesenthal et du *Circus Arkein?* Et les adieux de *Beppo?* Et l'incompréhension de mes parents? Et le mépris dont tu as fait preuve à mon égard au profit d'un homme qui ne t'aimait pas? Et la mort de *Charley?* Et la misère du cirque Fortunio? Tu trouves que ce fut drôle, tout cela? Et comment le faire sentir dans des lignes mises bout à bout? Evidemment, s'il ne s'agissait que de le raconter à quelqu'un qui l'écrirait ensuite, ce serait plus facile... Finalement l'idée de Sam Blood n'est pas tellement sotte... Seulement je ne veux pas que ce soit ce qu'il appelle un « nègre » qui fasse ce travail! Il faudrait faire appel à un homme qui aime autant son métier que j'ai chéri le mien et derrière qui, pour la première fois de sa vie, Plouf saurait s'effacer...

« ... Ce serait tout le contraire de ce qui s'est passé pour mon numéro : comme si *Partner* le muet devenait brusquement bavard sur le papier alors que je ne serais plus que l'ombre qui l'inspire et qui se contente de lui souffler à voix basse les idées... Il faudrait aussi que ce nouveau partenaire connaisse le cirque et aime les clowns, sinon il ne sera pas capable de me comprendre. Ce n'est pas un Sam Blood qui pourra me trouver ce personnage en consultant ses fiches ! Seul le hasard d'une rencontre pourra le mettre sur ma route. »

» Carla ne trouva rien à répondre. Intuitive comme elle l'était, elle sentait que j'avais raison. Les années ont passé et je n'ai jamais rencontré celui qu'il me fallait pour me permettre de m'exprimer autrement qu'en piste ou sur une scène de music-hall. Si je t'avais connu à cette époque, peut-être « mon » livre aurait-il paru ? Mais ce n'est pas sûr... Il n'est pas du tout certain que nous aurions sympathisé aussi vite que cette nuit ! Et rien ne prouve qu'étant encore de ce monde, je me serais laissé aller à tout te dire comme je suis en train de le faire ! J'aurais eu peur que Carla ne me gourmande ou que les gens ne disent, en lisant le livre : « *Mais il est impossible, ce Plouf infatué de sa réussite et ne pensant qu'à sa femme !* » Tandis que s'il te prend l'envie — comme je t'ai demandé de le faire au début de la soirée — d'écrire mon histoire, les lecteurs diront : « *Ce n'est qu'un fantôme qui a parlé... Qu'est-ce qu'il y a de vrai ? Qu'est-ce qu'il y a de faux ?* » Il vaut beaucoup mieux que nous ne nous soyons rencontrés qu'aujourd'hui après les dix années de silence forcé qui m'ont permis de réfléchir.

— Je ne sais pas encore si je parlerai même de cette rencontre.

— Ami, tu es libre. Mais je veux continuer, pour toi tout seul, à te raconter l'odyssée du *Cirque Plouf...* Sam Blood — toujours lui ! — reparut l'année suivante. Je t'ai dit que c'était un homme qui ne restait jamais sur un échec. Puisqu'il n'avait pas réussi à toucher sa commission sur le contrat d'édition, il avait déniché une autre affaire... Et quelle affaire! Une fois de plus il sut se montrer éloquent :

« — J'ai trouvé pour toi une occupation qui t'enchantera : que dirais-tu si un nouveau cirque — ultra-moderne, archi-confortable, utilisant tous les progrès de la technique qui vont des éclairages à la sonorisation, se passant du chemin de fer puisqu'il sera entièrement motorisé et pouvant donc s'installer partout — faisait ses débuts sur le marché européen dans six mois?

« — Ça me paraît très court pour monter un pareil établissement!

« — Il est déjà construit! Ça s'est fait dans le plus grand secret et ce prodigieux chapiteau n'attend plus qu'une seule chose : que tu lui donnes le feu vert.

« — Pourquoi moi?

« — Si tu donnes ton accord, il portera ton nom : le *Cirque Plouf!* Te rends-tu compte de ce qui t'arrive? Un cirque qui aurait le nom d'un clown!

« — Ça s'est déjà produit et les résultats ont été catastrophiques! Souviens-toi du cirque des *3 Fratellini* et de celui de *Grock* qui étaient pourtant des clowns très célèbres : ils n'ont pas tenu le coup.

« — Parce qu'ils ont dû manquer de capitaux. Pour qu'un établissement de ce genre dure, il faut qu'il ait de très gros moyens! Les gens qui viennent de faire construire ce cirque en ont : ce sont deux financiers suisses, c'est tout dire! Ton numéro remplirait à lui seul toute la seconde partie du programme avec un final par l'ensemble de la troupe comme ça se passait chez Arkein : tu aurais ainsi tes quarante-cinq minutes de grande vedette. La première partie durerait une heure et demie — ce qui ferait, avec le final, un spectacle de deux heures et demie entrecoupé par l'entracte. Dans cette première partie il y aurait au moins douze numéros qui se succéderaient sur un rythme ultra-rapide et que nous aurions toute liberté de choisir, toi et moi, parmi les meilleurs du monde : un très grand numéro équestre, un très grand numéro de volants, un très grand numéro de fauves, etc. Et pas un seul numéro de clowns pour que tu sois le seul à apporter le rire pendant la soirée. C'est normal puisque ce sera le *Cirque Plouf* où l'on viendra d'abord pour applaudir le grand Plouf.

« — Il faudrait quand même au début de cette première partie un charivari qui chaufferait la salle. C'est indispensable !

« — Charivari que tu pourras régler toi-même puisque tu connais toutes les ficelles de ce genre de numéro. Comme cela le spectacle commencerait sur des rires et se terminerait avec *PLOUF and Partner* par le rire.

« — Et les conditions financières ?

« — Tu toucheras 50 % de la recette pour faire ton numéro et 5 % de plus pour prêter ton nom au cirque, soit 55 % sur une salle de 4 000 places comme celle d'Arkein : c'est la bonne dimension. Si c'était plus grand, les spectateurs perdraient certaines finesses de ton numéro. A ce propos, il y aura une fabuleuse innovation : la piste a été conçue pour s'élever, mue électriquement, pendant l'entracte, au niveau supérieur de la banquette. Débarrassée de son tapis de coco qui remplacera la sciure, elle deviendra un plancher circulaire de 13,50 m qui vaudra toutes les scènes du monde où tu as passé. Et tu domineras la salle du haut de ce podium : on te verra de partout ! Enfin, dès que tu auras fait ton entrée, ce podium commencera à tourner très lentement : ce qui donnera à tous les spectateurs l'impression de te voir de face au moins une dizaine de fois dans la soirée. N'est-ce pas formidable ? Jamais encore on n'a vu ça sous un chapiteau. Je reviens de Milan où le cirque a été construit : il est magnifique et sa machinerie fonctionne à la perfection. L'ensemble des tentes — toutes bleu, blanc, rouge depuis celle du chapiteau jusqu'aux tente-écurie, tente-ménagerie, tente-buvette, etc., et des cent caravanes et fourgons également peints en bleu — est d'une beauté à faire rêver ! Il ne manque plus sur chaque véhicule que ton nom, Plouf, étalé en lettres d'or.

« — Selon toi, combien a coûté le tout ?

« — Au moins vingt millions de francs lourds.

« — Mais où ont-ils trouvé tant d'argent ?

« — Je n'en sais rien. L'important pour nous c'est qu'ils l'aient ! Et puis, je te l'ai dit, ce sont des financiers suisses : on est très fort dans ce petit pays pour les grosses affaires... Toi d'ailleurs tu t'en moques : tu auras ton contrat signé en bonne et due forme sans avoir aucune responsabilité financière dans l'aventure. La seule chose qu'ils demandent c'est que tu leur donnes le droit d'exploiter leur cirque sous ton nom pendant trois ans et que tu t'engages à faire ton numéro chez eux, en exclusivité mondiale, pendant la même durée de temps.

« — Trois années de suite sans prendre de repos ? Je n'en aurai plus la force et Carla me l'interdira : figure-toi qu'elle est aussi égoïste que moi et veut profiter seule de son homme.

« — Comme le cirque tournera chaque année du 1er avril au 1er janvier inclus, tu auras déjà trois mois de repos complet. Chaque année, la composition des numéros de la première partie, choisis par nous, changera. Seul le numéro de *PLOUF and Partner* restera, immuable dans sa perfection. En somme, tu seras non seulement la vedette mais aussi le directeur artistique du *Cirque Plouf*. Tu auras même le droit de choisir les musiciens de l'orchestre.

« — L'orchestre ? Si j'acceptais une offre aussi mirobolante, je n'aurais aucun souci de ce côté-là ! Je sais déjà quel chef je choisirais : Wontz.

« — Crois-tu qu'il quitterait le *Circus Arkein* après toutes les années qu'il y a déjà passées ?

« — Je suis décidé à lui rendre, si je le peux, la monnaie de tout ce qu'il m'a donné sans me demander un centime : son talent de musicien, quatre instruments et la possibilité d'habiter dans sa caravane. Il suffira, pour le décider, de lui offrir le double de ce qu'il touche chez Arkein et de lui apporter de temps en temps quelques bonnes bouteilles de cognac. L'amitié fera le reste... Dis-moi, Sam : comment s'appellent tes fameux financiers ?

« — Abraham Gruti et Jacob Simovitch : ils sont très connus...

« — Je vois... Eh bien, je vais réfléchir. Tu restes bien ici avec nous quelques jours ?

« — Le moins longtemps possible, j'espère ! Si tu étais d'accord, il n'y aurait pas de temps à perdre pour annoncer la naissance du *Cirque Plouf* et lancer la publicité. Six mois, ça passe très vite !

« — Je reconnais que cette nouvelle proposition m'excite beaucoup plus que l'affaire des poupées et la rédaction de mes Mémoires ! Au moins là je risque de me retrouver dans un élément que je connais. Et puis, je peux bien te l'avouer à toi qui es du bâtiment : la piste commence à me manquer... C'est vrai : après cinq années d'inaction je n'en peux plus de ne pas être environné de rires ! Il va falloir que j'en parle à Carla.

« — Tu lui demandes son avis maintenant ?

« — Je l'ai toujours fait à dater du jour où elle est devenue ma femme. C'est la seule personne en qui j'ai une entière confiance.

« — Merci pour moi !

« — J'aurais peut-être la même confiance en toi si tu n'avais pas la détestable habitude de prélever des pourcentages... »

« — Carla chérie, que dirais-tu si je reprenais du service ? »

» Elle sourit avant de répondre :

« — Ce qui me surprend le plus, c'est que tu aies attendu aussi longtemps pour me dire que tu piétinais d'ennui de ne pas refaire ton numéro. C'est bien cela ?

« — Il n'y a que toi pour me comprendre aussi vite !

« — Puisque c'est ton désir, je ne vois aucun inconvénient à ce que *PLOUF and Partner* fassent leur réapparition sur les pistes ou dans les music-halls mais à une seule condition cependant : c'est que je t'accompagne. Du moment que je vis auprès de toi je suis heureuse...

« — Je n'aurais même pas pu envisager de repartir en tournée sans toi! Et sais-tu ce qui sera merveilleux? Nous allons revivre, toi et moi, dans une belle caravane — comme cela se passait au *Circus Arkein* — sur laquelle sera peint en grosses lettres notre nom. Nous serons chez nous au *Cirque Plouf* dont je serai non seulement la vedette mais le directeur artistique! Ça te plaît?

« — Ça m'enchante puisque tu exultes déjà à cette idée... Avoue, chéri, qu'il y a plusieurs mois déjà que les applaudissements te manquent? A moi aussi puisque j'adore qu'on t'applaudisse... Quand partons-nous?

« — Dans six mois : c'est Sam qui s'occupe de tout. Depuis le temps qu'il me fait travailler, je peux lui faire confiance. »

» Quand Sam Blood parlait d'une affaire, c'était signe qu'il avait sur lui, enfoui dans l'une de ses poches, le contrat tout prêt et déjà signé par le directeur de l'établissement qui voulait le numéro. Je n'eus plus qu'à apposer ma signature à côté de celles de MM. Abraham Gruti et Jacob Simovitch, les propriétaires de « mon » futur cirque. Huit jours plus tard Sam revenait, m'annonçant que tout était en règle, que le nom magique Plouf commençait à être peint sur les caravanes et que la publicité allait être lancée avec un budget énorme dès que j'aurais indiqué dans quel pays je voulais faire ma première tournée. Sans hésiter, je choisis l'Allemagne qui m'avait porté bonheur à mes débuts, mais en exigeant que cette tournée ne passe pas dans les villes aux mêmes dates que celles réservées depuis des années par le *Circus Arkein*. Pour rien au monde je n'aurais voulu faire de la concurrence — et sans doute du tort — à Greta Arkein. Je lui écrivis même personnellement pour lui demander si elle consentirait à me prêter Wontz, tout au moins pour ma première saison pendant laquelle il formerait un chef qui le remplacerait les deux années suivantes. La réponse vint, rapide, par télégramme : *Suis ravie de vous prêter Wontz. Bonne chance au Cirque Plouf.* Quand je te disais que cette grosse femme était un ange, je n'exagérais pas. Avec l'ami Wontz je n'avais plus aucun souci à me faire pour l'orchestre qui est — tous les directeurs te le diront — le point noir d'un spectacle de cirque ou de variétés : les musiciens d'orchestre sont d'éternels insatisfaits et quand il y a une récrimination, tu peux être à peu près certain qu'elle vient d'eux. Quant aux autres cirques qui tourneraient en Allemagne à la même époque, je ne m'en préoccupai pas, persuadé que j'étais de faire des salles combles sous le nom de Plouf : ce en quoi je me trompais complètement.

» Après avoir dit à Sam Blood que je choisissais l'Allemagne pour la première tournée, je fis quand même une réserve :

« — D'où partira le cirque après que j'aurai choisi, avec ton aide, tous les numéros et que nous aurons mis au point le spectacle ? Il faudra au moins une bonne semaine de répétitions pour souder l'ensemble et donner le rythme au spectacle.

« — Il paraît logique que ces huit jours de mise au point indispensables se passent dans la banlieue de Milan, là où le cirque est monté.

« — Il n'en est pas question ! Les répétitions auront lieu ici, avec tout le matériel qui viendra de Milan par la route après avoir été démonté là-bas et remonté devant moi, ce qui me permettra de vérifier que les tracteurs automobiles marchent, qu'un déplacement par route se fait sans encombre et que l'installation est rapide. Et même, si c'est nécessaire, nous procéderons à plusieurs démontages et remontages successifs comme je l'ai vu faire au dépôt du *Circus Arkein* à Hambourg : ça permet de chronométrer le temps écoulé et d'entraîner le personnel.

« — Tu veux que ça se passe ici ?

« — Je l'exige : n'est-ce pas le *Cirque Plouf ?* Puisque je lui prête mon nom, je me sens responsable de tout.

« — Et après ? Comment rejoindrons-nous l'Allemagne ?

« — Par la route évidemment.

« — Dans quelle ville d'Allemagne veux-tu débuter ?

350

« — A Aix-la-Chapelle.

« — Pourquoi ?

« — C'est la ville qui m'a laissé les meilleurs souvenirs : pour la première fois je m'y suis vu sur une affiche alors que je n'étais encore qu'Ernesto, mes parents y sont venus pour faire semblant de m'applaudir et Carla enfin y est devenue bibliquement ma femme... Ce ne sont pas des souvenirs, ça ? Quel est le clown qui peut en dire autant ?

« — Aucun, Plouf ! Seulement te rends-tu compte de ce que représente en kilométrage l'étape de Menton à Aix-la-Chapelle par la route ?

« — Elle sera très agréable parce qu'il y aura des étapes où nous jouerons pour bien roder le spectacle avant nos débuts officiels en Allemagne.

« — Quelles étapes ?

« — Je les ai déjà prévues en me penchant sur des cartes. En partant d'ici nous prendrons la route Napoléon et nous donnerons d'abord une soirée à Digne.

« — Pourquoi Digne ?

« — C'est une petite ville où les gens ne doivent pas avoir tellement de distractions ! Le public des petites villes est excellent, il permet de se préparer pour les grandes... La seconde étape aura lieu à Grenoble qui est une ville beaucoup plus importante et où nous resterons quatre jours. Ensuite ce sera Lyon où nous tiendrons facilement huit jours, puis Bourg (un jour), Besançon (deux jours), Mulhouse (un jour), Colmar (un jour), Nancy (quatre jours), Metz (trois jours), Luxembourg (deux jours), Liège (quatre jours) et enfin Aix-la-Chapelle. Cette tournée d'essai nous donnera, avec les matinées des dimanches, au moins trente-cinq représentations entrecoupées de dix remontages et démontages qui nous permettront de mettre la machine au point pour le public allemand qui est le plus exigeant d'Europe parce qu'il a toujours été gâté par de merveilleux cirques.

« — Je comprends pourquoi tu veux jouer à Liège : c'est pour éblouir tes parents ?

« — Ils ne sont plus de ce monde. C'est simplement

pour revoir une dernière fois la maison où je suis né, que je n'ai pas pu acheter et qui va être prochainement démolie.

« — Tu ne préférerais pas que nous passions par la Suisse où il y a de très grandes villes ?

« — Certainement pas. La Suisse — qu'elle soit française ou allemande — est le fief de *Knie* qui est un admirable cirque et contre lequel on ne peut pas lutter.

« — Plouf, tu me stupéfies : tu sembles avoir tout prévu pour la tournée pendant ma courte absence.

« — Il le fallait : ne sera-ce pas une tournée Plouf ? Je déteste l'improvisation. Le cirque qui portera mon nom doit se déplacer comme s'il était mû par un mécanisme d'horlogerie. J'ai l'âme d'un orfèvre ! Et sais-tu pourquoi je veux reparaître d'abord en France ? C'est maintenant notre terre d'adoption où Carla et moi avons décidé de nous faire enterrer. On dit que tout homme a deux patries : son pays et la France : je suis sûr que c'est vrai. Si je repassais chez Arkein — ce qui ne m'arrivera certainement jamais puisque j'ai mon cirque — je demanderais à porter au défilé final le drapeau bleu, blanc, rouge.

« — Mais dis-moi : où comptes-tu planter le chapiteau ici ?

« — Sur la pelouse qui est au pied de ma terrasse : il y a toute la place.

« — Et les dépendances ?

« — La tente des éléphants sera à droite de la grande allée d'entrée, la tente-ménagerie à gauche, les caravanes disposées les unes derrière les autres le long de cette même allée.

« — Et les chevaux ?

« — Qu'est-ce que tu fais des écuries du prince Skirnof ? Il y a tellement longtemps qu'elles n'ont pas servi qu'elles vont en être tout émues... Le château aussi va être entièrement habité : pendant toute la durée de leur séjour ici je ferai aux principaux artistes l'honneur de les loger chez moi. Ça va leur produire un drôle d'effet d'habiter ailleurs que dans leur caravane ! Pourquoi ne goûteraient-ils pas eux aussi, ne serait-ce qu'une fois dans leur existence, à la vie de château ?

« . — Ça va faire un drôle de remue-ménage... Que diront les voisins ?

« — Je ne leur demanderai pas leur avis et ils ne verront rien pour la bonne raison que nous serons cachés par les hauts murs qui ceinturent la propriété. Les répétitions, ça ne concerne pas les profanes.

« — Mais ils entendront hennir les chevaux, rugir les fauves, barrir les éléphants ainsi que les flonflons de l'orchestre ?

« — Ça prouvera que pour une fois *la Forteresse* est devenue gaie ! Et il y aura au moins deux moments où ils seront éblouis, tous ces bons bourgeois : quand le *Cirque Plouf* arrivera et lorsqu'il repartira pour la gloire une semaine plus tard. Imagines-tu, Sam, ce que sera ce défilé sur le pont-levis ? De mémoire d'homme on n'aura jamais vu ça ! Ce sera plus beau que la sortie de l'Arche de Noé... »

» Il repartit le soir même pour transmettre à Abraham Gruti et à son associé Jacob Simovitch mes dernières exigences qui leur parurent certainement folles, mais qui furent quand même acceptées. Quand on veut Plouf, il faut mettre le paquet.


» Au jour prévu, le *Cirque Plouf* franchissait l'enceinte fortifiée. Ce fut un spectacle inoubliable et l'un des plus beaux jours de ma vie. Carla, debout au sommet de l'une des tours, comme au temps où elle n'était encore que la dame de mes pensées, pleurait de joie et moi, planté à l'entrée en compagnie d'Esther et de Marcello, je commençais à me demander si les rêves les plus fous ne sont pas la prémonition de ce qui peut arriver.

» Deux heures suffirent — ce qui prouvait que le mécanisme du montage fonctionnait déjà correctement — pour que le chapiteau bleu, blanc, rouge soit monté. Les treuils électriques, remplaçant les éléphants que j'avais vus tirant sur les câbles quarante années plus tôt sur la *Grosseplatz* de Wirbourg, avaient fait merveille. De même que les chevaux — ne remorquant plus les caravanes, toutes motorisées — les pachydermes étaient exclusivement réservés au spectacle. La piste était exactement à l'endroit où se trouve aujourd'hui mon portrait floral qui en a les dimensions. Avec le cirque étaient revenus l'ami Wontz et *Partner* qui ne demandait plus quand nous « remettrions ça » et s'enfermait à nouveau dans un mutisme frisant l'extase. Le personnel était en grande majorité italien : ce qui apportait des zézaiements et des jurons colorés que n'aurait pas désavoués le signor Fortunio.

» Il n'y en avait qu'un qui était tout triste : Marcello... Pendant les mois d'attente il avait caressé le secret espoir que je lui redonnerais pour la tournée le poste de *ringmaster* qu'il occupait chez *Kröne* quand je l'avais engagé pour devenir le gardien de mon château. Et je ne suis pas certain qu'Esther n'avait pas rêvé, elle aussi, de redevenir ouvreuse. Aussi leur déception fut-elle immense quand je leur annonçai, quelques jours avant l'arrivée du cirque :

« — Je suis désolé, vous ne pouvez pas partir avec nous. Que deviendrait cette demeure sans vous ? Même si je vous trouvais des remplaçants, elle aurait l'impression d'être abandonnée comme elle l'a déjà été après la mort du prince. A nous quatre — Carla, vous deux et moi — nous avons réussi à lui redonner vie. Puisqu'il y en a deux qui partent, il faut que les deux autres se sacrifient. Je sais que ce que je vous demande là est atroce, mais mettez-vous à ma place : je ne pourrais pas assurer la direction artistique de ce nouveau grand vaisseau qui va prendre le large, ni même refaire correctement mon numéro si je me disais à chaque seconde : « *Qu'est-ce qui se passe au château ? Les armures du vestibule y sont-elles toujours astiquées ? Les parquets y brillent-ils toujours ? Les allées du parc sont-elles bien ratissées ? La herse de l'entrée est-elle baissée pour empêcher les importuns ou les curieux de pénétrer dans* la Forteresse ? » Il faut que vous restiez là : sans vous le château mourrait ! »

» Ils ont eu l'admirable abnégation de me compren-

354

dre et, de chaque étape, Carla et moi leur avons adressé un télégramme où il n'y avait que ces six mots qui résumaient tout : *Le CIRQUE PLOUF se porte bien.*

» Le *ringmaster* italien qu'avait trouvé Sam Blood connaissait son métier, mais il était loin de valoir, pour le dévouement, un Marcello et pour la discipline un Schumberg. Mais ayant déjà obtenu Wontz de Greta Arkein, il m'avait été impossible de lui demander un autre membre essentiel de son personnel.

» Si tu avais entendu, ami, le bruissement continu des conversations dans toutes les langues qui avait envahi le château, les allées et venues dans les couloirs, le concert des téléviseurs dans les chambres qui, pour la première fois, fonctionnaient tous ensemble, la bousculade pour prendre l'ascenseur qui n'arrêtait pas de monter et de descendre, les parties de billard endiablées dans le fumoir, les bruits de vaisselle à l'office, les cris dans le parc, les plongeons dans la piscine suivis d'éclats de rires, l'affolement de Carla et d'Esther qui ne savaient plus où donner de la tête pour faire plaisir à tout ce petit peuple d'acrobates, de funambules, de dompteurs, de trapézistes, d'écuyers et d'augustes de piste qui venait d'arriver, tu aurais compris qu'il y avait quelque chose de changé dans la grande bâtisse et qu'après tout — ne serait-ce que pour l'enthousiasme et la joie qui s'y répandraient pendant toute une semaine — j'avais bien fait d'acheter le château qui n'était plus celui du prince Skirnof mais réellement « le Château du Clown » !

» Les répétitions d'ensemble commenceraient le lendemain matin, mais ce soir, jour de l'arrivée, serait entièrement réservé à la petite fête que j'avais décidé de donner pour saluer les artistes et tout le personnel. Avec Carla, nous avions fait dresser un immense buffet dans la salle à manger qui n'avait sûrement jamais vu autant de monde ! Ses portes ainsi que la baie du grand salon voisin étaient ouvertes sur la terrasse que j'avais fait décorer de banderoles reliant des lampions lumineux et où, dès que la nuit commença à tomber, des couples se mirent à danser accompagnés par l'orches-

tre de Wontz qui faisait alterner valses et galops, pol-
kas piquées et tangos... Ce bal sous les étoiles, encadré
d'un côté par les tours du château se découpant dans la
nuit et de l'autre par la vision du chapiteau planté sur
la pelouse et dont les oriflammes portant le nom
PLOUF — plantées au sommet des huit mâts et éclairées
par des projecteurs — se détachaient sur le fond lointain de la rade de Menton illuminée elle aussi, ce bal,
réservé exclusivement à des gens du cirque, fut certainement le plus original et le plus prestigieux qui ait
jamais été donné sur la Côte d'Azur !

» Alors que la fête battait son plein et que tous
étaient à la joie de se dire que huit jours plus tard ils
seraient de l'équipe qui révélerait d'abord à quelques
villes de France puis à Liège et enfin à toute l'Allemagne un nouveau cirque grandiose, un personnage se
présenta à moi, arrivé en pleine nuit : Sam Blood.

« — Eh bien, il est temps ! lui dis-je. Je me demandais où tu étais ? Pourquoi n'as-tu pas fait le voyage de
Milan jusqu'ici avec le cirque ?

« — Parce que je savais qu'il n'y avait aucun problème pour ce déplacement : tout le personnel, y compris les chauffeurs, a été trié sur le volet comme pour
les numéros de la première partie. Je t'ai trouvé ce qu'il
y a de mieux actuellement en Europe... Si je ne suis pas
arrivé plus tôt c'est qu'il y a quelque chose qui va beaucoup moins bien sur un autre plan : les financiers ont
disparu...

« — Tes Suisses ?

« — Abraham Gruti et Jacob Simovitch.

« — Je commençais à me demander si je les verrais
un jour, ces deux-là !

« — Il y a peu de chances pour que ça se produise :
ils sont en fuite et en cessation de paiement.

« — Qu'est-ce que ça veut dire ?

« — Tout simplement que si nous ne trouvons pas
vingt millions dans les quarante-huit heures, le *Cirque
Plouf* ne pourra pas partir jeudi prochain pour donner
sa première représentation vendredi soir à Digne et la
deuxième samedi à Grenoble.

« — Vingt millions ? Mais ça fait deux milliards d'anciens francs !

« — Tu comptes très bien, Plouf.

« — Mais c'est affolant ! Qu'est-ce qui s'est passé ?

« — Nos deux lascars n'ont payé, à la commande du chapiteau, de ses dépendances, des caravanes, des tracteurs et de tout le matériel qu'un quart du total prévu pour le financement de départ, soit cinq millions de francs lourds. Le solde devait être réglé par eux à la livraison du cirque en état de marche — ce qui est maintenant le cas — au moyen de traites qu'ils avaient acceptées. Elles sont toutes revenues impayées, soit un manque de quinze millions... Je ne l'ai appris par les constructeurs du cirque et tous les fournisseurs de véhicules qu'hier matin au moment où nous allions démarrer... Tu te rends compte ? Ils ne voulaient pas nous laisser partir ! Tu me connais : j'ai protesté, j'ai tempêté, j'ai menacé, je leur ai expliqué que ce serait un geste de folie de leur part et que, si le cirque n'était pas fin prêt pour la première représentation de Digne, ce serait après le désastre irrémédiable ! Il ne pourrait pas aller à Grenoble, à Lyon, à Bourg, à Besançon, à Mulhouse, à Colmar, à Nancy, à Metz, à Luxembourg, à Liège, à Aix-la-Chapelle ainsi que dans toutes les villes d'Allemagne où il doit passer ensuite pendant huit mois jusqu'à la fin de sa première saison. Et nous sommes annoncés partout déjà par la presse : j'ai fait ce qu'il était indispensable de faire pour lancer le nom CIRQUE PLOUF... Quant aux affiches avec la bonne gueule de PLOUF partout, elles recouvrent depuis quinze jours les murs des villes et de leurs banlieues où nous devons jouer jusqu'à Aix-la-Chapelle incluse. Si nous n'y sommes pas aux jours dits ce sera la fin avant même d'avoir commencé ! Cette publicité qui représente environ cinq millions, il faudra la payer : c'est donc à rajouter aux quinze qui manquent, ce qui donne le total de vingt millions qu'il faut absolument trouver dans les deux jours qui viennent.

« — Ils n'ont donc même pas versé une avance sur

la publicité comme ils l'ont fait pour la construction du cirque ?

« — Tu sais comment ça se passe dans ce genre de publicité massive : on donne des ordres de commande à de grosses boîtes spécialisées dans l'affichage et on paie trente jours après que celui-ci est en place. Comme il a commencé il y a deux semaines, nous en avons encore deux devant nous avant de payer. Ça nous donne un délai, mais il faudra quand même trouver l'argent.

« — Et les recettes ?

« — Si nous partons ! Mais même ces recettes... Comme nous ne démarrons d'ici que dans huit jours, nous n'aurons que huit jours de recettes, soit avec les deux matinées prévues à Grenoble, celles d'une dizaine de représentations. Et il faudra assurer également avec ces recettes le roulement des frais quotidiens : taxes d'emplacement, achats de nourriture pour le personnel, de viande pour les fauves, de fourrage pour les éléphants et la cavalerie, de paille et enfin la paye des artistes après les premiers huit jours. C'est pourquoi je crois qu'il vaut mieux prévoir dans l'argent à trouver en vitesse celui de la publicité... Mon pauvre Plouf, crois bien que je suis navré ! Si j'avais pu me douter seulement une seconde que nous avions affaire à des forbans, jamais je ne t'aurais embarqué dans une pareille aventure ! Ils m'ont eu, les salauds ! Posséder Sam Blood, c'est bien la première fois que ça se produit ! Et Dieu sait pourtant si j'ai le flair...

« — Parlons-en de ton flair ! Et mon contrat ?

« — Il est toujours valable : tu as droit à tes 55 % sur la recette, mais encore faut-il que le cirque joue ! Jusqu'à présent et même si la tournée est annulée, tu ne perds pas de plumes au point de vue financier puisqu'il est formellement spécifié à la clause 8 que tu n'as aucune responsabilité financière... Seulement il y a le point de vue moral...

« — Qu'est-ce que tu veux dire ?

« — Ce serait tout de même assez ennuyeux, après tout le tam-tam qui vient d'être fait pendant cinq mois sur ta rentrée fracassante et qui continue à se faire actuellement dans de nombreuses villes par voie d'affiches déjà apposées par milliers, que l'on apprenne brusquement que le grand Plouf ne paraît plus... Et le plus gros ennui c'est que le cirque porte ton nom ! Tu sais comment sont les gens : ils vont croire ou dire que tu t'es retiré au dernier moment parce que tu avais peur de revenir devant le public, parce que tu n'étais plus sûr de toi, peut-être aussi insinuer que tu t'es senti trop âgé... C'est grave, très grave pour le nom du plus illustre clown du monde ! Ce serait aussi une tape terrible pour tout le cirque en général. On dira : « *Le cirque est un genre de spectacle fichu ! Le cirque est mort puisque PLOUF lui-même n'y croit plus !* » Qu'est-ce que tu pourras répondre ? Que ton renoncement n'est qu'une affaire de gros sous ? Comme tout le monde sait que tu es très riche et que tu vis dans un beau château, ça fera un effet déplorable ! Ton auréole d'immense artiste, qui n'a toujours pensé qu'à son métier de clown, commencera à s'effriter... Et l'on dira encore : « *PLOUF un pur artiste ? Vous vous moquez : c'est seulement un imposteur plus malin que les autres qui a réussi à faire croire qu'il avait l'âme d'un clown alors qu'il ne pensait qu'à l'argent.* » Ce sera très difficile à réfuter ! C'est surtout pour cela que toute cette histoire m'ennuie... Je ne veux pas qu'on puisse ternir ta réputation. Moi, ton vieil imprésario; je sais très bien que tu es un pur qui n'a toujours pensé qu'à sa femme et qu'à son métier, mais j'aurai beau le proclamer, on ne me croira pas ! On dira : « *Sam Blood ? C'est normal qu'il le défende : il a touché assez de* 10 % *sur ses contrats !* » Les gens sont très méchants ! Et tous les clowns qui n'ont pas réussi parce qu'ils n'avaient pas le centième de ton talent seront ravis de ton effondrement. Il faut éviter ça à tout prix !

« — Oui, mais comment ?

« — Je te jure que si j'en avais les moyens — c'est-à-dire si j'étais riche — je n'hésiterais pas à jeter toute ma fortune dans la balance pour sauver le *Cirque Plouf* parce que j'y crois ! Les trois années de tournées prévues doivent être ton apothéose! Après tu pourras te retirer définitivement avec la satisfaction d'un homme qui a su reculer les limites du rire à un tel point que plus personne au monde ne pourra plus jamais l'imiter, et aussi la conscience d'avoir rempli la mission de clown qui lui a été dévolue par le ciel.

« — Je t'en prie, Sam, ne mêle pas le Ciel à tout cela!

« — Il faut le mêler au contraire! Ignorerais-tu le dicton qui affirme : « *Aide-toi, le ciel t'aidera* »? Si c'était moi qui l'avais inventé, j'aurais rajouté : « *t'aidera peut-être!* » parce qu'il y a du vrai là-dedans. C'est toi seul aujourd'hui qui peux t'aider... Tu es riche, très riche, Plouf! Trop même! Maintenant que tu as épousé la femme de ta vie et que tu as acheté le château de tes rêves, tu ne sais plus quoi faire de ton argent : c'est pour cela que tu avais un cafard secret et que tu t'ennuyais! Je t'ai trouvé le vrai moyen d'en sortir... Regarde « ton » cirque planté sur cette pelouse devant « ton » château... Vois Carla, « ta » femme, qui est radieuse en contemplant le « Bal du Cirque » que tu es le seul au monde à avoir pu organiser! Admire ton ami Wontz qui n'a jamais mieux conduit un orchestre parce qu'il le fait ce soir par amour de tous ceux du métier avec lesquels il va reprendre bientôt la route pour accompagner musicalement leurs prouesses en piste et enchaîner vite sur une marche ou sur un galop si l'un d'eux avait un accident... Regarde-les tous en train de danser, de boire, de chanter : c'est grâce à toi qu'ils sont heureux! Toi en qui ils ont confiance parce qu'ils savent que tu n'as jamais connu l'échec et que ce seul petit nom, PLOUF, est synonyme de triomphe assuré. Ce sont eux surtout que tu n'as pas le droit de décevoir!

« — Que dois-je faire?

« — Donner des ordres à ta banque — ou à tes banques que je sais réparties un peu partout par ta prudence — pour qu'elles paient les traites et ainsi tu ne seras plus le prête-nom sous le couvert duquel on pratique l'escroquerie, mais le *vrai* propriétaire de ton cirque comme tu l'es de ce château.

« — Si je prenais une telle décision, pourquoi n'entrerais-tu pas dans l'affaire avec moi ? Nous pourrions constituer une petite société et mes risques seraient moins grands.

« — Sur le nom de Plouf tu ne cours aucun risque ! Et tu sais très bien, c'est connu de tout le monde, qu'un imprésario n'a jamais de capitaux disponibles : il ne possède que des économies...

« — Ses 10 % accumulés ?

« — Tu vas voir comme je crois à la réussite de ton cirque... Il y a une chose que je consens à faire : pour toute cette première saison, je réduis ma part de bénéfices. Je ne te demanderai que 5 %... Ce n'est pas un geste, ça ?

« — Pour un imprésario, peut-être... Maintenant laisse-moi : il faut que je m'occupe de mes invités. Je vais réfléchir pendant la nuit et je vais surtout parler avec Carla. Tu sais bien que je ne prends jamais de décision sans la consulter. Demain matin je te ferai part de ma décision à 8 heures. Et promets-moi de ne rien dire aux autres ! Même si je devenais le propriétaire du cirque, ils n'ont pas besoin de le savoir : ça gênerait nos rapports quotidiens. Il vaut mieux qu'ils continuent à croire que je ne suis toujours que le « directeur artistique » avec lequel on peut toujours s'entendre... Pour rien au monde je ne voudrais que l'on m'appelle « Patron » : au fond c'est un mot que je déteste !

« — Tu préfères Plouf ? Tu as raison... Sais-tu qu'elle est charmante, ta petite fête ? »

» Le lendemain à 10 heures les répétitions avec l'orchestre commençaient comme prévu : personne n'était au courant de mes deux entretiens avec Sam : celui qui avait eu lieu pendant le bal et celui que nous venions d'avoir le matin même, deux heures plus tôt. Ecoutant les conseils de Carla qui m'avait fait comprendre, comme Sam, que je ne pouvais plus reculer au point où le nom de PLOUF était engagé dans l'affaire, j'avais décidé — sans grand enthousiasme, je l'avoue — de me substituer aux commanditaires défaillants pour honorer les quinze millions de traites impayées et assurer le financement des cinq millions de publicité de lancement déjà engagés. En vingt-quatre heures mes comptes en banque furent délestés de deux milliards anciens !

» Le seul souhait qu'il me restait à faire était que la tournée fût triomphale sinon ce serait la catastrophe définitive. La seule différence entre les opinions convergentes de Carla et de Sam était que celle de ma femme n'avait été dictée que par le cœur et celle de l'imprésario par l'intérêt. Carla m'aimait assez pour savoir qu'un renoncement brutal de reparaître devant le public dans mon propre cirque équivaudrait pour moi, à brève échéance, au désespoir inguérissable que j'aurais ressenti à la pensée d'avoir mal fini ma carrière. Sam Blood, lui, avait été assez habile pour s'attaquer sournoisement à la fierté d'un homme qui était persuadé que le fait d'être parvenu à devenir le célèbre PLOUF était la plus grande réussite du siècle ! Oui, ami, j'ai péché là par orgueil.

» Le résultat a été que non seulement je n'ai jamais récupéré mes deux milliards, mais que j'ai englouti en quelques mois le restant de la fortune amassée, cachet par cachet, pendant près d'un demi-siècle, à l'exception toutefois de ce château et de quelques rentes qui m'ont permis de tenir le coup jusqu'à ma mort. Pour mes neveux héritiers je ne suis pas tellement mécontent de ce qui s'est passé, mais pour ma mémoire après ma disparition, ce fut lamentable ! Je suis persuadé en effet que s'il m'était encore resté un capital suffisant le jour où ma chère Carla me quitta pour rejoindre cette tombe, je n'aurais pas hésité, non pas à faire de *la Forteresse* une maison de retraite pour vieux clowns — ce qui aurait été stérile — mais à fonder une école où l'on aurait formé de jeunes clowns. C'eût été beaucoup plus intelligent et utile. Tu en as la preuve aujourd'hui où tu peux constater que la relève des dispensateurs de rire n'a pas été assurée! Quand on a la chance d'avoir la possibilité financière de créer une fondation, il ne faut pas tenter de prolonger le passé mais plutôt essayer de favoriser l'avenir... Malheureusement je ne l'ai pas pu à cause de la malhonnêteté de deux canailles et de la duplicité d'un Sam Blood. C'est pour cela que je t'ai dit que s'il t'arrivait de rencontrer de jeunes artistes débordant d'ambition et de talent en puissance, tu devras leur dire de ma part qu'ils doivent éviter le plus possible de faire confiance aux imprésarios.

— Je comprends, Plouf, que tu leur en veuilles, mais as-tu le droit, maintenant que tu appartiens à un autre monde, de continuer à te montrer aussi rancunier?

— Tu as raison : ça ne sert à rien... Revenons plutôt aux répétitions de mon cirque. Tout se passa bien et huit jours plus tard ce fut le grand départ par la route pour Digne.

— Comment voyageais-tu?

— Comme tout le monde : en caravane motorisée... La mienne était superbe, la plus belle caravane directoriale qui ait sans doute jamais existé! Au moment où j'avais signé le contrat que Sam m'avait apporté de Milan, j'en avais moi-même dessiné les plans : elle rappelait, avec un confort moderne beaucoup plus poussé, celle de Rolf Arkein et possédait, comme la sienne, la plate-forme arrière sur laquelle je pouvais aussi bien surveiller de haut tout ce qui se passait dans le cirque, recevoir les artistes que je voulais féliciter ou gourmander et accueillir aussi les visiteurs de marque. Mais, pour faire une surprise à Carla, sa décoration intérieure était la réplique exacte de celle de sa caravane du *Circus Arkein* qu'elle avait tellement regretté d'abandonner à Munich et où nous étions devenus amants... Quand elle s'y installa le matin du départ, elle me dit :

« — Chéri, c'est merveilleux : j'ai l'impression d'avoir rajeuni de quarante ans! Quel plat veux-tu que je te prépare pour le déjeuner?

« — Des spaghetti, mon amour. »

» Ce fut le dernier véhicule du cirque à franchir le pont-levis après que Carla eut crié à Esther, au moment où nous passions sous la voûte de l'entrée :

« — Et surtout rangez bien tout ! Quel travail vous allez avoir, ma pauvre Esther, après toute cette invasion !

« — Ne vous inquiétez pas, madame, répondit Esther. Ce sera fait ! Quand vous reviendrez tout sera remis en ordre dans le château. »

» Je criai à mon tour à Marcello :

« — Ratisse bien les allées et replante sans tarder du gazon sur la pelouse où se trouvait le chapiteau !

« — Comptez sur moi, Patron. »

» Lui et Esther étaient les seuls à avoir le droit de m'appeler ainsi : ça leur faisait un tel plaisir ! La dernière vision que nous eûmes, du haut de la plate-forme, pendant que la caravane s'éloignait — conduite par un chauffeur installé dans la cabine avant qui était complètement séparée de l'habitacle —, fut celle de la herse descendant lentement devant une Esther et un Marcello qui donnaient l'impression de rester en cage. *La Forteresse* allait retrouver son silence.

— La première étape se passa, je pense, sans incident ?

— Ce fut un voyage de rêve... Je reconnais que lorsque je contemplais, s'étirant devant moi sur près de deux kilomètres — les règlements de la police routière exigeaient qu'il y eût un intervalle de cinquante mètres entre chaque caravane ou roulotte — le ruban bleu de mon cirque dont chaque voiture portait, peints sur ses flancs en lettres dorées, les deux mots *Cirque Plouf*, je n'étais pas peu fier ! Etait-ce mon satané orgueil qui me reprenait ? Et tout cela, escorté par des motards casqués et ceinturés de baudriers blancs, serpentait sur les routes de Provence et sous le soleil ! Les paysans abandonnaient leurs travaux des champs pour courir sur les bords des routes où nous passions dans un vacarme comparable à celui d'une armée moderne. Dans les petites villes ou villages, les vieilles sortaient sur le pas de leur porte et les amateurs de pétanque restaient éberlués, leurs boules en main, oubliant l'interminable partie jouée à l'ombre des oliviers... C'était le fruit de l'ambition de toute ma vie qui passait devant eux... Peut-être aussi un peu de mon âme? Toujours sur ma plate-forme d'observation pendant que Carla, cachée suivant son habitude, préparait les spaghetti, je ne pouvais m'empêcher de penser à ma première nuit dans la roulotte-dortoir empuantie des valets de piste du *Circus Arkein* calée sur une plate-forme du train qui nous emmenait en haletant de Wirbourg à Munich... De revoir aussi la pitoyable caravane des six roulottes misérables du *Circo Fortunio* allant de banlieue en banlieue... Que de chemin parcouru depuis! Que de voyages à travers le monde! En redevenant un errant j'étais revenu à ma vocation de saltimbanque, mais j'avais « ma » femme et « mon » cirque!

» Il n'était pas possible qu'une telle publicité ambulante, très supérieure à toute parade dans une ville parce qu'elle s'étalait sur de grandes distances, ne fit pas accourir les foules sous le chapiteau lorsqu'il consentirait à s'arrêter pour quelques jours ou même pour une nuit. Plus nous nous rapprochions de Digne et plus les murs et les panneaux recouverts de mes affiches venaient aider le convoi insolite. Je voyais ma tête partout avec mon gros nez rouge, mon crâne luisant cerclé de ses bouclettes de cheveux verts, mon sourire qui se fendait jusqu'aux oreilles, mon manteau à carreaux, mes godillots faméliques... C'était Plouf qui venait trouver les gens jusque chez eux : Plouf partout!

— Alors, la Grande Première à Digne?

— Presque un échec : le commencement du désastre.

— Non?

— Et pourtant, toutes les attractions de la première partie étaient excellentes!

— Ton numéro?

— Il eut son succès habituel mais malheureusement ça ne suffisait pas pour sauver la recette : la salle était à demi pleine... 2000 places occupées au lieu des 4000! Proportionnellement, on se serait presque crus chez

Fortunio! Partout ce fut la même chose sans discontinuer pendant les neuf mois de la tournée : des demis et même des quarts de salle malgré la qualité exceptionnelle du spectacle et les millions de publicité!

— Qu'est-ce qui s'est passé?

— Aujourd'hui encore je me le demande... Ai-je trop présumé du pouvoir attractif du nom de Plouf sur le public? D'un Plouf qui avait voulu jouer lui-même sa partie en oubliant que les gens ne viennent d'abord dans un cirque que parce qu'ils font confiance à ce cirque avant de l'avoir dans les artistes qu'il présente, aussi grands fussent-ils? Il m'est arrivé exactement ce qui s'est produit pour le *Cirque Fratellini* et le *Cirque Grock*... On aime les clowns, on en raffole même, mais on exige qu'ils ne restent que des clowns, bien à leur place et dont le rôle, au cours d'une représentation, n'est que d'assurer une portion de rire bien déterminée et rien de plus... On se précipite chez *Arkein*, chez *Kröne*, chez *Althof*, chez *Barnum*, chez *Bouglione*, chez *Jean Richard*, chez *Amar*, chez *Knie*, chez *Orfei* parce qu'on est sûr d'y trouver aussi des trapézistes, des chevaux, des équilibristes, mais on se méfie des clowns qui veulent assurer à eux seuls le succès... On a même peur que le rire qu'ils déchaînent ne finisse par lasser à force d'être long! Cette tournée axée sur mon nom, c'était comme si les gens avaient peur ou honte de trop rire! A moins que le goût du public n'ait changé en cinq années? Peut-être m'en a-t-on voulu de ce que j'ai eu l'air d'oublier, pendant que je me prélassais dans mon château, ceux à qui j'avais dû mon succès et ma fortune : les spectateurs? C'était affreux.

» Wontz, *Partner* et même Sam Blood — pour la première fois sincère — étaient désespérés. La seule qui n'a jamais perdu sa confiance et qui ne m'a jamais fait une remarque désobligeante ou désabusée du genre « *Il vaudrait mieux tout arrêter et rentrer chez nous* » a été ma femme... Chère et admirable épouse!

» Quand une tournée a mal commencé, il lui est très difficile de remonter la pente. J'ai quand même voulu aller jusqu'au bout, je me suis entêté : toujours mon orgueil qui, cette fois, m'a perdu !

» Le 1$^{er}$ janvier au soir, après la dernière représentation donnée à Françfort, le *Cirque Plouf* a été vendu. Sais-tu qui l'a acheté avec toutes les merveilles qu'il contenait ? Le *Circus Arkein*... Oui, mon ami ! Mon beau chapiteau tricolore, mes splendides caravanes — à l'exception d'une seule que j'ai pu sauver du désastre : la mienne —, mes tentes-écurie et ménagerie, la tente des éléphants, mes quatre mille fauteuils pullman, ma piste tournante, ma grande cage en nylon mue électriquement, ma sonorisation impeccable, le matériel de l'air conditionné, tout est parti pour Hambourg dans ce dépôt d'Arkein où Carla Bardoni et Ernesto avaient achevé de mettre au point leur numéro équestre... Les véhicules ont changé de couleur : de bleus ils sont devenus rouges ! Les mots *Cirque Plouf* en lettres d'or ont été remplacés par *Circus Arkein* en lettres blanches. Mes affiches aussi, à part celles qui sont encore dans mon salon, ont été vendues au poids du papier... J'avais tout perdu, Plouf était ruiné.

— En rachetant tout, Greta Arkein a peut-être voulu te rendre service une dernière fois ?

— Je n'en suis pas certain. Ce n'est pas elle qui l'a voulu mais son mari pour se venger d'avoir eu à subir quarante années plus tôt le retour triomphal du grand Plouf auquel il avait fait ramasser le crottin quand il l'appelait dédaigneusement Ernst.

— Schumberg, le *ringmaster* ? Elle l'avait épousé ?

— Une année après que Carla et moi nous étions mariés. Il était devenu le patron du cirque et je te jure que celui-là devait exiger qu'on l'appelât ainsi ! Après tout, Greta a peut-être bien fait : l'établissement était lourd à diriger pour une femme... Et puis, sous son apparence de femme forte, cette brave Greta n'était qu'une faible femme. Il lui fallait un homme à poigne : avec *Herr* Schumberg elle a été comblée ! Après la vente, Carla et moi sommes revenus ici par la route, dans notre caravane : c'était moi qui conduisais. Nous n'avions même plus de chauffeur ! Et nous avons franchi le pont-levis dans l'autre sens sous les regards dés-espérés d'Esther et de Marcello : cent voitures au départ, une à l'arrivée ! Voilà le bilan.

— C'est épouvantable !

— C'est la vie... ou la mort ! Carla ne s'en est jamais remise. Elle, qui m'avait toujours soutenu et encou-ragé, n'a pas pu supporter la honte de l'échec. Elle ne m'en parlait jamais mais je sentais que ça la minait secrètement. Elle ne disait rien mais je voyais bien que sa santé déclinait peu à peu... Ce fut pendant cette période atroce où nous n'étions plus que deux êtres se recroquevillant sur eux-mêmes, que je fis construire ce tombeau et planter, à l'endroit précis où le *Cirque Plouf* avait installé sa piste, mon portrait floral. Carla m'a approuvé disant : « Même si le public semble t'avoir oublié, il y aura quelques personnes qui se sou-viendront de toi quand elles passeront devant ces fleurs... » Seulement on ne vient plus, à part toi, au Château du Clown ! Le jour où Carla est morte, je me suis retrouvé seul.

— Tu as quand même eu la chance, dans ta détresse, d'avoir encore auprès de toi Esther et Marcello ?

— Je ne remarquais même plus leur présence... J'al-lais, je venais, me déplaçant sans but précis, comme si j'étais devenu un automate. Tout en étant encore de chair pendant les trois dernières années, je crois que j'étais déjà un fantôme errant dans son parc.

Il y eut à nouveau l'un de ces silences que j'exécrais et pendant lesquels mon ami Plouf, silencieux, sem-blait ne plus être à côté de moi assis sur le banc. Et pourtant il y était ! Comprenant que je ne pouvais pas laisser le silence s'éterniser, je hasardai :

— Et si tu me faisais voir maintenant ton atelier ?

Il sourit :

— Avoue que tu en as assez d'être assis sur ce banc et que tu veux te dégourdir les jambes ?

— Ce doit être cela...

— Viens avec moi.

Cette petite marche était nécessaire pour moi mais pas pour le fantôme qui se déplaçait avec la légèreté d'un elfe. Une fois de plus je remarquai que lorsqu'il bougeait il donnait l'impression de ne pas effleurer le sol. Les moindres de ses gestes avaient une grâce infinie !

Quand nous fûmes près des communs où se trouvait l'atelier, il me dit en désignant la porte cochère d'une grande remise :

— Entrons d'abord là : j'ai quelque chose à te montrer.

Je poussai pour moi seul l'un des battants de la porte parce qu'un fantôme n'a pas besoin d'ouvrir une porte : il passe au travers.

— Tu as un commutateur électrique tout de suite à droite, continua Plouf. Allume...

La lumière jaillit éclairant une immense caravane devant laquelle je restai bouche bée : une caravane à faire rêver n'importe qui... Peinte en bleu, elle portait sur ses flancs les mots *Cirque Plouf* dessinés en lettres dorées. Elle avait de chaque côté trois fenêtres qui ressemblaient à des baies tellement elles étaient larges. Ce qui attira le plus mon attention fut la plate-forme arrière recouverte par le toit qui se prolongeait et à laquelle on accédait par un petit escalier de trois marches. Sur cette plate-forme se trouvait une table entourée de quatre fauteuils très confortables.

— Monte ! dit Plouf qui s'installa dans l'un des sièges en ajoutant : Fais comme moi. On n'est pas bien ici ? C'est de là que je surveillais tout ce qui se passait. Je suis ravi de t'accueillir dans cette caravane que j'ai pu sauver de la faillite. C'est Greta Arkcin elle-même qui a exigé qu'on me la laissât : là, une fois de plus, j'ai reconnu son bon cœur... Viens maintenant à l'intérieur.

Dès que j'ouvris la petite porte, toute la caravane s'éclaira. Etonné, je demandai :

— L'électricité y fonctionne encore ?

— Il y a une batterie que Marcello entretient régulièrement. C'est lui aussi qui astique chaque semaine les parois de cette voiture : c'est pour cela qu'elles brillent autant ! Esther s'occupe du ménage intérieur : tu peux constater que l'on n'y trouve pas plus de poussière que dans les pièces du château. C'est ici que Carla et moi avons vécu pendant toute la durée de la tournée. Voici le living-room qui servait de salon et de salle à manger. Je crois t'avoir dit que sa décoration intérieure, ainsi que celle de la chambre qui se trouve au fond, est la réplique exacte de celle de l'ancienne roulotte de Carla : ainsi, même devenue l'épouse du directeur, elle ne se sentait pas trop dépaysée... Suis-moi : de chaque côté de ce couloir tu as à droite la cuisine où Carla faisait des merveilles et à gauche la salle de bains qui, tu le constates, peut rivaliser avec celle de n'importe quel domicile fixe. Enfin voici la chambre... Tu vois ce grand lit ? Il a les mêmes proportions que celui où Carla et moi devînmes amants une certaine nuit chez Arkein : il reste aussi imprégné de nos amours qui n'ont jamais faibli... Les draps sont mis, changés chaque semaine par Esther pour le cas où nous aurions envie de revenir nous y blottir : ce qui nous arrive certaines nuits où Carla et moi en avons assez de la froideur du tombeau. Même quand on n'est plus de ce monde, il faut de la chaleur... Esther ne s'en doute pas puisque, n'ayant plus de corps, nous ne laissons aucune trace. Ça ne te fait pas plaisir de voir ce qui fut notre dernier nid ambulant ?

— Je suis très ému, Plouf.

— Ne t'attendris pas trop et filons à l'atelier.

Il était à côté de la remise. On y accédait de plain-pied... Là aussi, j'ouvris la porte qui n'était pas fermée à clef et j'appuyai sur le commutateur. Etrange atelier dont la simplicité presque monacale offrait un contraste saisissant avec le luxe tapageur répandu dans les pièces de réception du château. Pour tout siège il n'y avait qu'un tabouret placé devant un vaste établi sur lequel étaient disposés et alignés, dans leur ordre de grandeur, des outils de tout genre : scies, burins, pinces, marteaux, couteaux, ciseaux... Outillage métallique qui n'était fait que pour des travaux de précision.

— C'était là où je m'enfermais pour travailler de mes mains, reprit Plouf. Ma passion du bricolage ! Je m'en donnais à cœur joie pendant des heures qui me paraissaient toujours trop courtes et qui me faisaient tout oublier, même ma carrière de clown ! Je m'évadais en œuvrant : je fabriquais ces montres que tu vois sur cette étagère placée de l'autre côté... Qu'est-ce que tu penses de ma collection ?

— Prodigieuse !

Il y avait là peut-être une quarantaine de montres, toutes différentes les unes des autres : des grosses, des petites, des plates et même d'autres qui avaient des formes étranges. Des montres comme je n'en avais encore jamais vues dans des vitrines de bijoutiers.

— Tu les trouves jolies ?

— Il y en a d'étonnantes.

— Une montre sans originalité n'a pas d'âme. Ça vit, une montre ! Ça ne cesse de battre que si on l'oublie... Ici ce n'est pas le cas puisque Marcello passe les remonter tous les matins : elles sont heureuses... Toutes marchent et sont à l'heure.

— 3 h 30, déjà !

— Nous avons encore le temps. La nuit n'est pas finie : le jour ne commencera à poindre que vers 5 heures... J'aime beaucoup celle-ci, sans doute parce que c'est elle qui m'a demandé le plus de travail et que c'est la dernière que j'ai faite. Après la mort de Carla j'ai cessé d'en fabriquer : le temps s'était arrêté pour moi... Tu vois : j'ai gravé sur le dos du boîtier nos initiales enlacées *C* et *P :* Carla et Plouf. Elles ne pourront plus jamais se séparer... Elle te plaît ?

— C'est un travail d'orfèvre.

— Plutôt un travail d'amant... Prends-la : je te la donne.

— Mais tu es fou, Plouf ! Jamais je n'oserai !

— N'es-tu pas mon ami ?

— Si, bien sûr...

— Alors ne discute pas et emporte-la, sinon tu me vexerais ! Sais-tu que c'est la première que j'offre ? Je les conservais toutes là, jalousement, comme si c'étaient des trésors inestimables alors que ce ne sont que de petites machines destinées à rappeler aux vivants que même le temps est compté ! Enfouis-la dans ta poche et partons. J'ai encore des choses à te montrer. Viens vite! N'oublie pas d'éteindre l'électricité sinon, quand il viendra ici dans quelques heures, Marcello s'inquiéterait! Il croirait que des voleurs sont passés.

— Mais il va bien s'apercevoir de la disparition de la montre? Depuis le temps qu'il les remonte, il les a sûrement comptées... Il sera affolé!

— Il se dira seulement que cette montre en a eu assez d'être là avec toutes ses sœurs et qu'elle a voulu voir du pays comme les gens du voyage... Et puis, ça m'amuse de me voler moi-même! N'est-ce pas une forme de raffinement? Allons maintenant au château. J'espère au moins que tu as une clef?

— Esther m'a confié celle de la baie qui donne sur la terrasse.

— Alors rentrons par là.

Dès que nous fûmes dans le salon, il dit :

— Tu as un commutateur à droite.

La lampe circulaire s'alluma, éclairant les affiches.

— Pendant que nous étions dans la caravane il m'est venu une idée... Je t'ai raconté déjà pas mal de choses mais j'ai l'impression d'avoir oublié l'essentiel! Le numéro que j'ai promené dans le monde après l'avoir mis au point, tu m'as bien dit que tu l'avais vu quand j'étais passé à *L'Empire* de Paris?

— C'est vrai puisque je t'ai même raconté comment tu y faisais ton entrée par la salle accédant à la scène, où se trouvait déjà *Partner*, en gravissant un petit escalier qui enjambait la fosse d'orchestre.

— Et ensuite? Qu'est-ce qui se passait dans le numéro?

— Tu jouais du violon, du saxo, du piano... J'avoue ne plus très bien me souvenir... Ça remonte au moins à trente années! Tout ce que je sais c'est que tu m'as fait beaucoup rire. C'est surtout cela dont on se souvient : de quelqu'un qui a su vous amuser.

— Ça te ferait plaisir si je le refaisais maintenant pour toi tout seul, ce numéro?

— Comment cela ?

— Ici dans ce salon. Tu n'as donc pas remarqué que son ameublement le faisait ressembler à un cirque ? Pourquoi ne pas utiliser pour une fois cette piste de secours ?

— Tu n'y as donc jamais refait ton numéro depuis que tu habites ce château ?

— Jamais, ni dans cette pièce ni ailleurs ! Ce sera une exhibition unique qui te sera exclusivement réservée et qui n'aura pas de lendemain... Ça te plaît, oui ou non ?

— Cela m'enchante ! Mais il n'y a pas d'orchestre, ni le piano que tu m'as dit avoir donné à Wontz, ni tes autres instruments qui sont restés dans l'atelier ?

— Ne t'inquiète pas : j'ai tout ! Un fantôme, ça n'a pas besoin de matériel... Tu vois ce petit meuble placé à droite de l'entrée ? Soulève son couvercle : il contient un magnétophone qui est synchronisé avec des éclairages spéciaux qui ne fonctionnent que lorsque la bande magnétique introduite en permanence dans l'appareil commence à tourner. Tu vas assister à un *Son et Lumière* qui te retransmettra l'enregistrement intégral fait au *Cirque Plouf* des quarante-cinq minutes de mon numéro, mais en plus — et ceci parce que c'est toi ! — je te mimerai au fur et à mesure tout ce que je faisais. Non seulement tu vas entendre le numéro de *PLOUF and Partner*, mais tu vas le voir dix ans après sa disparition.

— *Partner* n'est pas là pour mimer son rôle ?

— Comme c'est moi qui le lui ai appris, je le remplacerai... Et puis il n'a jamais vraiment compté dans le numéro ! La preuve c'est que, sans moi, il n'était rien, sauf un très bon musicien et que moi, sans lui, j'aurais très bien pu quand même me débrouiller !

— Ne t'énerve pas et reste gentil pour la mémoire de ceux qui t'ont aidé à devenir le grand PLOUF... Tu es prêt ?

— Prêt depuis plus de soixante ans et en pleine forme après ces dix dernières années de relâche ! Dès

que tu auras tourné le bouton de contact du magnétophone tu reviendras t'asseoir sur la banquette.

— La banquette ?

— J'ai toujours appelé ainsi ces fauteuils rouges disposés en cercle... Et je ferai mon entrée au moment
précis où l'orchestre joue en fond sonore sur la bande
ce que nous appelions *La Marche de PLOUF*, qui a été
composée par *Partner* à l'époque où nous commencions à mettre au point le numéro dans le studio loué à
Paris, boulevard de Clichy. Comme il n'y a pas de scène
et que nous sommes plutôt dans un cirque, je vais
entrer de la même façon qu'au *Circus Arkein* quand j'y
suis revenu pour éblouir Carla... Sois gentil d'ouvrir à
deux battants la porte donnant sur le vestibule qui me
tiendra lieu de coulisse et de tirer les pans du rideau de
velours rouge qui se trouve de chaque côté. Je ne peux
malheureusement plus exécuter toutes ces manœuvres
manuelles puisque mon corps est irréel ! Pardonne-moi
de te charger de tout ce travail.

— Ça me plaît : j'ai l'impression d'être devenu un
bareiter.

— L'uniforme ne t'irait pas trop mal à condition
qu'un Schumberg te donne la taille moyenne... Je vais
dans les coulisses.

Il bondit dans le vestibule avant de crier :

— Ferme le rideau ! Ça y est...

Et sa voix continua derrière le « rideau de piste »
fermé :

— J'en suis maintenant à ce moment émouvant
entre tous — que je t'ai déjà décrit — où l'artiste s'ap-
prête à faire son entrée en piste... Va vite mettre en
marche le magnétophone et reviens t'asseoir, tu remar-
queras que tu vas occuper, comme le prince Skirnof,
une place d'honneur au bord de la piste...

Je tournai le bouton du magnétophone. Aussitôt une
lumière crue et presque aveuglante — envoyée par de
petits projecteurs placés tout autour du salon et que je
n'avais même pas remarqués pendant la visite en compagnie d'Esther et de l'agent immobilier — inonda le
tapis rouge et or de « la piste ». Simultanément un

374

orchestre, où les cuivres dominaient, se déchaîna : un merveilleux orchestre de cirque diffusé dans toute la pièce par une sonorisation invisible. Assis sur « la banquette », je levai instinctivement les yeux en direction de la loggia placée au-dessus de l'entrée et je crus voir Wontz battant nerveusement la mesure, la baguette en main. Wontz, le remarquable maestro qui sauvait la situation et qui meublait « les trous » imprévus au cours d'un spectacle, l'ami un peu rougeaud qui ne détestait pas le cognac...

Je savais que, derrière le rideau rouge, Plouf attendait, suintant de trac et regardant par la fente pour humer la salle avant d'entrer dans le cercle enchanté... Il devait être aussi en train d'observer son rival, le prince Skirnof, assis à sa place habituelle. Ce soir il n'y avait pas de rival mais un ami : le prince, c'était moi !

Je compris que le numéro commençait quand j'entendis la plainte langoureuse du saxophone de *Partner*. Je ne le voyais pas sur la piste mais il y était sûrement, revêtu de son bel habit noir... Puis le rideau s'écarta violemment, comme actionné par un vent de tornade. Et *il* parut... C'était bien *lui* sous son ample manteau à carreaux jaunes et portant l'immense valise, coiffé de sa petite calotte rouge recouvrant le haut de son crâne en carton et laissant apercevoir au-dessus de la nuque le cercle de bouclettes de cheveux verts... *Lui* avec son nez rouge, ses dents peintes au-dessus de la lèvre supérieure, son rire éternel remontant jusqu'aux oreilles, ses godillots démesurés et surtout sa démarche... Mais où avais-je déjà vu pareille démarche ? Quand j'applaudissais trente années plus tôt Plouf à *L'Empire ?* Ce n'était pas possible que je puisse m'en souvenir d'une façon aussi vivante... Ah ! Parbleu, je savais ! C'était la démarche honteuse qu'avait eu le valet de piste Ernst avant de recevoir des mains de Schumberg la belle veste bleue à brandebourgs... Le valet conduisant par la bride le cheval attelé à la dernière et à la plus vétuste des roulottes du *Circus Arkein* pendant le défilé dans les rues de Munich ! Plouf n'avait-il pas dit, lorsqu'il m'avait raconté cet épisode de sa vie errante :

*De cette parade, qui fut pour moi un calvaire, je pus quand même tirer un enseignement. Si je devenais un jour un grand clown, j'entrerais en piste de la même lamentable façon que pendant ce défilé !* Et il fut irrésistible pour moi dès son entrée, me faisant tout autant rire que les badauds massés sur les trottoirs de Munich et qui s'étaient moqués de lui.

Ce n'était plus le fantôme de Plouf que j'avais devant moi, mais le Plouf réel qui se démenait, s'imitant lui-même et prenant la place d'un *Partner* absent aux rares instants où le déroulement mathématique du numéro, reproduit par la bande sonore, l'exigeait. Ce fut à ces moments que je compris enfin que mon ami avait eu mille fois raison de me dire : *Je voulais que mon partenaire ne soit qu'un faire-valoir discret qui ne se ferait pas remarquer.* Je réalisai que dans le numéro de *PLOUF and Partner*, seul Plouf avait compté, affiché et annoncé sur les programmes en lettres quatre fois plus grosses. J'avais devant moi le Plouf seul en piste dont il avait toujours rêvé... Il lui avait fallu quitter ce monde pour réaliser enfin cette performance.

Puis vint le célèbre *Bonjour Môsieur* adressé au *Partner* de la sono et que le Plouf auquel j'avais droit ne fit qu'articuler en muet. Il en fut ainsi à chaque fois qu'il avait à parler et ce fut toujours merveilleusement synchronisé. Je ne pus m'empêcher de penser que si tous les artistes disparus revenaient ainsi brusquement pendant que des vivants écouteraient leurs enregistrements, ce serait prodigieux ! Ils feraient du *play-back...* J'imaginais ce que cela pourrait donner pour de grands chanteurs morts eux aussi ! Eux qui, ayant ignoré ce procédé de leur vivant ainsi que les micros dont ils n'avaient nul besoin puisque leurs voix d'or se suffisaient à elles-mêmes, se copieraient en ouvrant et en refermant la bouche pour montrer visuellement comment ils chantaient...

Plouf ne chantait pas, Wontz ne lui avait-il pas dit qu'un clown qui chante frise le grotesque ? Il mimait tout : les mouvements de sa bouche de clown, le maniement de ses innombrables instruments : le petit violon sorti de la grande valise, le saxo ténor, la clarinette, l'hélicon qui n'étaient cependant pas dans ses mains et le piano même qui ne se trouvait pas sur la piste... Et pourtant je le voyais, assis sur un tabouret aussi imaginaire que le piano, faisant courir ses doigts gantés de blanc sur le clavier, lançant des touches à la salle en délire où j'étais pourtant seul spectateur, démontant le couvercle de ce même clavier pour le transformer en arme redoutable avec laquelle il s'avançait menaçant vers *Partner* pour lui faire comprendre que sa présence triste l'importunait, lui qui n'aimait que le rire.

Plus la bande sonore continuait à se dérouler et mieux je découvrais que chaque pirouette, chaque blague, chaque cascade du numéro avait été inspirée par un moment précis de la vie du clown. La valise ? C'était l'évocation de tous « ses bagages » quand il s'était présenté à Rolf Arkein... Le *flip-flap* venait de *Beppo*... Le petit cheval articulé et en bois qu'il faisait cabrioler sur la piste en le tirant avec une ficelle invisible, c'était le rappel du numéro d'*Ernesto*... La bicyclette minuscule qu'il avait extraite du coffre du piano et sur laquelle il réussissait, malgré ses godillots impossibles, à pédaler en faisant un tour complet de piste, c'était le souvenir du numéro de *Plouf et Plof*... Enfin, quand il sortit de piste sur *La Marche de Plouf* en embouchant un clairon irréel, je compris pourquoi il avait voulu que les murs de son vestibule soient éclairés par l'instrument qui avait illuminé ses sorties triomphales...

C'était fini : la bande sonore n'avait plus rien à reproduire, les projecteurs s'éteignirent. Le numéro avait duré exactement quarante-cinq minutes, pas une de plus, pas une de moins ! La montre de précision fabriquée par les propres mains de Plouf le prouvait. Une fois de plus le mécanisme de rire avait bien fonctionné.

Alors que j'étais encore assis, éberlué, sur « la banquette », il reparut — redevenu le fantôme, débarrassé de son grimage et de ses guenilles de clown — en demandant presque avec anxiété :

— Ça t'a plu ?
— Je n'ai pas cessé de rire.

— C'est ce que je voulais, ami, parce que la vie n'est pas sérieuse... Oh! Regarde...

Il désignait la baie ouverte sur le parc dont les arbres et la pelouse commençaient à rosir. Et, brusquement angoissé, il s'exclama :

— Le jour est en train de poindre... Il faut que je rentre en vitesse! Carla ne va pas être contente! Elle a horreur que je découche!

Traversant en trombe le salon, il bondit sur la terrasse en criant sans se retourner : « Je te reverrai ce soir... La lumière du jour n'est pas faite pour moi! » Il courait maintenant sur la pelouse, contournant son portrait floral qui lui aussi commençait à reprendre des couleurs. Courant derrière lui, je criai : « Plouf : je t'en prie, reste! » Il ne répondit pas. Quand j'arrivai devant la tombe, il n'était plus là. Il avait rejoint son amour éternel.

Effondré sur le banc, j'écoutais les oiseaux qui recommençaient à chanter. Et je regardais le tombeau dont les personnages sculptés avaient gardé leur impassibilité de pierre. Plouf, tenant le saxophone dans ses mains immobiles, était tel que je venais de le voir; Carla dormait revêtue de son tutu d'écuyère.

Il faisait grand jour quand je remontai vers le château. Esther m'attendait dans le salon :

— Monsieur n'a donc pas dormi?

— Je ne sais plus, mais peu importe.

— J'ai vu que Monsieur a branché la sono... Il a aimé le numéro du Patron?

— Oui.

— Chaque année, le jour anniversaire de la mort de M. Plouf, nous venons l'écouter ici, Marcello et moi.

— Et quel effet ça vous produit?

— Nous rions! Monsieur désire-t-il que je lui prépare du café?

— Non, ma bonne Esther. Dans une demi-heure je serai parti : juste le temps de faire mes bagages.

— Déjà? Mais Monsieur va revenir?

— Je ne le crois pas : je ne pourrais pas passer une

nuit plus exaltante... Dès que je serai à Monte-Carlo j'irai à l'agence de Mme Giraud pour lui annoncer que j'abandonne les deux mois de location déjà versés et qu'elle peut chercher d'autres occupants.

— Monsieur ne s'est donc pas senti à l'aise ici?
— Je l'ai trop été!

Trente minutes plus tard je franchissais dans ma voiture le pont-levis devant une Esther et un Marcello qui ressentaient peut-être ce même déchirement qu'ils avaient connu le matin où le *Cirque Plouf* les avait quittés pour aller vers la gloire... Je n'eus même pas le courage de regarder dans le rétroviseur pour voir une dernière fois la herse se baisser. Mon cerveau était vide. Je retournais vers la réalité.

Pourtant, j'avais là sur moi un objet irréfutable : la montre que mon ami m'avait offerte. Je fouillai dans ma poche avec l'intention de la remonter comme le faisait Marcello chaque matin pour lutter contre la fuite du temps. Il n'y avait plus de montre! Fébrilement je cherchai en vain dans toutes mes poches. Maintenant la preuve était faite : j'avais dû rêver...

# TABLE DES CHAPITRES

# J'ai Lu Cinéma

*Une centaine de romans J'ai Lu ont fait l'objet d'adaptations pour le cinéma ou la télévision.
En voici une sélection.
Demandez à votre libraire le catalogue semestriel gratuit.*

**ANDREVON Jean-Pierre**
**Cauchemar... cauchemars!** (1281★★)
*Répétitive et différente, l'horrible réalité, pire que le plus terrifiant des cauchemars. Inédit.*

**ARSENIEV Vladimir**
**Dersou Ouzala** (928★★★)
*Un nouvel art de vivre à travers la steppe sibérienne.*

**BENCHLEY Peter**
**Dans les grands fonds** (833★★★)
*Pourquoi veut-on empêcher David et Gail de visiter une épave sombrée en 1943?*
**L'île sanglante** (1201★★★)
*Un cauchemar situé dans le fameux Triangle des Bermudes.*

**BLIER Bertrand**
**Les valseuses** (543★★★★)
*Plutôt crever que se passer de filles et de bagnoles.*
**Beau père** (1333★★)
*Il reste seul avec une belle-fille de 14 ans, amoureuse de lui.*

**BRANDNER Gary**
**La féline** (1353★★★★)
*On connaît les loups-garous mais une femme peut-elle se transformer en léopard?*

**CAIDIN Martin**
**Nimitz, retour vers l'enfer** (1128★★★)
*Le super porte-avions Nimitz glisse dans une faille du temps. De 1980, il se retrouve à la veille de Pearl Harbor.*

**CHAYEFSKY Paddy**
**Au delà du réel** (1232★★★)
*Une terrifiante plongée dans la mémoire génétique de l'humanité. Illustré.*

**CLARKE Arthur C.**
**2001 - L'odyssée de l'espace** (349★★)
*Ce voyage fantastique aux confins du cosmos a suscité un film célèbre.*

**CONCHON, NOLI et CHANEL**
**La Banquière** (1154★★★)
*Devenue vedette de la Finance, le Pouvoir et l'Argent vont chercher à l'abattre.*

**COOK Robin**
**Sphinx** (1219★★★★)
*La malédiction des pharaons menace la vie et l'amour d'Erica. Illustré.*

**CORMAN Avery**
**Kramer contre Kramer** (1044★★★)
*Abandonné par sa femme, un homme reste seul avec son tout petit garçon.*

**COVER, SEMPLE Jr et ALLIN**
**Flash Gordon** (1195★★★)
*L'épopée immortelle de Flash Gordon sur la planète Mongo. Inédit.*

**DOCTOROW E.L.**
**Ragtime** (825★★★)
*Un tableau endiablé et féroce de la réalité américaine du début du siècle.*

**FOSTER Alan Dean**
**Alien** (1115★★★)
*Avec la créature de l'Extérieur, c'est la mort qui pénètre dans l'astronef.*
**Le trou noir** (1129★★★)
*Un maelström d'énergie les entraînerait au delà de l'univers connu.*
**Le choc des Titans** (1210★★★★)
*Un combat titanesque où s'affrontent les dieux de l'Olympe. Inédit, illustré.*
**Outland... loin de la terre** (1220★★)
*Sur l'astéroïde Io, les crises de folie meurtrière et les suicides sont quotidiens. Inédit. Illustré.*

**GROSSBACH Robert**
**Georgia** (1395★★★)
*Quatre amis, la vie, l'amour, l'Amérique des années 60.*

**GANN Ernest K.**
**Massada** (1303★★★★)
*L'héroïque résistance des Hébreux face aux légions romaines.*

**HALEY Alex**
**Racines** (2 t. 968★★★★ et 969★★★)
*Ce triomphe mondial de la littérature et de la TV fait revivre le drame des esclaves noirs en Amérique.*

**SHERWOOD Christopher**
**Adieu à Berlin** (1213★★★)
*Ce livre a inspiré le célèbre film Cabaret.*

**JONES John G.**
**Amityville II** (1343★★★)
*L'horeur semblait avoir enfin quitté la maison maudite; et pourtant... Inédit.*

**KING Stephen**
**Shining** (1197★★★★)
*La lutte hallucinante d'un enfant médium contre les forces maléfiques.*

**RAINTREE Lee**
**Dallas** (1324★★★★)
*Dallas, l'histoire de la famille Ewing, au Texas, célèbre au petit écran.*
**Les maîtres de Dallas** (1387★★★★)
*Amours, passions, déchaînements, tout le petit monde du feuilleton "Dallas".*

*(déc. 82)*

**RODDENBERRY Gene**
**Star Trek** (1071★★)
*Un vaisseau terrien seul face à l'envahisseur venu des étoiles.*

**SAUTET Claude**
**Un mauvais fils** (1147★★★)
*Emouvante quête d'amour pour un jeune drogué repenti. Inédit, illustré.*

**SEARLS Hank**
**Les dents de la mer - 2ᵉ partie** (963★★★)
*Le mâle tué, sa gigantesque femelle vient rôder à Amity.*

**SEGAL Erich**
**Love Story** (412★)
*Le roman qui a changé l'image de l'amour.*
**Oliver's story** (1059★★)
*Jenny est morte mais Oliver doit réapprendre à vivre.*

**SPIELBERG Steven**
**Rencontres du troisième type** (947★★)
*Le premier contact avec des visiteurs venus des étoiles.*

**STRIEBER Whitley**
**Wolfen** (1315★★★)
*Des êtres mi-hommes mi-loups guettent leurs proies dans rues de New York. Inédit, illustré.*

**YARBRO Chelsea Quinn**
**Réincarnations** (1159★★★)
*La raison chancelle lorsque les morts se mettent à marcher. Inédit, illustré.*

# Editions J'ai Lu, 31, rue de Tournon, 75006 Paris

*diffusion*
*France et étranger : Flammarion, Paris*
*Suisse : Office du Livre, Fribourg*

*diffusion exclusive*
*Canada : Éditions Flammarion Ltée, Montréal*

Achevé d'imprimer sur les presses de l'imprimerie Brodard et Taupin
7, Bd Romain-Rolland. Montrouge. Usine de La Flèche,
le 15 septembre 1982.
1398-5 Dépôt Légal septembre 1982. ISBN : 2 - 277 - 21357 - 8
Imprimé en France